A CAÇADA

CLIVE CUSSLER

A CAÇADA

Uma aventura de Isaac Bell

Tradução

Camila Fernandes

Editora Novo Conceito

Sob acordo com Peter Lampack Agency, Inc.
551 Fifth Avenue, Suite 1613
New York, NY 10176-0187 USA and
Lennart Sane Agency AB

1ª Impressão — 2013

Edição: Edgar Costa Silva
Produção Editorial: Tamires Cianci
Preparação de Texto: Lívia Fernandes
Revisão de Texto: Lilian Aquino, Berenice Baeder, Alline Salles
Diagramação: Vanúcia Santos

Este livro segue as regras da Nova Ortografia da Língua Portuguesa.

Dados Internacionais de Catalogação na Publicação (CIP)
(Câmara Brasileira do Livro, SP, Brasil)

Cussler, Clive
A caçada / Clive Cussler ; tradução Camila Fernandes. -- Ribeirão Preto, SP : Novo Conceito Editora, 2013.

Título original: The chase.
ISBN 978-85-8163-219-3

1. Ficção norte-americana I. Título.

12-15139 CDD-813

Índices para catálogo sistemático:
1. Ficção : Literatura norte-americana 813

Rua Dr. Hugo Fortes, 1885 — Parque Industrial Lagoinha
14095-260 — Ribeirão Preto — SP
www.editoranovoconceito.com.br
Impressão e Acabamento RR Donnelley

Para Teri, Dirk e Dana.

Nenhum pai foi abençoado
com filhos mais amorosos.

UM FANTASMA DO PASSADO

15 de abril de 1950
Lago Flathead, Montana

ELA SE ERGUEU DAS PROFUNDEZAS COMO um terrível monstro em um mar mesozoico. Uma camada de lodo cobria a cabine e a caldeira, enquanto a lama marrom-acinzentada do fundo do lago deslizava e caía das rodas motrizes de mais de dois metros, esparramando-se na água fria do lago. Surgindo lentamente na superfície, a velha locomotiva a vapor ficou pendurada, por um momento, pelos cabos de um imenso guindaste montado sobre uma barcaça de madeira. Ainda visíveis na sujeira que respingava, abaixo das janelas abertas dos lados da cabine, estava o número 3025.

Construída pela Fábrica de Locomotivas Baldwin da Filadélfia, Pensilvânia, a 3025 saíra da fábrica em 10 de abril de 1904. A classe Pacific era um tipo comum de máquina a vapor, grande e com rodas motrizes altas, capaz de puxar dez vagões de passageiros, feitos de aço, por longas distâncias a velocidades acima de 140 quilômetros por hora. Era conhecida como 4-6-2 por causa de seu truque de quatro rodas-piloto, logo atrás do limpa-trilhos, as seis grandes rodas motrizes abaixo da caldeira e as duas rodas portantes, pequenas, posicionadas abaixo da cabine.

A equipe da barcaça observou, admirada, enquanto o operador do guindaste articulava suas alavancas e baixava gentilmente a velha 3025 no deque principal, o peso da máquina fazendo a barcaça afundar mais sete centímetros na água. Ela ficou lá por quase um minuto até que seis homens superassem seu assombro e viessem tirar os cabos.

— Ela está numa boa forma impressionante para algo que ficou debaixo d'água por quase 50 anos — murmurou o superintendente de recuperação de objetos da barcaça velha e alquebrada, quase tão antiga quanto a locomotiva. Desde a década de 1920, vinha sendo usada em operações de dragagem no lago e nos afluentes próximos.

Bob Kaufman era um homem grande e amigável, pronto para rir ao menor sinal de um comentário jovial. Com a face corada pelas longas horas que passava ao sol, ele trabalhava na barcaça há 27 anos. Agora com 75, poderia ter se aposentado havia muito tempo, mas enquanto a empresa de dragagem quisesse mantê-lo ele continuaria trabalhando. Ficar em casa montando quebra-cabeças não era sua ideia de uma boa vida. Ele estudou o homem a seu lado, que era, até onde podia notar, ligeiramente mais velho.

— O que acha? — perguntou Kaufman.

O homem se virou, alto e ainda esbelto em seus 70 e poucos anos, cabelos fartos e prateados. Seu rosto era gasto feito couro. Ele olhou para a locomotiva com olhos pensativos que ainda não precisavam de óculos. Eles brilhavam azuis com um toque de lavanda. Um grande bigode prateado cobria seu lábio superior, como se tivesse sido plantado ali muitos anos antes. Combinava com suas sobrancelhas, que tinham se tornado espessas com a idade. Ele ergueu um caro chapéu panamá da cabeça e tocou a testa com um lenço.

Caminhou até a locomotiva recuperada, agora solidamente assentada no deque, e focou sua atenção na cabine. Água e imundície pingavam de sua escada, espirrando e espalhando-se pelo deque da barcaça.

— Apesar da sujeira — disse ele, afinal —, ela ainda é esteticamente agradável aos olhos. É só uma questão de tempo até um museu ferroviário aparecer com recursos para restaurá-la para exposição.

— Foi sorte um pescador local ter perdido o motor de seu barco e mandado dragar o fundo do lago para encontrá-lo. Senão, a locomotiva poderia ter ficado lá embaixo por mais meio século.

— É, foi um golpe de sorte — o homem alto de cabelos prateados disse lentamente.

Kaufman aproximou-se e passou a mão sobre uma das grandes rodas motrizes. Uma expressão sentimental cruzou seu rosto.

— Meu pai foi engenheiro da Union Pacific — disse em voz baixa. — Ele sempre dizia que a locomotiva do tipo Pacific era a melhor que ele já pilotara. Ele costumava me deixar sentar na cabine quando trazia um trem para o pátio. A classe Pacific era usada principalmente para puxar vagões de passageiros porque era muito rápida.

Uma equipe de mergulhadores, vestindo trajes de lona entremeada com camadas de borracha, apareceu de pé em uma plataforma que se erguia de sob a superfície da água fria. Usavam o capacete de metal Mark V, grandes cintos de lastro em torno do peito e botas de mergulho com canos de lona, ponteiras de latão e solas de chumbo que pesavam 16 quilos. Ao todo, os mergulhadores carregavam quase 68 quilos de equipamento. Eles puxaram seus tubos de ar, que chegavam à bomba de mergulho, alimentada com ar da superfície, enquanto a plataforma se elevava e descia oscilante sobre o deque. Mal eles subiram a bordo, outro time desceu as escadas e ficou sobre a plataforma enquanto ela baixava para as águas do lago, ainda geladas do longo inverno de Montana.

O homem alto observou silenciosamente, parecendo deslocado em meio à equipe da barcaça em seus trajes de trabalho manchados de graxa e todo o resto. Ele vestia calça marrom habilmente passada e um caro suéter de tricô sob uma jaqueta de caxemira. Seus sapatos estavam muito polidos e tinham mantido o brilho no deque encharcado de óleo e cheio de cabos enferrujados.

Ele fitou as pesadas camadas de limo nos degraus da cabine e virou-se para Kaufman.

— Vamos colocar uma escada ali para podermos subir na cabine — disse.

Kaufman deu uma ordem a um funcionário que estava próximo e uma escada logo apareceu, sendo apoiada na borda do piso da cabine, atrás do acento do maquinista. O superintendente subiu primeiro, seguido pelo observador idoso. A água descia do teto feito um lençol, enquanto carvão dissolvido se misturava ao lodo que fluía da porta aberta da fornalha para o chão de metal.

Primeiro, a cabine pareceu vazia. O labirinto de válvulas, tubos e alavancas por cima da caldeira estava coberto por camadas de lodo e os tentáculos de algas verdes cresciam ali. A sujeira no chão da cabine estava na altura dos tornozelos, mas o observador alto e silencioso pareceu não notar que ela cobria seus sapatos. Ele se ajoelhou e estudou três corcovas que se erguiam do lodo como pequenas montanhas.

— O maquinista e o bombeiro — ele anunciou.

— Tem certeza?

— Tenho — ele assentiu. — O maquinista era Leigh Hunt. Ele tinha mulher e dois filhos, ambos hoje na meia-idade. O bombeiro era Robert Carr. Ele ia se casar depois dessa viagem.

— Quem era o terceiro homem?

— O nome era Abner Weed. Um cliente durão. Ele forçou Hunt e Carr a operarem a máquina com uma arma apontada para suas costas.

— A aparência deles não é boa — murmurou Kaufman, enojado com o que via. — Estou surpreso que não tenham virado esqueletos.

— Não teria restado nada deles se tivessem morrido em água salgada, mas as águas frias e frescas do Lago Flathead os preservaram. O que você vê é o tecido adiposo, no qual a gordura se acumula. Com o tempo, se ficar submerso, ele se rompe e dá ao corpo um aspecto de cera e sabão, conhecido como saponificação.

— Precisamos chamar o xerife e trazer um médico legista aqui.

— Isso vai atrasar a operação? — perguntou o estranho.

— Não. — Kaufman balançou a cabeça. — Não deve atrasar nada. Assim que a equipe de mergulhadores prender os cabos de suspensão, nós vamos trazer o vagão-reboque para cima.

— É importante que eu veja que está no carro anexo.

— Vai ver. — Kaufman olhou para o homem, tentando em vão ler os pensamentos dele. — É melhor cuidarmos do vagão-reboque primeiro para simplificar as coisas. Se nos concentrarmos no carro antes que ele seja separado do vagão-reboque, pode acabar sendo um desastre. Ele pode não ser tão pesado quanto a locomotiva, mas, se não tomarmos muito cuidado, pode se partir em pedaços. É uma operação bem mais delicada. Além disso, a parte da frente do vagão bagageiro está meio enterrada debaixo do vagão-reboque.

— Não é um vagão bagageiro. É um vagão de carga fechado.

— Como você sabe?

O observador ignorou a pergunta.

— Suba o vagão-reboque primeiro. Você é o encarregado.

Kaufman olhou para baixo, para as feias protuberâncias que já tinham sido humanas.

— Como é que eles foram parar lá? Como é que um trem pode ter ficado perdido no meio do lago por todos esses anos?

O homem alto fitou o lago calmo e azul.

— Há 44 anos, havia uma balsa que levava vagões carregados de madeira de um lado do lago para o outro.

— Com certeza, é estranho — Kaufman disse lentamente. — Os jornais e os oficiais da Southern Pacific informaram que o trem tinha sido roubado. Se me lembro bem, foi em 21 de abril de 1906.

— Um acobertamento da empresa. — O velho sorriu. — O trem não foi roubado. Um despachante ferroviário foi subornado para fretar a máquina.

— Devia haver algo muito valioso no vagão de carga para valer essas mortes — disse Kaufman. — Como um carregamento de ouro.

— Circularam rumores de que o trem carregava ouro — assentiu o velho. — Verdade seja dita, não era ouro, mas dinheiro vivo.

— Quarenta e quatro anos — Kaufman disse lentamente. — Um longo tempo para um trem ficar perdido. Talvez o dinheiro ainda esteja dentro do vagão.

— Talvez — disse o homem alto, observando, no horizonte, algo que só ele podia ver. — E talvez nós encontremos as respostas quando entrarmos nele.

O ASSALTANTE AÇOUGUEIRO

1

10 de janeiro de 1906
Bisbee, Arizona

QUEM QUER QUE VISSE UM BEBERRÃO desamparado descendo a Avenida Moon lentamente, oscilando, naquela tarde em Bisbee, o teria confundido com algo que ele não era: um homem que envelhecera antes do tempo trabalhando nas minas que passavam por dentro das montanhas ricas em minerais sob a cidade. Sua camisa estava imunda e ele cheirava mal. Um suspensório estava rasgado e a calça esfarrapada estava metida em botas gastas e esgotadas, que deveriam ter sido jogadas no lixão muito tempo atrás.

O cabelo emaranhado e oleoso descia solto até os ombros, misturando-se à barba não aparada que chegava a meio caminho de seu estômago saliente. Ele enxergava através de olhos de um castanho tão escuro que era quase negro. Não havia expressão neles; pareciam frios, quase perversos. Um par de luvas de trabalho cobria suas mãos, que nunca haviam segurado pá ou picareta.

Debaixo de um braço, ele carregava um velho saco de aniagem que parecia vazio. No tecido sujo estava gravado em estêncil, quase caprichosamente, o nome COMPANHIA DOUGLAS DE ALIMENTOS & GRÃOS, OMAHA, NEBRASKA.

O velho parou por um minuto e encostou-se a uma cerca na esquina da Avenida Moon com a Tombstone Canyon Road. Atrás dele havia um *saloon*, quase vazio por ainda ser meio-dia e seus clientes habituais estarem trabalhando duro nas minas. As pessoas andando e fazendo compras na pequena cidade mineradora não lhe lançaram mais que um olhar rápido, enojado. Quando passavam, ele tirava uma garrafa de uísque de um bolso da calça e bebia um grande gole antes de recolocar a tampa e guardá-la. Ninguém poderia saber que aquilo não era uísque, mas chá.

Para um dia de junho, estava quente; ele imaginou que a temperatura deveria estar acima dos 32 graus. Sentou-se de novo e viu um bonde passar por toda a rua, puxado por um velho cavalo. Os bondes elétricos ainda não haviam chegado a Bisbee. A maior parte dos veículos nas ruas ainda eram carroças e diligências. A cidade tinha apenas um punhado de automóveis e caminhões de entrega, e nenhum estava em evidência.

Ele conhecia o suficiente sobre o lugar para saber que fora fundado em 1880 e nomeado em homenagem ao juiz DeWitt Bisbee, um dos investidores por trás da Mina de Cobre Queen. Uma comunidade razoavelmente grande; sua população de 20 mil pessoas fazia dela a maior cidade entre São Francisco e St. Louis. Apesar das muitas famílias dos mineiros que viviam em casas de madeira, a economia se baseava principalmente nos *saloons* e em um pequeno exército de senhoras moralmente ambíguas.

A cabeça do homem pendia sobre seu peito. Parecia um bêbado cochilando. No entanto, era uma farsa. Ele estava consciente de cada movimento a seu redor. Ocasionalmente, olhava pela rua em direção ao Banco Nacional de Bisbee. Ele observou com interesse, através dos olhos semicerrados, enquanto um caminhão com acionamento por corrente e pneus bem sólidos chacoalhou em direção ao banco. Havia somente um guarda, que saiu do caminhão carregando um grande saco de notas recém-impressas. Alguns minutos depois, o homem teve ajuda do caixa do banco para passar pela porta carregando um pesado cofre e levá-lo até o caminhão.

O homem sabia que era um carregamento de ouro, uma parte dos 84 mil quilos de ouro que tinham sido produzidos nas minas locais. Entretanto, não era o ouro que atraía seu interesse. Era pesado demais e arriscado demais para um único homem lidar. Era o dinheiro que o trazia a Bisbee, não o precioso metal amarelo.

Observou enquanto o caminhão se afastou e dois homens, que ele identificara como os seguranças da gigantesca Companhia Mineradora Phelps Dodge, saíram do banco. Entregaram o dinheiro para cumprir a folha de pagamento da companhia no dia seguinte. Ele sorriu, sabendo que os bens do Banco Nacional de Bisbee tinham subido a um novo nível.

Tinha visto quem entrava e saía do banco por quase duas semanas até conseguir identificar todos de vista. Também tinha anotado a hora em que entravam e saíam. Satisfeito por saber que agora não havia ninguém no banco exceto o caixa e o proprietário/gerente, ele olhou para o relógio e assentiu.

Preguiçosamente, o velho indigente se levantou, espreguiçou-se e caminhou a passos lentos pela rua de paralelepípedos e pelos trilhos do bonde até o banco, carregando o saco de aniagem grande e vazio sobre um dos ombros. Quando estava prestes a entrar, uma mulher passou por ele inesperadamente. Ela lançou-lhe um olhar de aversão, contornou-o e entrou. Ela não estava em seus planos, porém ele decidiu lidar com a questão em vez de esperar. Checou a rua e entrou no banco atrás dela.

Fechou a porta. O caixa estava no cofre e a mulher esperou até que ele reaparecesse. O indigente tirou da bota um Colt automático calibre .38 de 1902 e acertou a mulher na nuca com o tambor da arma, olhando com desinteresse quando ela desabou devagar no chão de madeira. Foi tão repentino e silencioso que o proprietário do banco não viu nem ouviu nada de seu escritório.

Então, o mineiro bêbado, subitamente transformado em ladrão de banco, saltou o balcão com leveza, entrou no escritório do dono e colocou o cano da arma em sua cabeça.

— Resista e eu atiro — disse em tom baixo e autoritário. — Agora, mande o caixa entrar aqui.

O calvo, gordo e chocado dono do banco olhou para ele com olhos castanhos arregalados de medo. Sem discutir, ele chamou:

— Roy, venha até aqui.

— Já vou, senhor Castle — Roy respondeu de dentro do cofre.

— Mande-o deixar o cofre aberto — sussurrou o assaltante com voz afiada.

— Roy, não feche a porta do cofre — Castle obedeceu, ficando vesgo quando seus olhos se focaram na arma pressionada contra sua testa.

Roy saiu do cofre, um livro de registro contábil debaixo do braço. Não pôde ver a mulher inconsciente deitada debaixo do balcão. Sem suspeitar de nada, ele entrou no escritório de Castle e ficou petrificado quando viu o assaltante com uma arma na cabeça de seu chefe. O ladrão afastou o cano da cabeça de Castle e agitou-o em direção ao cofre.

— Vocês dois — disse calmamente —, entrem no cofre.

Nem pensaram em resistir. Castle ergueu-se da mesa e foi na frente, enquanto o ladrão passava rapidamente junto da janela para ver se não havia ninguém na rua dirigindo-se ao banco. Exceto por umas poucas mulheres fazendo compras e um carro de cerveja que passava, a rua estava tranquila.

O interior do cofre estava bem iluminado, com uma lâmpada de latão Edison pendurada no teto de aço. Exceto pelo baú contendo o ouro, muitas pilhas de notas, em sua maioria parte da folha de pagamento das companhias mineradoras, cobriam as prateleiras. O assaltante jogou o saco de aniagem para o caixa.

— Ok, Roy, encha isso com todas as verdinhas que tiver.

Roy fez como ele dizia. Com mãos trêmulas, começou a varrer as pilhas de notas de diversos valores para dentro do saco. Quando terminou, o saco estava esticado até o limite de suas fibras de juta e parecia ter o tamanho de um saco de lavanderia bem cheio.

— Agora, deitem no chão — mandou o assaltante.

Castle e Roy, acreditando que o ladrão estava agora prestes a empreender sua fuga, esticaram-se no chão com as mãos estendidas sobre a cabeça. O bandido tirou uma pesada echarpe de lã de um de seus bolsos e enrolou-a no bocal de sua automática. Então, sistematicamente atirou na cabeça dos dois homens. O som foi mais parecido com o de duas pancadas fortes do que com disparos de uma arma de fogo. Sem hesitar por um segundo, ele colocou o saco por cima do ombro e saiu do cofre sem olhar para trás.

Infelizmente, não havia terminado. A mulher debaixo do balcão gemeu e tentou se apoiar nos cotovelos. Com total indiferença, ele se inclinou, baixou a arma e acertou-a na cabeça, como tinha feito com o dono do banco e o caixa. Não houve remorso, nem o menor sinal de emoção. Ele não se importava se algum deles deixara uma família para trás. Matara três pessoas indefesas a sangue frio com o mesmo interesse que teria demonstrado ao pisotear uma fila de formigas.

Parou para procurar um dos cartuchos de bala que pensou ter ouvido cair de dentro da echarpe enrolada na arma, mas não conseguiu encontrá-lo. Desistiu e caminhou casualmente para fora do banco, notando, satisfeito, que ninguém tinha ouvido os disparos abafados.

Com o saco de aniagem inchado de dinheiro, o homem seguiu pelo beco que ficava atrás do banco. Entrando em um vão sob uma escadaria, onde não poderia ser visto, tirou as roupas encardidas, removeu a peruca e a barba cinzentas e jogou tudo em uma pequena valise. Revelando-se agora em um caro terno feito sob medida, colocou um chapéu-coco em um ângulo garboso sobre a cabeça e o cabelo vermelho, agora muito bem escovado. Passou uma gravata pelo pescoço e deu-lhe um nó antes de jogar as botas gastas na valise. Era um homem baixo e as solas e saltos das botas tinham uma elevação de quase cinco centímetros. Depois, tirou um par de sapatos de couro inglês com saltos para fazê-lo parecer mais alto, antes de voltar sua atenção para uma grande maleta de couro que escondera sob uma lona, junto com uma motocicleta Harley-Davidson. Olhando de um lado para o outro do beco a cada instante, ele transferiu o imenso monte de dinheiro do saco de juta para a maleta, que prendeu com uma correia ao porta-bagagem sobre a roda traseira da moto. A valise contendo seu disfarce ele amarrou no bagageiro frontal.

Nesse momento, ouviu gritos pelo beco, vindos da Tombstone Canyon Road. Alguém tinha descoberto os corpos no Banco Nacional de Bisbee. Despreocupado, ele empurrou a moto adiante e ligou o motor de um cilindro de 63 centímetros cúbicos e três cavalos-força. Jogou uma perna por cima do assento e partiu por becos desertos até o pátio de manobras. Moveu-se sem ser visto por um ramal ferroviário onde um trem de carga tinha parado para apanhar água.

Ele chegou na hora certa.

Mais cinco minutos e o trem de carga voltaria para os trilhos principais, partindo em direção a Tucson. Sem ser notado pelo maquinista e pelo brequista, enquanto estes puxavam um grande tubo do tanque de madeira para dentro do vagão-reboque para criar vapor de água, o homem pegou uma chave do bolso de seu colete e abriu o cadeado da porta de um vagão de carga, no qual estava pintado um logotipo onde se lia FÁBRICA DE MÓVEIS O'BRIAN, DENVER. Ele empurrou a porta corrediça, abrindo-a. A presença de tal vagão nessa hora e lugar não era coincidência. Agindo como um representante fictício da igualmente fictícia Fábrica de Móveis O'Brian, ele tinha pagado para que esse vagão fosse incluído no trem de carga que passava por Bisbee, saindo de El Paso, no Texas, para Tucson, no Arizona.

Ele pegou uma grande tábua, ligada por colchetes à lateral do vagão, e usou-a como rampa para colocar a Harley-Davidson a bordo. Então, fechou a porta corrediça rapidamente e passou a mão por uma pequena abertura com dobradiças para fechar o cadeado quando o assobio da locomotiva soou e o trem começou a se mover, saindo do ramal para os trilhos principais.

Do lado de fora, o vagão de carga se parecia com qualquer outro que tivesse sido usado por muitos anos. A pintura estava desbotada e as laterais de madeira estavam entalhadas e lascadas. Mas sua aparência era enganosa. Até a tranca da porta era falsa, fazendo parecer que o carro estava bem fechado. Mas era o interior que mais enganava. Em vez de vazio ou apinhado de móveis, era luxuoso, ornamentado e pomposamente mobiliado, como um vagão particular de um presidente de ferrovia. Painéis de mogno espalhavam-se pelas paredes e teto. O chão estava coberto por um grosso carpete. A decoração e a mobília eram extravagantemente magníficas. Havia uma sala de estar opulenta, uma cama palaciana e uma eficiente cozinha com as mais recentes inovações para a preparação de refeições sofisticadas.

Não havia criados, cabineiros ou cozinheiros.

O homem trabalhava sozinho, sem cúmplices que pudessem revelar seu verdadeiro nome e ocupação. Ninguém sabia de suas operações clandestinas como ladrão de bancos e assassino em massa. Até o vagão tinha sido construído e decorado no Canadá antes de ser transportado em segredo pela fronteira até os Estados Unidos.

O assaltante relaxou em um sofá de couro macio, desarrolhou uma garrafa de Château La Houringue Bordeaux 1884, resfriado em um balde, e serviu-se de uma taça.

Sabia que o xerife da cidade logo montaria um pelotão. No entanto, eles procurariam por um mineiro velho e nojento que matara em estado embriagado. Os policiais se espalhariam, revirando a cidade, quase certos de que ele era pobre demais para ter um cavalo. Nenhum dos cidadãos o vira chegar e sair montado em um cavalo ou dirigindo uma diligência.

Imensamente satisfeito consigo mesmo, ele bebericou o vinho em uma taça de cristal e estudou a maleta de couro. Era seu décimo primeiro ou décimo sexto assalto bem-sucedido?, refletiu. Os 38 homens e mulheres e as duas crianças que ele matara nunca entravam em sua mente. Estimava ter tirado de 325 mil a 330 mil dólares da folha de pagamento das mineradoras. A maioria dos ladrões nem teria chegado perto de adivinhar a quantia dentro da maleta.

Mas era fácil para ele, já que era também um banqueiro.

O xerife, os delegados e o pelotão nunca encontrariam o assaltante e assassino. Era como se tivesse desaparecido no ar. Ninguém jamais pensaria em conectá-lo ao homem asseado cruzando a cidade em uma motocicleta.

O crime hediondo se tornaria um dos mistérios mais duradouros de Bisbee.

2

10 de fevereiro de 1906
Rio Mississippi abaixo de Hannibal, Missouri

Logo depois que o século 20 começou, os barcos a vapor no Mississippi começaram a desaparecer. Poucos barcos de passageiros a vapor ainda reinavam com algum estilo. O Saint Peter era uma dessas últimas grandes embarcações a sobreviver ao ataque das ferrovias. Com 76,2 metros de cumprimento e 22,8 de largura, era um esplêndido exemplo de elegância palaciana, com escadarias laterais em curva, cabines de pelúcia para passageiros e uma magnífica sala de jantar principal com a melhor comida que se poderia encontrar. Salões pomposos eram oferecidos às senhoras, enquanto os homens fumavam seus charutos e jogavam cartas em belos recintos adornados com espelhos e pinturas.

Jogos de cartas em barcos a vapor navegando pelo rio eram famosos por seus trapaceiros. Muitos passageiros saíam dos barcos mais pobres do que quando haviam entrado. Em uma mesa do salão de jogos do Saint Peter, em um canto silencioso distante da ação, dois homens divertiam-se em uma partida de pôquer aberto com cinco cartas.

À primeira vista, a cena se parecia com qualquer outra no recinto. No entanto, olhando-se mais de perto revelava que não havia fichas sobre a mesa de feltro verde.

Joseph Van Dorn estudava calmamente suas cartas antes de deitar duas delas na mesa.

— É bom não estarmos aqui por dinheiro — disse, sorrindo —, ou eu deveria a você 8 mil dólares.

O Coronel Henry Danzler, diretor do Departamento de Investigação Criminal do governo dos Estados Unidos, sorriu de volta.

— Se você trapaceasse como eu, estaríamos quites.

Van Dorn era um homem agradável de 40 e poucos anos. As bochechas e queixo estavam enterrados em magníficas costeletas e barba vermelhas combinando com o que restava do cabelo que rodeava o topo calvo da cabeça. A face era dominada por um nariz romano e os olhos castanhos pareciam tristes e melancólicos. Entretanto, sua aparência e modos eram enganosos.

Irlandês de nascimento, ele possuía um nome conhecido e respeitado no país por sua tenacidade em rastrear assassinos, assaltantes e outros foras da lei. O submundo do crime à época sabia que ele caçaria todos até os confins da Terra. Fundador e líder da renomada Agência de Detetives Van Dorn, ele e seus agentes haviam evitado assassinatos políticos, caçado muitos dos criminosos mais temidos do Oeste e ajudado a organizar a primeira agência de serviço secreto do país.

— Você ainda conseguiria ter mais ás do que eu — disse amigavelmente.

Danzler era um homem imenso, alto e enorme na cintura, pesando pouco mais que 135 quilos, mas movia-se tão facilmente quanto um tigre. Seu cabelo grisalho estava imaculadamente aparado e penteado, brilhando à luz que se derramava das grandes janelas do barco. Seus olhos azul-esverdeados tinham um brilho suave, entretanto pareciam analisar e registrar tudo o que acontecia à sua volta.

Veterano e herói da Guerra Hispano-Americana, ele tinha atacado as Colinas de San Juan com o Capitão John Pershing e seus "Soldados Búfalos" da Décima Cavalaria e servido com distinção nas Filipinas contra os *moros*[1]. Quando o Departamento de Investigação Criminal do governo foi autorizado pelo Congresso, o Presidente Roosevelt pedira a ele que se tornasse o primeiro diretor.

[1] Em espanhol, "mouros" ou "muçulmanos". Indígenas das Ilhas Filipinas convertidos ao islamismo no século 13, antes da chegada dos conquistadores espanhóis. Rebelaram-se contra o domínio americano de 1899 a 1913 (N. T.).

Danzler abriu a tampa de um grande relógio de bolso e olhou para os ponteiros.

— Seu homem está cinco minutos atrasado — disse.

— Isaac Bell é meu melhor agente. Ele sempre pega seu homem. E, ocasionalmente, uma mulher também. Se está atrasado, é por uma boa razão.

— Você diz que foi ele quem capturou o assassino Ramos Kelly antes que ele atirasse no Presidente Roosevelt?

— E ele cercou a gangue de Barton no Missouri — disse Van Dorn, assentindo. — Atirou e matou três deles antes de os outros dois se renderem.

— E você acha que ele é o homem certo para deter nosso assassino em massa e assaltante de bancos? – Danzler fitou o famoso detetive.

— Se há alguém que possa deter o assassino, é Isaac.

— Qual é a situação familiar dele?

— Muito rica — respondeu Van Dorn. — O pai e o avô dele eram banqueiros. Já ouviu falar do Banco de Boston dos Estados Americanos?

— Certamente — assentiu Danzler. — Eu mesmo tenho uma conta lá.

— Isaac é muito rico. O avô deixou para ele 5 milhões de dólares em seu testamento, pensando que Isaac poderia sucedê-lo como diretor do banco um dia. Nunca aconteceu. Isaac preferiu trabalhar como detetive. Tenho sorte em tê-lo.

Danzler percebeu uma sombra em seu braço. Olhou para cima e deparou com olhos de um azul suave com um leve toque de violeta, olhos que tinham mirado horizontes para ver o que havia além. O efeito era quase hipnótico, como se eles estivessem vasculhando os pensamentos mais profundos de Danzler.

Danzler sabia avaliar um homem tão bem quanto avaliava cavalos. O intruso era alto e esguio, com bem mais que 1,80 metro, e não pesava mais que 80 quilos. Um grande bigode louro que cobria todo o seu lábio superior seguia o farto cabelo do mesmo tom, habilmente aparado. Suas mãos e dedos eram longos e ágeis e vinham soltos, quase casualmente, ao lado do corpo. Havia algo de eficiente em sua aparência. O coronel julgou que aquele era um homem que procedia com firmeza e não aturava tolices ou candura insignificante e falsa. Tinha um quê de determinação no queixo e nos lábios, que se abriam em um sorriso amigável. Danzler avaliou sua idade em torno dos 30 anos.

Estava vestido em um terno de linho branco imaculado e sem vincos. Uma pesada corrente de ouro pendia do bolso esquerdo do colete, presa a um grande relógio de ouro dentro do bolso direito. Um chapéu de copa baixa e aba larga assentava-se simetricamente em sua cabeça. Danzler poderia tê-lo tomado como um "almofadinha", no entanto, a aparência elegante foi traída por um par de botas de couro gastas que já haviam passado muitas horas nos estribos. Bell carregava uma valise estreita, que colocou ao lado da mesa.

— Coronel Danzler — disse Van Dorn —, este é o homem de quem lhe falei. Isaac Bell.

Danzler ofereceu a mão, mas não se ergueu da cadeira.

— Joe me disse que você sempre pega seu homem.

— Temo que o senhor Van Dorn tenha exagerado. — Bell sorriu levemente. — Cheguei 10 minutos atrasado quando Butch Cassidy e Harry Longabaugh zarparam de Nova York para a Argentina, três anos atrás. O barco deles se afastou das docas antes que eu pudesse prendê-los.

— Quantos agentes ou oficiais da polícia estavam com você?

Bell encolheu os ombros.

— Eu pretendia cuidar do assunto sozinho.

— Longabaugh não era o Sundance Kid? — perguntou Danzler.

— Ele ganhou o apelido quando tentou roubar um cavalo em Sundance, no Wyoming — respondeu Bell, assentindo. — Foi pego e passou 18 meses na cadeia.

— Certamente você não esperava vencê-los sem luta.

— Creio que seja seguro dizer que eles teriam resistido — disse Bell, sem explicar como teria, sozinho, capturado os ex-membros da infame Quadrilha Selvagem.

Van Dorn recostou-se à sua cadeira, não fez nenhum comentário e lançou um olhar presunçoso ao coronel.

— Por que não se senta, senhor Bell, e se junta a nosso joguinho?

Bell olhou para a mesa vazia de forma zombeteira e depois para Danzler.

— Vocês parecem não ter fichas.

— É só um joguinho entre amigos — disse Van Dorn, embaralhando as cartas e separando três mãos. — Até agora, devo ao coronel 8 mil dólares.

Bell sentou-se, a zombaria em seu olhar mudando para compreensão. O jogo era uma farsa. Seu chefe e o coronel estavam sentados no canto, longe de outros jogadores e jogando como se estivessem em uma partida séria. Ele colocou o chapéu no colo, pegou suas cartas e agiu como se estivesse imerso em pensamentos.

— Está familiarizado com a série de assaltos a bancos e assassinatos que têm ocorrido nos estados do Oeste nos últimos dois anos? — Danzler perguntou.

— Só de ouvir falar — replicou Bell. — O senhor Van Dorn me manteve ocupado com outros casos.

— O que realmente sabe sobre os crimes?

— Apenas que o assaltante mata quem quer que esteja no banco durante o ato, escapa feito um espírito e não deixa para trás nenhuma evidência que possa incriminá-lo.

— Mais alguma coisa?

— Quem quer que seja — respondeu Bell —, ele é muito, muito bom. Não houve pistas nem pausas na investigação. — Ele parou e olhou para Van Dorn. — É por isso que fui chamado até aqui?

Van Dorn assentiu.

— Eu quero que você assuma o caso como investigador-chefe.

Bell atirou uma carta, pegou a que Danzler oferecera e juntou-a a seu leque, que segurava na mão esquerda.

— Você é canhoto, senhor Bell? — perguntou Danzler, por curiosidade.

— Não. Na verdade, sou destro.

Van Dorn riu suavemente.

— Isaac consegue sacar a pistola escondida no chapéu dele, armá-la e puxar o gatilho mais rápido do que você consegue piscar.

O respeito de Danzler por Bell cresceu ao longo da conversa. Ele afastou o casaco e revelou um Colt automático calibre .38, de 1903, com cão embutido.

— Aceito a palavra de Joe quanto a isso, mas seria interessante testar... — Danzler não tinha terminado a frase quando viu-se encarando os canos gêmeos de um revólver.

— A idade o deixou mais lento, Henry — disse Van Dorn. — Isso ou a sua mente vacilou.

— Tenho que admitir, ele é rápido — Danzler disse, visivelmente impressionado.

— Em qual escritório vou trabalhar? — Bell perguntou a Van Dorn enquanto fazia a pistola deslizar para dentro do chapéu, onde ela se encaixou em um pequeno bolso dentro da copa.

— Os crimes ocorreram desde Placerville, Califórnia, no oeste, até Terlingua, Texas, no leste — volveu Van Dorn. — E de Bisbee, Arizona, no sul, até Bozeman, Montana, no norte. Acho que será melhor você operar partindo do centro.

— Isso seria Denver.

Van Dorn assentiu.

— Como sabe, temos um escritório lá com seis agentes experientes.

— Trabalhei com dois deles três anos atrás — disse Bell. — Curtis e Irvine são bons homens.

— Sim, esqueci — Van Dorn disse. — Devo acrescentar, Coronel, que Isaac foi responsável pela captura de Jack Ketchum, que depois foi enforcado por cometer dois assassinatos durante o assalto a um trem. — Ele parou, enfiou a mão debaixo da mesa e trouxe uma valise idêntica à que Bell trouxera para o salão de jogos. Bell, então, passou sua valise vazia para Van Dorn. — Dentro, vai encontrar os relatórios de todos os crimes. Todas as pistas, até agora, levaram a um beco sem saída.

— Quando começo?

— Na próxima parada, que é Clarksville, você descerá e pegará o primeiro trem para Independence. Lá, receberá uma passagem no trem expresso da Union Pacific até Denver. Pode digerir e estudar os menores indícios e evidências que juntamos. Quando chegar, você começará a caçada à escória assassina. — Um olhar de raiva e frustração anuviou os olhos castanhos de Van Dorn. — Desculpe, eu não lhe dei chance de fazer as malas quando você saiu de Chicago, mas queria que começasse o mais cedo possível.

— Não se preocupe, senhor — disse Bell com um sorriso ligeiro. — Felizmente, eu trouxe duas malas para o período.

As sobrancelhas de Van Dorn se ergueram.

— Você sabia?

— Digamos que eu suspeitei.

— Mantenha-nos informados de sua perseguição — disse Danzler. — Se precisar de alguma ajuda do governo, farei o que estiver em meu poder para auxiliá-lo.

— Obrigado, senhor — Bell respondeu. — Entrarei em contato assim que estiver totalmente a par da situação.

— Trabalharei em nosso escritório em Chicago — disse Van Dorn. — Já que o serviço de telefonia transcontinental ainda não vai de St. Louis pelas pradarias até Denver, e além, na Califórnia, você terá que me informar de seu progresso via telégrafo.

— Se houver algum — Danzler murmurou sarcasticamente. — Você enfrentará a maior mente criminosa que este país já conheceu!

— Prometo não descansar enquanto não capturar o homem responsável por esses crimes hediondos.

— Desejo-lhe boa sorte — Van Dorn disse sinceramente.

— Sem querer mudar de assunto — Danzler falou com satisfação, enquanto deitava sua mão de cartas sobre o feltro verde —, eu tenho três rainhas.

Van Dorn encolheu os ombros e jogou suas cartas na mesa.

— Perdi.

— E você, senhor Bell? — perguntou Danzler com um sorriso astucioso.

Isaac Bell colocou as cartas na mesa lentamente, uma por uma.

— Um *straight flush*[2] — disse de modo trivial. Então, sem mais uma palavra, ergueu-se e saiu rapidamente do salão.

[2] Também conhecido como sequência de cor, o *straight flush* é uma das combinações de cartas mais valiosas do pôquer. Contém cinco cartas seguidas do mesmo naipe abaixo do 10 (N. T.).

3

MAIS TARDE, NAQUELA MANHÃ, um homem dirigia uma velha carroça, puxada por um par de mulas, passando pelo cemitério fora da cidade de Rhyolite, em Nevada. Os túmulos tinham simples cercas à sua volta, com os nomes dos falecidos entalhados em placas de madeira. Muitos eram crianças que haviam morrido de tifoide ou cólera, agravadas pela dura vida familiar em uma cidade mineradora.

O calor de julho no Deserto de Mojave era insuportável sob os raios diretos do Sol. O condutor da carroça estava sob um guarda-sol esfarrapado atado ao assento. Os cabelos pretos passavam de seu pescoço, mas paravam nos ombros. Sua cabeça estava protegida por um *sombrero* mexicano encardido. Seus olhos ocultos espiavam através das lentes azuladas dos óculos, e um lenço enrolado na parte de baixo de seu rosto protegia-o contra a poeira levantada pelos cascos das mulas. A forma como ele estava encurvado tornava difícil, se não impossível, determinar sua compleição.

Enquanto passava, olhou com interesse para uma casa que um mineiro construíra usando milhares de garrafas de cerveja descartadas por um *saloon* incrustadas em lama de adobe. Os fundos das garrafas ficavam virados para o lado de fora, com os gargalos para dentro, as garrafas verdes projetavam uma luz misteriosa no interior da casa.

Ele chegou aos trilhos da ferrovia e guiou as mulas pela estrada ao lado deles. Os topos dos trilhos cintilavam como espelhos estreitos e idênticos sob o sol ofuscante. Eram os trilhos da Ferrovia Las Vegas & Tonopah, que cortavam pelo meio o distrito residencial da cidade.

A carroça passou lentamente por mais de 80 vagões de trem em um ramal. Tinham sido despojados da carga que trouxeram. Os carros vazios estavam sendo abastecidos com minérios que seriam levados para trituração. O condutor lançou um breve olhar para um vagão de carga fechado sendo acoplado a um trem de 30 vagões. O letreiro na lateral dizia FÁBRICA DE MÓVEIS O'BRIAN, DENVER. Ele olhou para o mostrador de seu barato relógio de bolso — não carregava nada que pudesse ajudar a identificá-lo — e notou que o trem não estava programado para partir para Las Vegas nos próximos 40 minutos.

A quatrocentos metros adiante, o condutor chegou à estação de trem de Rhyolite. O edifício principal era uma mistura dos estilos gótico e neocolonial espanhol. A estação ornamentada fora construída em pedra, cortada e trazida de Las Vegas. Um trem de passageiros vindo de São Francisco jazia ao longo da plataforma de embarque. Os passageiros haviam desembarcado, os assentos foram limpos por faxineiros, e o trem agora estava se enchendo de pessoas que se dirigiam para a costa.

O condutor chegou ao centro da cidade, onde as ruas estavam movimentadas. Virou-se para olhar um grande estabelecimento mercantil, o armazém HD & LD PORTER. Abaixo do nome havia um slogan pintado em uma placa pendurada sobre a entrada frontal. Dizia VENDEMOS TUDO, MENOS UÍSQUE.

A corrida do ouro de 1904 resultara em uma cidade substancial e pequena, de edifícios sólidos, construídos para durar muito tempo. Em 1906, Rhyolite era uma próspera comunidade de mais de 6 mil habitantes. O lugar passara rapidamente de uma agitada vila de barracas a uma cidade importante, destinada a perdurar no futuro distante.

Os prédios principais eram feitos de pedra e concreto, fazendo da pequena metrópole de Rhyolite a maior cidade do sul de Nevada. Um banco de quatro andares surgiu adiante, uma bela estrutura que lhe dava um ar de consistência e riqueza. Meio quarteirão dali, um prédio de escritórios com três andares estava sendo construído.

Havia um correio, um teatro, um hospital com 20 leitos, hotéis confortáveis, duas igrejas, três bancos e uma grande escola. Atualizada, Rhyolite gabava-se de um sistema telefônico eficiente e seu próprio plano de geração de energia elétrica. Também tinha um estrondoso bairro da luz vermelha, quarenta *saloons* e oito salões de baile.

O homem que conduzia a carroça não estava interessado em nada do que a cidade tinha a oferecer, exceto alguns dos bens do Banco John S. Cook. Sabia que o cofre lá dentro era capaz de conter 1 milhão de dólares em moedas de prata. No entanto, era mais fácil carregar dinheiro da folha de pagamento das minas, e ele ainda tinha que pegar uma barra de prata ou de ouro. Acreditava que, com 85 companhias engajadas na mineração das colinas mais próximas, o pagamento deveria ser bem considerável.

Como sempre, ele tinha planejado muito bem, vivendo em uma pensão para mineiros enquanto entrava no Banco Cook em inúmeras ocasiões para fazer pequenos depósitos em uma conta aberta com um nome falso. Uma breve amizade foi forjada com o gerente do banco, que foi levado a acreditar que o recém-chegado era um engenheiro de mineração. A aparência do homem tinha sido alterada com uma peruca de cabelo preto, um bigode e um cavanhaque Vandyke, estreito e pontudo. Ele também andava mancando, o que alegava ser resultado de um acidente em uma mina. O disfarce provou-se infalível no estudo dos hábitos bancários dos cidadãos e dos horários em que o banco fazia pequenos negócios.

Enquanto conduzia a carroça e as mulas pela cidade em direção ao Banco Cook, no entanto, sua imagem tinha sido alterada da de um engenheiro de mineração para a de um pequeno carregador de materiais. Ele se parecia com qualquer outro carregador, lutando para ganhar a vida no calor tórrido do deserto durante o verão. Ele puxou as rédeas, parando as mulas atrás de um estábulo. Quando teve certeza de que ninguém o estava observando, ergueu um manequim vestido exatamente como ele e prendeu-o no assento da carroça. Então, levou as mulas pela Broadway, a rua principal que cruzava a cidade. Pouco antes de chegar à calçada de concreto em frente à entrada do banco, ele estapeou os traseiros das mulas e mandou-as embora, puxando a carroça ao longo da rua, o manequim sentado bem ereto no assento e segurando as rédeas.

Verificou se havia clientes se aproximando do banco. Nenhuma das pessoas que se moviam por ali parecia ir naquela direção. Olhou para o edifício de quatro andares, visualizando a pintura dourada nas janelas do andar superior anunciando os consultórios de um dentista e de um médico. Outra placa, com uma mão apontando para baixo, indicava que o correio da cidade ficava no porão.

Ele vagueou até o banco e olhou para o saguão. Estava vazio, exceto por um homem que fazia uma retirada. O cliente pegou seu dinheiro com o caixa, virou-se e saiu do banco sem olhar para o estranho.

Lá vai um homem de sorte, o assaltante pensou.

Se o cliente tivesse se importado em notá-lo, seria morto com um tiro. O assaltante nunca deixava ninguém para trás para identificar o menor detalhe sobre ele. Pois sempre havia a possibilidade, ainda que pequena, de alguém enxergar através de seu disfarce.

Tinha descoberto, a partir de conversas nos *saloons* mais próximos, que o banco era administrado por um gerente de uma empresa pertencente aos proprietários das minas mais produtivas da região, especialmente da Mina Montgomery-Shoshone, cuja exploração original rendera quase 2 milhões de dólares.

Até aqui, tudo bem, pensou o assaltante enquanto saltava o balcão, aterrissando de pé perto do caixa assustado. Ele puxou a arma de sua bota e pressionou o cano contra a cabeça do funcionário.

— Não se mexa e nem pense em acionar o botão de alarme debaixo do balcão, ou eu espalho seus miolos na parede.

O caixa não podia acreditar no que estava acontecendo.

— Isto é mesmo um assalto? — gaguejou ele.

— É, sim — respondeu o assaltante. — Agora, vá bem devagar até o escritório do gerente e aja como se nada estivesse acontecendo.

O caixa assustado moveu-se em direção a um escritório, cuja porta fechada tinha um vidro jateado que dificultava a visão através dela. Ele bateu na porta.

— Sim, entre — respondeu uma voz do outro lado.

O caixa Fred abriu a porta e foi violentamente empurrado para dentro, perdendo o equilíbrio e caindo em cima da mesa do gerente. A placa na mesa, Herbert Wilkins, caiu no chão. Wilkins prontamente entendeu a situação e esticou-se em direção a um revólver debaixo de sua mesa. Ele estava cinco segundos atrasado. O assaltante soubera da arma pelo próprio gerente, enquanto conversava em um *saloon* na vizinhança.

— Não toque nessa arma — avisou o assaltante, como se fosse um telepata.

Wilkins não era um homem que se assustava facilmente. Ele encarou o ladrão, examinando cada centímetro de sua aparência.

— Você não conseguirá escapar — ele disse com desprezo.

O assaltante falou numa voz fria e serena:

— Já escapei antes e escaparei de novo. — Moveu-se em direção ao imponente cofre, que tinha quase 2,50 metros de altura. — Abra-o!

Wilkins olhou bem nos olhos do criminoso.

— Não, acho que não farei isso.

O assaltante não perdeu tempo. Enrolou o bocal de sua automática em uma pesada toalha e acertou um tiro no meio dos olhos do caixa. Então, voltou-se para Wilkins:

— Posso sair daqui sem um tostão, mas você não viverá para ver.

Wilkins ficou de pé, horrorizado, olhando para a poça de sangue que se espalhava no chão, em volta da cabeça de Fred. Olhou para a toalha queimada por onde a bala havia passado, sabendo muito bem que provavelmente ninguém no prédio ouvira o disparo. Como se em transe, andou em direção ao cofre e começou a mover o disco giratório para os números necessários. Depois de meio minuto, ele virou o ferrolho e a grande porta de aço abriu-se.

— Leve tudo, maldito! — ele sibilou.

O assaltante sorriu com acidez e atirou na têmpora de Wilkins. O gerente do banco mal tinha chegado ao chão quando o ladrão trotou rapidamente até a porta da frente, trancou-a, pendurou uma placa de FECHADO na janela e fechou as cortinas. Então, metodicamente esvaziou o cofre de todas as notas de dinheiro, transferindo-as para um saco de lavanderia que trouxera preso em torno da cintura, sob a camisa. Quando o saco ficou cheio até estar saliente em cada costura, ele enfiou as notas restantes nos bolsos das calças e nas botas. Com o cofre livre de todo o dinheiro, o assaltante olhou brevemente para as moedas de ouro e prata lá dentro e levou apenas um suvenir dourado.

Havia uma pesada porta nos fundos do banco que se abria para uma rua estreita. O ladrão destrancou-a por dentro, abriu-a e esquadrinhou a rua. Do lado oposto, ela era ocupada por residências.

Um grupo de meninos estava jogando beisebol a uma quadra do banco. Isso não era bom. Era inteiramente inesperado para o assaltante. Em suas muitas horas de observação em torno do Banco Cook, esta era a primeira vez que encontrava crianças brincando na rua atrás do edifício. Tinha um horário a cumprir e precisava chegar à ferrovia e a seu vagão de carga secreto em 12 minutos. Colocando o saco sobre o ombro de forma a esconder o lado direito do rosto, ele contornou o jogo em andamento e continuou pela rua até virar em um beco.

Os meninos, em sua maior parte, o ignoraram. Apenas um olhou para o homem pobremente vestido levando um pesado saco sobre o ombro direito. O que pareceu estranho ao menino foi que o homem usava um *sombrero* mexicano, um estilo raramente visto perto de Rhyolite. A maioria dos homens na cidade usava chapéus fedora, *derbies* ou bonés de mineiro. Ainda havia algo mais a respeito do sujeito esfarrapado... Então, outro menino gritou e aquele voltou ao jogo, pegando por pouco uma bola aérea.

O assaltante atou o saco em torno dos ombros, pendurando-o sobre as costas. A bicicleta que ele estacionara mais cedo atrás do consultório de um dentista estava lá, atrás de um barril que fora colocado para coletar a água que saía da calha do prédio. Ele sentou-se no selim e começou a pedalar pela Rua Armagosa, passando pelo bairro da luz vermelha, até chegar à ferrovia.

Um brequista estava andando pelos trilhos em direção ao vagão dos operários no final do trem. O assaltante não pôde acreditar em sua má sorte. Apesar de seu planejamento meticuloso, o destino lhe dera cartas ruins naquele jogo. Diferentemente de seus outros roubos e assassinatos, desta vez ele tinha sido percebido por um menininho estúpido. E agora esse brequista. Nunca encontrara tantos olhos que pudessem tê-lo observado durante sua fuga. Não havia nada que pudesse fazer senão prosseguir.

Por sorte, o brequista não olhou na direção do assaltante. Estava indo de carro em carro, verificando a graxa nas caixas dos eixos dos vagões e nas rodas sobre as quais os vagões ficavam. Se as mangas de metal dentro das caixas não recebessem lubrificante suficiente, a fricção aqueceria as pontas dos eixos até um nível perigoso. O peso do carro poderia quebrar o eixo e causar um impacto desastroso.

Enquanto o assaltante passava pedalando, o brequista não parou para olhá-lo. Em vez disso, continuou cuidando de sua vida, tentando terminar a inspeção antes que o trem partisse em direção a Tornopah e depois para Sacramento.

O maquinista já estava verificando as bitolas e certificando-se de que teria vapor suficiente para movimentar o pesado trem. O ladrão esperava que o brequista não se virasse para testemunhar sua entrada em seu vagão particular. Rapidamente, destrancou e abriu a porta deslizante. Jogou a bicicleta para dentro e subiu a pequena escada até a porta, arrastando o pesado saco de dinheiro.

Uma vez dentro do vagão, o assaltante olhou para fora, espiando o trem. O brequista estava subindo a bordo do vagão dos operários, que abrigava toda a equipe do trem. Não havia sinal de que ele tivesse notado alguém entrando no vagão.

Seguro dentro de seu carro palaciano, o assaltante relaxou e leu uma cópia do *Herald* de Rhyolite. Não pôde deixar de imaginar o que o jornal diria no dia seguinte sobre o assalto ao banco e as mortes do gerente e do caixa. Novamente, como tinha feito tantas vezes antes, ele não sentiu remorso. As mortes nunca lhe viriam à mente outra vez.

Mais tarde, além do mistério do assaltante/assassino que escapara sem deixar rastros, outro enigma seria a carroça encontrada fora da cidade na estrada que levava a Bullfrog. O veículo estava vazio e parecia ter sido guiado por um boneco. O destacamento policial que o perseguia fora iludido.

O xerife Josh Miller conseguiu somar dois mais dois, entretanto suas especulações não chegaram a lugar nenhum. Nada fazia sentido. O fora da lei não deixara pistas.

O assalto e os assassinatos em Rhyolite tornaram-se outro enigma sem solução.

4

A luz do sol de verão elevava o contraste de cores no horizonte do Colorado. O céu estava livre de nuvens e era de um azul vívido que se espalhava por sobre a cidade de Denver como uma colcha. A temperatura era de confortáveis 27 graus.

Isaac Bell fechou a porta de sua cabine e deixou o trem, saindo para a plataforma de observação na traseira do vagão-dormitório. Parou para olhar a torre do relógio da Estação Union, de estilo gótico. Feita de pedra trazida das Montanhas Rochosas, a imponente estrutura de três andares ocupava cerca de 400 metros.

Os ponteiros do imenso relógio marcavam 11h40. Bell tirou seu relógio de ouro do bolso do colete de seu terno de linho, feito sob medida, e olhou para os ponteiros que indicavam algarismos romanos. Eram 11h43. Ele sorriu, satisfeito consigo mesmo, sabendo que certamente o grande relógio da torre estava três minutos atrasado.

Ele andou pela plataforma de tijolos vermelhos até o vagão bagageiro, identificou suas malas e chamou um cabineiro.

— Meu nome é Bell. Você poderia, por favor, cuidar para que minhas malas sejam enviadas ao Hotel Brown Palace?

— Sim, senhor, eu mesmo as entregarei. — O cabineiro sorriu largamente com a moeda de ouro que Bell colocou em sua mão e esfregou-a quase com reverência.

— Também estou esperando uma caixa grande de madeira em um trem que chegará depois. Posso contar com você para garantir que ela seja entregue ao armazém de cargas da Union Pacific?

— Sim, senhor, cuidarei disso. — Ainda esfregando a moeda de ouro, o cabineiro sorriu amplamente.

— Ficarei grato.

— Posso levar isso para o senhor? — disse o funcionário, indicando com um gesto a valise na mão de Bell.

— Vou mantê-la comigo, obrigado.

— Posso chamar um táxi para o senhor?

— Não será preciso. Pegarei o bonde elétrico.

Bell caminhou rapidamente sob o teto alto do saguão da estação, com seus magníficos lustres, passando por filas de cadeiras de espera com encostos altos, feitas de carvalho, e saiu pela entrada principal, ladeada por duas colunas gregas. Ele cruzou a Rua Wyncoop até a Rua Seventeenth e passou sob o recém-construído Arco Mizpah, uma estrutura em forma de portão com um par de bandeiras americanas voando no topo. Fora criado para dar as boas-vindas e o adeus aos viajantes de trem. *Mizpah*, Bell sabia, significava "torre de vigia" em hebraico antigo.

Duas senhoras trajando vestidos leves de verão, luvas e chapéus ornamentados, decorados com flores, passaram em um carro movido a bateria elétrica. Bell tirou o chapéu, e com acenos e sorrisos elas apreciaram a atenção do homem atraente enquanto subiam a Rua Seventeenth em direção ao edifício do governo do Estado.

Carroças e carruagens puxadas por cavalos ainda superavam em número os poucos automóveis que roncavam para cima e para baixo pelas ruas da cidade. Um bonde da Companhia de Tramway de Denver tiniu pela esquina da Rua Wazee e aproximou-se do fim do quarteirão, onde parou para o embarque e desembarque de passageiros. As estradas de ferro abertas à força de cavalos eram uma coisa do passado e os bondes elétricos dominavam as ruas, alcançando cada bairro de Denver.

Bell subiu os degraus e deu dez centavos ao condutor. O sino tocou e o grande bonde vermelho rangeu subindo a Rua Seventeenth. Edifícios de tijolos com três e quatro andares enfileiravam-se pelos catorze quarteirões seguintes. As calçadas estavam apinhadas de gente em um típico dia de trabalho. Os homens vestiam ternos pretos ou cinza e gravatas, enquanto as mulheres passavam em longos vestidos cujas barras paravam logo acima dos tornozelos. A maioria usava chapéus extravagantes e carregava sombrinhas.

Ele observou com interesse uma loja que vendia Cadillacs motorizados. Os toldos estavam armados, sombreando as janelas e revelando os veículos lá dentro. Ele olhou para as placas das ruas para conseguir lembrar-se da localização. Um entusiasta dos automóveis, ele possuía um carro de corrida Locomobile que já fora pilotado por Joe Tracy em 1905, na corrida da Copa Vanderbilt, em Long Island, Nova York, pegando o terceiro lugar. Bell o convertera para uso nas ruas, acrescentando para-lamas e faróis.

Também possuía uma motocicleta vermelho-brilhante. O mais recente modelo de corrida, seu motor V2 expelia 3,5 cavalos de potência. Tinha um inovador sistema de arranque por torção do guidão, pesava somente 54 quilos e podia disparar pelas estradas a quase 97 quilômetros por hora.

Quando o bonde parou chocalhando entre as ruas Califórnia e Seventeenth, Bell desceu os degraus até a rua e saltou para a calçada. Haviam-se passado três anos desde que ele pusera os pés em Denver. Prédios altos estavam em quase todos os cantos e a construção não parava. Ele andou por um quarteirão até o Edifício Colorado, uma estrutura de pedra marrom e oito andares entre as ruas Sixteenth e Califórnia.

As janelas eram altas e protegidas por toldos que combinavam com o exterior marrom das paredes. A projeção no último andar estendia-se por quase três metros por cima da calçada lá embaixo. Hedgecok & Jones e a Confecção Braman ocupavam o nível da rua. Acima delas havia diferentes negócios, incluindo a Empresa de Seguros do Fundo dos Bombeiros e a Agência de Detetives Van Dorn.

Bell dirigiu-se ao saguão e passou por um grupo de funcionários dos escritórios que estavam fora do edifício no horário do almoço. O chão, as paredes e o teto eram lindamente construídos com mármore italiano da cor de jade. Ele entrou num elevador Otis atrás de duas belas jovens e posicionou-se nos fundos do cômodo quando o ascensorista fechou a porta pantográfica de aço. Como de hábito, Bell bancou o cavalheiro e removeu o chapéu de aba larga.

O ascensorista moveu a manivela da caixa de propulsão, mandando o elevador para cima em um ritmo preguiçoso. As mulheres saíram no quinto andar, conversando alegremente. Ambas se viraram e lançaram uma olhadela tímida para Bell antes de desaparecerem no corredor.

O ascensorista parou o elevador e abriu a porta.

— Oitavo andar, e boa tarde para o senhor — disse ele vivamente.

— Para o senhor também — replicou Bell.

Saiu para um corredor pintado de um vermelho esmaecido com lambris de nogueira da metade das paredes para baixo. Virou-se para a direita e chegou a uma porta com letreiro gravado no vidro, anunciando AGÊNCIA DE DETETIVES VAN DORN. Abaixo estava o slogan da agência: NÓS NUNCA DESISTIMOS. NUNCA.

A antessala era pintada de branco, com duas poltronas de madeira com almofadas e uma mesa, atrás da qual uma mulher jovem estava sentada, empertigada, em uma cadeira giratória. Van Dorn não era o tipo de homem que gastava dinheiro com decoração luxuosa. O único adorno era uma foto do diretor pendurada sobre a parede atrás da secretária.

Ela ergueu os olhos e sorriu docemente, admirando o homem bem-vestido parado diante dela. Era uma mulher bonita, com olhos castanhos e suaves e ombros largos.

— Posso ajudá-lo, senhor?

— Sim. Eu gostaria de falar com Arthur Curtis e Glenn Irvine.

— Estão esperando pelo senhor?

— Por favor, diga a eles que Isaac Bell está aqui.

Ela aspirou o ar, surpresa.

— Ah, Sr. Bell. Eu deveria ter percebido. O Sr. Curtis e o Sr. Irvine não o esperavam até amanhã.

— Eu consegui pegar um trem mais cedo em Independence, no Missouri. — Bell olhou para a placa na mesa dela. — É a senhorita Agnes Murphy?

— Senhora Murphy. — Ela ergueu a mão esquerda, exibindo uma aliança de casamento.

Ele deu um sorriso encantador.

— Espero que não se importe se eu a chamar simplesmente de Agnes, já que trabalharei aqui por algum tempo.

— De forma alguma.

Ela levantou-se da mesa e ele pôde ver que vestia uma saia de algodão azul plissada com a blusa branca e leve. O cabelo estava preso no alto da cabeça à moda das Gibson Girls, tão popular na época. Suas anáguas farfalharam enquanto ela passava pela porta dos escritórios contíguos.

Sempre curioso, Bell contornou a mesa e olhou para a carta que a senhora Murphy estivera datilografando em uma máquina Remington. Era endereçada a Van Dorn e revelava o desprazer do superintendente dos estados do Oeste por Bell ter sido convocado ali para assumir o caso não resolvido. Bell não conhecia Nicholas Alexander, que dirigia o escritório de Denver, no entanto, estava determinado a ser cortês e polido com o homem, apesar de qualquer hostilidade.

Bell afastou-se da mesa da senhora Murphy e estava olhando pela janela para os telhados da cidade quando Alexander entrou na antessala. Parecia mais o guarda-livros de uma agência funerária do que o investigador-chefe que esclarecera tantos crimes e levara os culpados à justiça. Era um homem baixo, sua cabeça mal chegando à altura dos ombros de Bell. Trajava um paletó grande demais e sua calça era larga. O colarinho alto de sua camisa mostrava manchas de desgaste e suor. Sua cabeça era desprovida de cabelos, exceto nas têmporas e na parte de trás; suas sobrancelhas estavam aparadas tão cuidadosamente quanto seu cabelo. Um par de óculos *pince-nez* segurava-se sobre a ponta de seu nariz diante dos olhos cinza-esverdeados, quase tristonhos.

Alexander estendeu a mão e seus lábios se esticaram em um sorriso completamente sem humor.

— Senhor Bell, para mim é uma honra conhecer o melhor agente da Van Dorn.

Bell não acreditou no comprimento, já que não havia nenhum sinal de calor nele.

— A honra é minha por conhecê-lo — respondeu, quase mordendo a língua. Era óbvio que Alexander pensava nele simplesmente como um intruso em seu território particular.

— Por favor, venha. Antes de lhe mostrar seu novo escritório, vamos ter uma conversa.

Alexander virou-se abruptamente e passou pela porta a passos firmes, em direção aos escritórios. A senhora Murphy ficou de lado e sorriu docemente enquanto eles passavam.

O escritório de Alexander estava posicionado no único canto com vista panorâmica das montanhas; as outras salas eram pequenas e sem janelas. Bell observou que também não tinham portas, oferecendo quase nada de privacidade. Os domínios de Alexander eram embelezados com sofás e cadeiras de couro de boi. Sua mesa de álamo era extensa e estava totalmente livre de documentos. Embora seu terno tivesse um caimento pobre, ele era exigente quanto a seus hábitos de trabalho.

Ele se sentou em uma cadeira de encosto alto atrás da mesa e gesticulou para que Bell, no lado oposto, ocupasse uma cadeira de madeira sem almofada. O único item que faltava para a intimidação, Bell pensou, era uma plataforma no espaço de trabalho de Alexander, para que ele pudesse olhar de cima para seus empregados e visitantes, como um deus menor no Monte Olimpo.

— Não, obrigado — Bell disse calmamente. — Depois de ficar sentado em um trem por dois dias, prefiro um assento mais macio. — Ele acomodou sua longa silhueta em um dos sofás.

— Como quiser — disse Alexander, descontente com o comportamento superior de Bell.

— Você não estava aqui quando trabalhei em um caso, três anos atrás.

— Não, vim seis meses depois, quando fui promovido de nosso escritório em Seattle.

— O senhor Van Dorn falou muito bem de você — Bell mentiu. Van Dorn não o mencionara.

Alexander dobrou as mãos e inclinou-se sobre a vastidão vazia de sua mesa.

— Acredito que ele o tenha informado sobre o assassino e suas operações.

— Não por conversa. — Bell parou para apanhar a valise. — Mas ele me deu diversos relatórios que examinei no trem. Posso entender por que o delinquente responsável por esses assaltos e assassinatos é tão difícil de identificar. Ele planeja seus empreendimentos criminosos com extremo cuidado e suas técnicas parecem infalíveis.

— É por isso que ele consegue escapar.

— Depois de absorver o material, acredito que o fetiche dele por detalhes será sua ruína — disse Bell, pensativo.

Alexander olhou para ele desconfiado.

— Posso saber o que o levou a essa conclusão?

— Os trabalhos dele são perfeitos demais, bem esquematizados demais. Um único erro de cálculo poderá ser o último.

— Espero que possamos manter uma relação estreita — Alexander disse com hostilidade velada.

— Eu concordo — volveu Bell. — O senhor Van Dorn disse que eu poderia ter Art Curtis e Glenn Irvine em minha equipe, se estiver tudo bem pra você.

— Sem problema. Eu não iria contra a vontade do senhor Van Dorn. Além disso, ele me disse que eles trabalharam com você alguns anos atrás.

— Sim, percebi que são agentes dedicados. — Bell ficou de pé. — Posso ver meu escritório?

— É claro. — Alexander saiu de trás da mesa e foi para o corredor.

Bell viu que todos os escritórios eram bem pequenos e bem simples. A mobília era esparsa e não havia quadros nas paredes. Só um agente estava presente no escritório, um estranho que Alexander não se importou em apresentar a Bell.

Antes que Alexander pudesse indicar-lhe um cubículo, Bell perguntou inocentemente:

— Vocês têm uma sala de reuniões?

— Sim — Alexander assentiu. — No corredor, do lado oposto aos escritórios. — Ele parou, abriu uma porta e colocou-se de lado enquanto Bell entrava.

A sala de reuniões tinha mais de 9 metros de cumprimento por quase 5 de largura. Uma longa mesa de pinho, escura e com uma superfície polida, ficava entre dois gigantescos lustres circulares. Dezoito cadeiras tipo diretor estavam dispostas ao redor dela. A sala tinha painéis de pinho que combinavam com a mesa, o chão era acarpetado em vermelho-escuro. Janelas altas erguiam-se em uma parede, permitindo que a luz do sol daquele começo de tarde iluminasse cada canto do recinto.

— Muito bom — disse Bell, impressionado. — Muito bom.

— Sim — respondeu Alexander com orgulho evidente em seus olhos de cão sabujo. — Eu a uso frequentemente para reuniões com políticos e pessoas influentes na cidade. Isso dá à Agência de Detetives Van Dorn um respeito significativo e uma imagem de importância.

— Servirá muito bem — Bell disse trivialmente. — Trabalharei aqui.

Alexander olhou diretamente para ele com um aspecto faiscante em seus olhos, que subitamente arderam de raiva.

— Isso não será possível. Não permitirei.

— Onde fica o posto do telégrafo mais próximo?

Alexander pareceu surpreso.

— Duas quadras ao sul, entre as ruas Sixteenth e Champa. Por quê?

— Mandarei uma mensagem para o senhor Van Dorn solicitando o uso de sua sala de reuniões como centro de operações. Considerando a importância do caso, estou certo de que ele dará sua bênção.

Alexander sabia quando tinha perdido.

— Desejo-lhe sorte, senhor Bell — ele cedeu. — Cooperarei com você em tudo o que eu puder. — Então, virou-se e deixou Bell para retornar a seu escritório no canto. Parou na soleira da porta. — Ah, a propósito, reservei um quarto para o senhor no Hotel Albany.

— Não será necessário. — Bell sorriu. — Reservei uma suíte no Brown Palace.

Alexander pareceu confuso.

— Não creio que o senhor Van Dorn aprovaria isso em seu relatório de despesas.

— Ele não precisa. Estou pagando com meus próprios fundos.

Ignorando a situação próspera de Bell, o superintendente dos estados do Oeste parecia completamente desnorteado. Incapaz de compreender, porém sem vontade de fazer perguntas, ele voltou a seu escritório em estado de torpor e fechou a porta, completamente derrotado.

Bell sorriu novamente e começou a espalhar os papéis que carregava na valise sobre a mesa de reuniões. Então, foi até a antessala e aproximou-se de Agnes Murphy.

— Agnes, você poderia me avisar quando Curtis e Irvine chegarem?

— Acredito que não estarão de volta até amanhã de manhã. Eles foram até Boulder cuidar de um caso de fraude bancária.

— Tudo bem, então. E você pode ligar para o superintendente de manutenção do prédio e pedir que ele venha até aqui? Tenho algumas alterações a fazer na sala de reuniões.

Ela olhou para ele inquisidoramente.

— O senhor disse a sala de reuniões? O senhor Alexander raramente permite que ajudantes entrem lá. Ele a usa mais para receber os figurões da cidade.

— Enquanto eu estiver aqui, será meu escritório.

Agnes olhou para Bell com um respeito recém-descoberto.

— O senhor ficará no Hotel Albany? É lá que a maioria dos agentes visitantes ficam.

— Não, no Brown Palace.

— O senhor Alexander permitiu essa despesa extra? — ela perguntou cuidadosamente.

— Ele não tem nada a dizer sobre isso.

Agnes Murphy olhou para ele como se tivesse acabado de ver o Messias.

Isaac Bell voltou a seu escritório e rearranjou as cadeiras em torno da mesa de reuniões de forma a ter um grande espaço de trabalho em uma extremidade. Após alguns minutos, o superintendente do prédio chegou. Bell explicou as alterações que desejava fazer na sala. A parede mais distante precisava de uma camada de material macio em que um mapa dos estados e cidades do Oeste onde o assassino tinha atacado pudesse ser pregado. Outra camada deveria ser instalada na parede mais próxima para exibir informações, fotos e desenhos. O superintendente, depois que Bell lhe ofereceu uma moeda de ouro de 20 dólares, prometeu que a instalação seria feita até o meio-dia seguinte.

Bell passou o resto da tarde organizando e planejando sua caçada ao assassino.

Precisamente às 17 horas, Alexander, de saída, enfiou a cabeça pela porta.

— Já está bem adaptado? — perguntou friamente.

Bell não se deu ao trabalho de erguer o olhar.

— Sim, obrigado. — Finalmente, ele olhou nos olhos furiosos de Alexander. — A propósito, farei algumas mudanças na sala. Espero que não se importe. Prometo deixá-la exatamente do jeito que era assim que o caso for encerrado.

— Por favor, trate de fazer isso. — Alexander balançou a cabeça em um gesto de dispensa e deixou o escritório.

Bell não estava feliz por as coisas não caminharem bem entre Alexander e ele. Não planejara entrar em um jogo de disputas e cabeçadas com o chefe da agência filial, contudo, se não tivesse partido para o ataque, sabia que Alexander o teria pisoteado.

5

Construído em 1892 por Henry C. Brown no local onde ele pastoreava seu gado antes de ficar rico, o hotel era apropriadamente chamado de Brown Palace, por causa da "Cidade Rainha das Planícies", como Denver era conhecida. Feito de granito vermelho e arenito, o edifício tinha a forma da proa de um navio. Os homens que fizeram suas fortunas com ouro e prata se hospedavam lá com suas esposas, que tomavam o chá da tarde, e suas filhas, que dançavam noite afora em bailes opulentos. Os presidentes McKinley e Roosevelt tinham ficado ali, assim como alguns imperadores e reis e outros membros da realeza estrangeira, sem falar nas celebridades da época, especialmente atrizes e atores famosos do teatro. O Brown Palace também tinha apoio tanto dos moradores quanto dos visitantes por ser a âncora do grande distrito financeiro e cultural da cidade.

Já estava quase escuro quando Bell passou pela entrada do Brown Palace na Rua Seventeenth. Ele se identificou na recepção e olhou para o magnífico saguão à sua volta, situado em um átrio que chegava até o novo andar. Os pilares e os lambris, trazidos do México pela estrada de ferro e esculpidos em ônix dourado, refletiam a luz suave que se filtrava pelo enorme teto de vidro colorido. Mais de 700 painéis de ferro trabalhado ornavam os parapeitos da sacada, pendendo sobre o saguão dos andares superiores.

O que geralmente não se sabia era que o proprietário do Hotel Navarre e dos restaurantes ao longo da rua tinha mandado escavar um sistema subterrâneo de trilhos do Brown Palace até seu próprio estabelecimento, para acomodar cavalheiros que desejassem apreciar a companhia das senhoras de um bordel no andar de cima sem serem vistos entrando ou saindo dele.

Bell recebeu sua chave e entrou no elevador dizendo ao ascensorista em qual andar ficava sua suíte. Uma mulher entrou logo depois dele. Ela parou diante da parede espelhada, virou-se e encarou a porta. Trajava um vestido longo de seda azul com um grande decote nas costas. Seu cabelo vermelho, da cor de uma opala de fogo, era fino e sedoso, puxado para trás em um coque do qual pendiam cachos. Havia duas grandes plumas saindo do cabelo. Ela tinha um charme insinuante. Era alta, ereta e núbil; Bell considerou que tinha provavelmente entre 25 e 27 anos, talvez mais jovem, a julgar por seu pescoço de cisne e a face tão lisa como alabastro. Seus olhos eram de um castanho-dourado. Era ela, na mente de Bell, atraente de um jeito incomum — não exatamente linda, talvez, mas adorável sob qualquer critério. Ele também notou que ela não usava um anel de casamento.

A mulher estava vestida como se pretendesse ir a uma festa em um dos salões de baile do hotel, Bell concluiu. Como de costume, ele estava certo. O elevador parou no segundo andar, onde ficavam os salões e pistas de dança. Ele ficou de lado, chapéu na mão, e curvou-se ligeiramente quando ela saiu.

Ela atirou para ele um sorriso surpreendentemente caloroso, assentiu e disse, em um tom adocicado, porém rouco:

— Obrigada, senhor Bell.

A princípio, aquilo lhe escapou. Então, acertou-o como uma martelada no polegar. Ficou atordoado porque ela o conhecia e ele tinha certeza de que nunca a vira antes. Bell segurou o braço do ascensorista:

— Segure a porta aberta um instante.

A essa hora, ela já tinha se misturado a uma multidão que se afunilava pela porta em arco do grande salão de festas do hotel. As mulheres usavam vestidos encantadores em cores extravagantes — carmesim, azul-pavão, verde-esmeralda — com fitas, presilhas e plumas nos cabelos. Os homens vestiam seus melhores trajes de noite. Uma faixa sobre a porta dizia BAILE BENEFICENTE PARA OS ÓRFÃOS DE ST. JOHN.

Bell retrocedeu, assentindo para o ascensorista.

— Obrigado. Por favor, leve-me para cima.

Destrancou a porta de sua suíte e encontrou um estúdio, uma sala de estar, uma banheira ornamentada e um dormitório com uma cama com baldaquino, toda a mobília elegante e vitoriana. Suas malas tinham sido abertas e suas roupas, guardadas na cômoda e penduradas no closet por uma criada, serviço oferecido àqueles que reservavam suítes. As malas não estavam à vista. Foram tiradas do quarto e guardadas no depósito do porão.

Bell não perdeu tempo, tomou um banho rápido e barbeou-se.

Abriu o relógio para olhar as horas. Trinta minutos haviam se passado desde que saíra do elevador. Mais 15 minutos foram necessários para vestir seu *black tie* e colocar o prendedor de gravata e as abotoaduras, trabalho que normalmente requeria quatro mãos. Foi uma das primeiras vezes em que desejou ter uma esposa para ajudá-lo. Meias e sapatos pretos vieram em seguida. Ele não usava faixa de cintura, mas, em vez disso, um colete preto, com uma corrente dourada saindo do bolso esquerdo por uma casa de botão até o grande relógio de ouro no bolso direito. Por último, enfiou uma jaqueta preta de abotoamento único com lapelas de cetim.

Uma olhada final para seu reflexo em um espelho de dois metros de altura e ele estava pronto para a noite, o que quer que ela trouxesse.

O baile de caridade estava pleno de movimento quando ele entrou no grande salão e colocou-se discretamente atrás de uma palmeira alta em um vaso. O salão era espaçoso e majestoso. A pista de dança coberta de tacos seguia um intrincado desenho em forma de Sol e murais coloridos enfeitavam o teto. Ele espreitou a mulher misteriosa, sentada de costas para ele com dois casais à mesa 6. Ela parecia estar sozinha, sem um acompanhante. Ele se aproximou furtivamente do diretor do hotel, encarregado do evento da noite.

— Perdoe-me — disse Bell com um sorriso amigável —, mas poderia me dizer o nome da dama de vestido azul à mesa 6?

O diretor se empertigou com um ar orgulhoso.

— Lamento, senhor, mas não gostamos de dar informações sobre nossos hóspedes. Além disso, não posso conhecer todas as pessoas que vêm ao baile.

Bell passou para ele uma nota de 10 dólares.

— Será que isto avivará sua memória?

Sem dizer uma palavra, o diretor ergueu um fino livro de couro e seu olhar correu por uma lista.

— A dama solteira à mesa 6 é a senhorita Rose Manteca, uma mulher muito rica de Los Angeles, cuja família possui uma vasta fazenda. É tudo o que posso lhe dizer.

— Eu agradeço — disse Bell, dando um tapinha no ombro do diretor.

O homem sorriu.

— Boa sorte.

Uma orquestra estava tocando um *pout-pourri* de *ragtime* com melodias modernas dançantes. Casais dançavam ao som de *Won't You Come Over to My House.* Bell passou por trás de Rose Manteca e sussurrou ao ouvido dela:

— Por favor, aceitaria dançar comigo, senhorita Manteca?

Ela virou-se na cadeira e olhou para cima. Olhos castanho-dourados encararam um par de hipnóticos olhos violeta. Ela era sutil, Bell pensou, no entanto, a súbita aparição dele em traje de noite a atordoou completamente. Ela baixou os olhos e se recuperou com rapidez, mas não antes de seu rosto ficar corado.

— Perdoe-me, senhor Bell. Eu não o esperava tão cedo.

— Tão cedo? — ele perguntou. Que coisa estranha para dizer, pensou.

Ela pediu licença às pessoas à mesa e se levantou. Gentilmente, ele a tomou pelo braço e a conduziu à pista de dança. Escorregou um braço pela cintura fina dela, pegou sua mão e acompanhou agilmente o ritmo da música.

— É um dançarino muito bom — ela disse depois que ele a impulsionou pela pista.

— Devo isso a todos os anos em que minha mãe me forçou a fazer aulas para que eu pudesse impressionar as debutantes em nossa cidade.

— Também está muito bem-vestido para um detetive.

— Cresci em uma cidade onde os homens influentes viviam de smoking.

— Seria Boston, não?

Pela primeira vez, em seus anos de investigação, Bell sentiu-se perdido. Entretanto se recuperou rápido e voltou à carga:

— E você é de Los Angeles.

Ela era boa, ele pensou. Nem sequer piscou.

— Você é muito bem-informado — disse, incapaz de sondar seus olhos.

— Não tanto quanto você. Qual é seu interesse? Como sabe tanto sobre mim? Melhor ainda: por quê?

— Pensei que você gostasse de resolver mistérios. — Ela tentou conscientemente olhar além dele, por cima de seu ombro, mas era atraída por aqueles olhos incríveis. Era uma sensação, um impulso com o qual ela não contara.

As fotografias que ela havia visto não faziam justiça a ele, cara a cara. Era bem mais atraente do que tinha imaginado. Também demonstrou ser extremamente inteligente. Mas isso ela já esperava. Podia entender por que ele era tão famoso por sua intuição. Era como se ele a perseguisse enquanto ela o perseguia.

A música acabou e eles ficaram parados na pista de dança, esperando que a orquestra começasse o arranjo musical seguinte. Ele retrocedeu um passo e correu o olhar dos pés dela até o topo de seu cabelo magnificamente arrumado.

— Você é uma mulher muito bonita. O que causou seu interesse por mim?

— Você é um homem atraente. Quis conhecê-lo melhor.

— Você sabia meu nome e de onde vim antes de me encontrar no elevador. Nosso encontro foi obviamente premeditado.

Antes que ela pudesse responder, a orquestra começou a tocar *In the Shade of the Old Apple Tree* e Bell a levou pelo salão em um foxtrote. Ele a segurou contra o corpo e apertou a mão dela firmemente. A cintura dela era pequenina, tornada ainda menor pelo espartilho. O alto de sua cabeça chegava à altura do queixo dele. Ficou tentado a pressionar os lábios contra os dela, entretanto pensou melhor. Não era a hora nem o lugar certo. Nem ele pensava em romance. Ela o estava espionando. Isso era certeza. A mente dele estava tentando formular um motivo. Que interesse uma completa estranha poderia ter por ele? A única possibilidade que ele conseguia imaginar era que ela tivesse sido contratada por um dos muitos criminosos que ele tinha colocado atrás das grades, matado ou levado à forca. Parente ou amiga à procura de vingança? Ela não combinava com a imagem de alguém associado à escória que ele apreendera nos últimos dez anos.

A música acabou, ela soltou sua mão e se afastou.

— Terá que me perdoar, senhor Bell, mas preciso voltar para meus amigos.

— Podemos nos ver novamente? — ele perguntou com um sorriso caloroso.

Ela balançou levemente a cabeça.

— Creio que não.

Ele ignorou a resposta negativa.

— Jante comigo amanhã à noite.

— Lamento, estou ocupada — ela respondeu, com certa arrogância na voz. — E mesmo em seu smoking chique você não poderia entrar no Baile dos Banqueiros do Oeste no Clube de Campo de Denver como entrou hoje no Baile Beneficente para os Órfãos de St. John. — Ela, então, virou o rosto, segurou a longa saia e caminhou de volta à mesa.

Uma vez sentada, ela ainda lançou um olhar para Bell, no entanto, ele não estava em parte alguma na multidão. Tinha desaparecido completamente.

6

Na manhã seguinte, Bell foi o primeiro a chegar ao escritório, usando uma chave mestra capaz de abrir 99 portas em cada 100. Estava vasculhando relatórios de assaltos a banco no final da longa mesa quando Arthur Curtis e Glenn Irvine entraram na sala de reuniões. Bell ergueu-se para recebê-los e apertar suas mãos.

— Art, Glenn, é bom ver vocês dois de novo.

Curtis era baixo e rotundo, com um estômago redondo impecavelmente coberto sob um colete cujo abotoamento estava esticado até o limite. Tinha cabelos ralos, cor de areia, orelhas de megafone, olhos azuis e um sorriso que exibia uma infinidade de dentes que iluminava a sala.

— Não vemos você desde que perseguimos Cussler Pé Grande depois que ele roubou aquele banco em Golden — disse ele.

Irvine pendurou seu chapéu em um mancebo, revelando cabelos castanhos, grossos e despenteados.

— Se bem me lembro — disse ele, alto e esquelético feito um espantalho —, você nos levou diretamente à caverna onde ele estava escondido.

— Uma simples questão de dedução — Bell disse com um sorriso firme. — Perguntei a dois garotinhos se eles conheciam algum lugar onde gostariam de se esconder dos colegas por uns dias. A caverna era o único local em um raio de 30 quilômetros, perto o suficiente da cidade para que Cussler pudesse obter provisões às escondidas.

Curtis ficou de frente para o grande mapa do Oeste dos Estados Unidos e estudou pensativamente as pequenas bandeiras que indicavam a farra do assassino. Havia 16 delas.

— Tem alguma intuição sobre o Assaltante Açougueiro? — perguntou.

— Assaltante Açougueiro? — Bell olhou para ele. — É assim que o estão chamando?

— Um repórter do *Clarim* de Bisbee inventou o apelido. Outros jornais o adotaram e espalharam por todo o território.

— Isso não ajudará nossa causa — disse Bell. — Com esse nome nos lábios de todo mundo, os cidadãos de bem censurarão severamente a Agência de Detetives Van Dorn por não tê-lo capturado.

— Isso já começou — revelou Curtis, depositando o *Notícias das Montanhas Rochosas* na mesa diante de Bell. Ele olhou para o jornal.

A coluna principal era sobre os assaltos e assassinatos em Rhyolite. Metade dela dedicava-se à questão: "Por que os agentes da lei não fizeram nenhum progresso no caso e captura do Assaltante Açougueiro?".

— A coisa está feia — Bell disse, simplesmente.

— A coisa está feia para nós — Irvine acrescentou.

— Então, o que temos? — perguntou Bell, apontando para uma pilha de arquivos com quase um metro de altura sobre crimes em bancos, equilibrada na mesa diante dele. — Estudei os relatórios enquanto vinha de trem para o Oeste. Parece que tudo o que sabemos é que não estamos lidando com o típico caubói que vira assaltante de bancos.

— Ele trabalha sozinho — disse Curtis — e é diabolicamente inteligente e mau. No entanto, o mais frustrante é que ele nunca deixa um rastro para o destacamento policial seguir.

Irvine assentiu, concordando.

— É como se ele desaparecesse e voltasse para o inferno de onde veio antes mesmo de deixar a cidade.

— Não foi encontrado nenhum vestígio levando à zona rural?

Curtis balançou a cabeça.

— Os melhores rastreadores do ramo voltaram de mãos vazias todas as vezes.

— Alguma evidência de que ele possa ter se escondido na cidade até a poeira baixar?

— Nenhuma que tenha sido encontrada — respondeu Curtis. — Depois dos roubos, ele nunca mais é visto.

— Um fantasma — murmurou Irvine. — Estamos lidando com um fantasma.

— Não, ele é humano — Bell sorriu —, mas um humano danado de esperto. — Ele parou e espalhou os arquivos na mesa de reuniões. Selecionou um e o abriu: era o relatório sobre o assalto em Rhyolite, Nevada. — Nosso homem tem um *modus operandi* muito rígido que é seguido em cada um dos assaltos. Acreditamos que ele fica na área por alguns dias, estudando a cidade e sua gente antes de roubar o banco.

— É um jogador ou alguém que gosta de correr riscos — disse Curtis.

— Errado em ambas as hipóteses — Bell corrigiu-o. — Nosso homem é ousado e astuto. Podemos assumir que faz seu trabalho sujo usando disfarces, já que as pessoas de todas as cidades onde ele atacou nunca concordam quanto à aparência dos estranhos suspeitos.

Irvine começou a andar de um lado para outro na sala, ocasionalmente examinando uma bandeira pregada no mapa.

— Os cidadãos dessas cidades lembram-se de ter visto um vagabundo bêbado, um soldado de uniforme, um comerciante endinheirado e um carregador de pequenas cargas. Mas ninguém conseguiu ligá-los aos assassinatos.

Curtis olhou para o chão acarpetado e encolheu os ombros.

— O estranho é não haver testemunhas que possam fazer uma identificação segura.

— Não há nada de estranho nisso — disse Irvine. — Ele mata todas elas. Os mortos não podem falar.

Bell pareceu ignorar a conversa como se estivesse perdido em pensamentos. Então, seus olhos focaram no mapa e ele disse lentamente:

— A grande pergunta em minha mente é por que ele mata todo mundo no banco durante o roubo. Mesmo mulheres e crianças. O que ele ganha com a matança? Não pode ser apenas porque não quer deixar testemunhas dos assaltos, não quando ele já andou por toda a cidade disfarçado... a não ser... — Ele parou. — Há uma nova definição criada por psicólogos para assassinos para os quais matar é tão fácil quanto escovar os dentes. São chamados de sociopatas. Nosso homem consegue matar sem remorso. Ele não tem emoções, não sabe como rir ou amar e tem um coração tão frio quanto um iceberg. Para ele, matar a tiros uma criancinha é o mesmo que matar um pombo.

— É difícil acreditar que haja pessoas tão cruéis e desumanas — murmurou Irvine, enojado.

— Muitos dos bandidos e pistoleiros do passado eram sociopatas — disse Bell. — Eles atiravam em outros homens com a mesma facilidade com que espirravam. John Wesley Hardin, o famoso fora da lei texano, uma vez matou um homem por ele roncar.

Curtis olhou fixamente para Bell.

— Você acha mesmo que ele mata todo mundo no banco porque gosta disso?

— Acho — respondeu Bell calmamente. — O bandido obtém uma estranha satisfação ao cometer seus crimes de sangue. Outro fator peculiar. Ele empreende sua fuga antes que as pessoas da cidade, incluindo o xerife, percebam o que aconteceu.

— Então, o que isso nos deixa? — perguntou Irvine. — Qual caminho seguiremos?

Bell olhou para ele.

— Outro hábito dele é ignorar o ouro e levar apenas notas de dinheiro. Glenn, seu trabalho será verificar os bancos que ele roubou e estudar os registros deles dos números de série nas notas roubadas. Comece por Bozeman, em Montana.

— Bancos em cidades mineradoras não têm o hábito de registrar o número identificador de cada nota que passa pelas mãos deles.

— Você pode ter sorte e encontrar um banco que tenha registrado os números das notas enviadas pelos bancos de cidades maiores para fazer o pagamento dos mineiros. Se isso acontecer, podemos rastreá-las. O ladrão tem que gastar o dinheiro ou trocá-lo, fazendo depósitos e retiradas em outros bancos. Uma trilha que ele não poderá acobertar.

— Ele poderia ter trocado o dinheiro usando instituições financeiras internacionais.

— Talvez, mas ele teria que gastá-lo no exterior. Seria arriscado demais para ele trazer o dinheiro de volta aos Estados Unidos. Estou apostando que ele mantém sua pilhagem no país. — Bell voltou-se, então, para Curtis. — Art, você checará todos os horários de diligências e trens para saber quais partiram dessas cidades no mesmo dia em que os assaltos aconteceram. Se nosso homem não pôde ser rastreado por um destacamento policial, pode muito bem ter tomado um trem ou diligência em sua fuga. Você pode começar por Placerville, na Califórnia.

— Considere feito — disse Curtis com firmeza.

— Você ficará aqui para agir como posto de comando? — perguntou Irvine.

— Não. — Bell balançou a cabeça e sorriu. — Eu sairei em campo, começando com Rhyolite, e retraçarei os assaltos. Não importa quão bom o assassino seja nem quão bem planejados sejam seus crimes, tem que haver alguma ponta solta. Deve haver alguma evidência que nós não tenhamos enxergado. Interrogarei os cidadãos das cidades mineradoras que possam ter visto algo, insignificante que seja, e deixado de informar ao xerife ou delegado local.

— Você nos informará de seu planejamento para que possamos manter contato por telégrafo se encontrarmos alguma coisa? — perguntou Curtis.

— Entregarei isso a vocês amanhã — respondeu Bell. — Também viajarei pelas cidades mineradoras que tenham grandes folhas de pagamentos e ainda não foram roubadas por nosso homem. Talvez, apenas talvez, eu possa me antecipar ao nosso açougueiro, montar uma armadilha e instigá-lo a atacar outro banco em nossa área. — Então, ele puxou uma gaveta e tirou dela dois envelopes. — Aqui há dinheiro suficiente para cobrir as despesas de viagem de vocês.

Tanto Curtis quanto Irvine ficaram surpresos.

— Até hoje, sempre tivemos que viajar na terceira classe, usar nosso próprio dinheiro e entregar notas fiscais e recibos — disse Curtis. — Alexander sempre exigiu que ficássemos em hotéis pobres e comêssemos refeições baratas.

— Este caso é importante demais para ficarmos contornando despesas. Acreditem em mim, Van Dorn aprovará qualquer valor que eu peça, mas só se mostrarmos resultados. O bandido pode ter feito todo mundo acreditar que ele é invencível e não pode ser pego, porém ele não é infalível. Comete falhas tanto quanto o resto de nós. Ele será apanhado por um erro insignificante, algo que tenha negligenciado. E este, cavalheiros, é nosso trabalho: encontrar esse erro insignificante.

— Faremos nosso melhor! — Irvine garantiu.

Curtis assentiu.

— Falando por nós dois, permita-me dizer que é um verdadeiro privilégio trabalhar com você novamente.

— O privilégio é meu — disse Bell sinceramente. Tinha sorte por trabalhar com agentes tão inteligentes e experientes, que conheciam o povo e o território do Oeste.

**

O SOL CAÍA SOBRE AS Montanhas Rochosas quando Bell deixou a sala de reunião. Sempre cauteloso, ele fechou e trancou a porta. Ao passar pelo escritório externo, encontrou Nicholas Alexander, que parecia ter acabado de sair de uma alfaiataria cara. O terno gasto de sempre fora substituído por um elegante smoking. Era uma nova imagem de respeitabilidade que ele ainda não conseguira fixar. O brilho interior simplesmente não estava lá.

— O senhor parece um verdadeiro *bon vivant*, senhor Alexander — Bell disse graciosamente.

— Sim, levarei minha esposa a um sarau chique no Clube de Campo de Denver esta noite. Tenho muitos amigos influentes em Denver, sabe?

— Foi o que eu soube.

— É pena que o senhor não possa vir, é apenas para membros prestigiosos do clube.

— Entendo perfeitamente — Bell disse, mascarando seu sarcasmo.

Assim que os dois saíram, Bell seguiu para a rua da agência de telégrafo e mandou uma mensagem para Van Dorn.

> Tracei um plano de investigações para mim, Curtis e Irvine. Saiba que temos um espião entre nós. Uma mulher, uma estranha que se aproximou

de mim no hotel, me identificou pelo nome, conhece meu passado e parece saber por que eu estou em Denver. Seu nome é Rose Manteca e ela supostamente vem de uma família de ricos fazendeiros em Los Angeles. Por favor, peça a nosso escritório em Los Angeles que investigue isso. Eu o manterei a par de nosso progresso.

Bell

Depois de enviar o telegrama a seu superior, Bell andou pela calçada movimentada até o Hotel Brown Palace. Após algumas palavras com o recepcionista, que lhe ofereceu um mapa da cidade, foi escoltado até o depósito e a sala da caldeira, abaixo do saguão, onde foi recebido pelo zelador do hotel. Homem afável de macacão manchado, ele conduziu Bell até uma caixa de madeira que tinha sido desmantelada. Sob a única lâmpada acesa que pendia do teto, o zelador apontou para uma motocicleta que estava parada ao lado da caixa e brilhava em um vermelho ofuscante.

— Aí está ela, senhor Bell — disse, satisfeito. — Pronta para sair. Eu a poli pessoalmente para o senhor.

— Agradeço, senhor...

— Bomberger. John Bomberger.

— Pagarei por seus serviços quando deixar o hotel — Bell prometeu a ele.

— Fico feliz em ajudar.

Bell subiu para o quarto e encontrou pendurado no armário o smoking, que tinha sido lavado pelo hotel durante o dia. Depois de um banho rápido, vestiu-se e tirou do armário um longo casaco de linho, cuja barra roçava o topo de seus sapatos brilhantes. Colocou uma calça para poupar a do conjunto de se sujar com o óleo que frequentemente saía do motor. Finalmente, colocou um quepe com óculos de proteção.

Bell desceu uma escada dos fundos até o depósito. A moto vermelha, com suas rodas brancas de borracha, estava ali parada como um corcel esperando para levá-lo para a batalha. Ele chutou o descanso lateral para trás, segurou no guidão e empurrou todos os 54 quilos da moto por cima de uma rampa, que era usada pelos carros que levavam as roupas de cama do hotel para a lavanderia e permitiam que os comerciantes trouxessem comida para o restaurante e as cozinhas do serviço de quarto.

Bell saiu da rampa e chegou à Broadway, a rua que passava pelo edifício do governo do Estado, com seu domo dourado. Ele montou no selim duro e estreito que ficava sobre o tanque de combustível, acima da roda traseira. Por ser feita para corrida, o selim estava no mesmo nível do guidão e ele tinha que se colocar em posição quase horizontal para pilotar a máquina.

Colocou os óculos de proteção sobre os olhos, depois baixou a mão e torceu a válvula que permitia que o combustível caísse, pela força da gravidade, do tanque para o carburador. Então, colocou os pés sobre os pedais estilo bicicleta e partiu pela rua, deixando que a corrente elétrica das três baterias fluísse pela bobina, produzindo uma fagulha de alta voltagem que acendeu o combustível nos cilindros. Ele rodara apenas três metros quando o motor V2 ganhou vida, o escapamento emitindo um rosnado agudo.

Bell envolveu com a mão direita o guidão e torceu-a até menos da metade de sua rotação, e a moto de corrida deu um tranco em sua marcha de velocidade única e ele logo se viu disparando pela Broadway, em meio a carruagens e automóveis ocasionais, a quase 50 quilômetros por hora.

A moto não tinha farol, entretanto uma lua crescente iluminava o céu e havia lâmpadas elétricas alinhadas pela rua, fornecendo claridade suficiente para ele enxergar uma pilha de esterco de cavalo a tempo de se desviar dela.

Pouco mais de três quilômetros depois, ele parou sob um poste de luz e consultou o mapa. Satisfeito por estar indo na direção certa, ele continuou até chegar à Avenida Speer, antes de virar para o oeste. Mais alguns quilômetros e o Clube de Campo de Denver surgiu à sua frente.

O edifício grande e alto parecia em chamas com as luzes que raiavam das numerosas janelas, quadradas e imensas, que circulavam o prédio. A passagem diante da entrada principal estava cheia de carruagens e automóveis estacionados, cujos condutores e motoristas aglomeravam-se em grupos, conversando e fumando. Dois homens de gravata e fraque brancos verificavam os convites das pessoas que entravam.

Bell tinha certeza de que chamaria atenção demais se rodasse até a entrada com sua motocicleta. E, sem convite, havia pouca chance de convencer os porteiros a deixá-lo entrar, mesmo estando vestido para a ocasião. Sob a luz parcial da meia lua, ele virou o guidão e rodou pela noite até a pista de golfe. Tomando o cuidado de não passar por cima dos buracos e dos obstáculos de areia, fez um largo contorno circular e aproximou-se da cabana dos caddies, atrás do edifício principal, perto do primeiro *tee*[3]. O interior estava escuro e a cabana, deserta.

Ele desligou a ignição e deslizou até alguns arbustos ao lado da cabana. Apoiou a moto em seu cavalete central e tirou o longo casaco de linho, dobrando-o sobre o guidão. Então, tirou a calça extra, o quepe e os óculos. Alisando o cabelo louro, Bell saiu para a luz e começou a caminhar pelo passeio que ia da cabana dos caddies para o grandioso clube. Toda a área estava iluminada por luzes elétricas resplandecentes que cruzavam as janelas e por altos lampiões ao lado de uma estrada estreita que ia da rua até a parte de trás do clube de campo. Vários carros de carga estavam parados abaixo de uma larga escadaria que se erguia da entrada dos fundos. Carregadores em uniformes azuis, de corte militar, levavam bandejas com pratos e utensílios dos carros para a cozinha.

Subindo a escada, Bell passou entre dois carregadores, entrando na cozinha como se fosse o proprietário. Nem os garçons apressados que iam e vinham do salão, carregando bandejas com comida, nem os *chefs* prestaram a menor atenção a ele. Até onde sabiam, o homem alto de smoking poderia ser um dos gerentes do clube. Se entrar no salão era um problema, foi felizmente eliminado. Bell simplesmente empurrou a porta pendular da cozinha e juntou-se à multidão de refinados membros do clube, andando entre as mesas, seus olhos procurando por Rose Manteca.

Depois de apenas dois minutos esquadrinhando as mesas, ele a viu na pista de dança.

Bell ficou petrificado.

Rose estava dançando com Nicholas Alexander.

Ele pensou brevemente em apreciar as expressões na cara deles quando se aproximasse e pedisse uma dança. No entanto, a discrição era uma escolha mais esperta do que a vaidade. Ele vira mais do que tinha previsto.

[3] Local no qual a primeira tacada do golfe é feita. Também é o suporte em forma de pino no qual se coloca a bola de golfe, usado somente na primeira tacada (N. T.).

Agora ele conhecia a identidade do espião. Entretanto, Bell tinha certeza de que Alexander não era um agente pago do Assaltante Açougueiro e sua colega bisbilhoteira. Era apenas um tolo deixando-se enganar por um rosto bonito. Bell ficou feliz por eles não o terem notado.

Colocou um guardanapo sobre um dos braços e apanhou um bule de café como se fosse o garçom de uma das mesas. Poderia colocar o bule na frente do rosto, caso Rose ou Alexander olhassem em sua direção. A música parou e ele os viu voltarem para uma mesa. Estavam sentados juntos, com Alexander entre Rose e uma mulher mais velha, com grandes joias, que Bell imaginou ser a esposa do agente. Se não provasse nada mais, já provava que eles não haviam se encontrado casualmente para dançar. Sentarem-se juntos significava que a mesa tinha sido reservada com antecedência. Não eram estranhos.

Bell olhou abertamente para Rose. Ela usava um vestido de seda vermelha que combinava com perfeição com seu cabelo flamejante. Esta noite, o cabelo era uma mistura de coque atrás e cachos dos lados e na frente. Os seios eram pressionados por uma franja de seda que dava o acabamento ao corpete e se elevavam como duas colinas brancas. Ela era uma linda mulher dos pés à cabeça.

Seus lábios estavam separados em uma risada prazerosa e seus olhos castanho-dourados brilhavam de alegria. Sua mão pousou sobre o braço de Alexander, indicando a Bell que ela gostava de se expressar fisicamente. Um senso de excitação a cercava, contagiando os outros à mesa. Era como uma feiticeira, deslumbrante e arrebatadora, contudo sua aura não penetrava Bell. Ele não sentia nenhum fogo, nenhuma paixão sexual por ela. Em sua mente analítica, ela era a inimiga, não um objeto de desejo. Ele olhava através do verniz transparente de seu encanto, vendo a astúcia e a fraude além.

Decidiu que tinha visto o suficiente. Rapidamente, desviou-se para trás de um garçom que se dirigia à cozinha e andou ao lado dele até que os dois passassem pela porta pendular.

Enquanto colocava todo o equipamento que deixara pendurado na motocicleta, Bell considerou-se com sorte. Tinha tropeçado em uma situação não completamente esperada, mas da qual poderia obter vantagem. Enquanto rodava de volta ao Brown Palace, decidira que qualquer informação que fornecesse a Alexander seria falsa e ilusória. Poderia até usar de alguns truques para iludir Rose Manteca.

Essa parte de seu próprio plano o intrigava. Ele já se sentia como se tivesse saído em vantagem na caça a uma leoa manhosa.

7

POUCO DEPOIS DE BELL voltar ao escritório na manhã seguinte, um entregador da agência de telégrafo trouxe para ele um telegrama de Van Dorn:

> Meu principal agente em Los Angeles reporta não ter encontrado nenhum sinal de uma Rose Manteca. Não há nenhuma família com esse nome que seja proprietária de uma fazenda em um raio de 300 quilômetros da cidade. Parece que a moça lhe pregou uma peça. Ela era bonita?
>
> Van Dorn

Bell sorriu para si mesmo. Enfiou o telegrama no bolso, foi até o escritório de Alexander e bateu na porta.

— Entre — Alexander disse em voz baixa, como se estivesse falando com alguém dentro da mesma sala.

Mal ouvindo as palavras, Bell entrou.

— Está aqui para fazer um relatório, eu suponho — disse, sem preâmbulos, o chefe da agência de Denver.

Bell assentiu.

— Eu gostaria de mantê-lo atualizado quanto às nossas atividades.

— Estou ouvindo — Alexander disse sem tirar os olhos dos papéis em sua mesa nem oferecer uma cadeira a Bell.

— Mandei Curtis e Irvine a campo para interrogar os oficiais da lei e quaisquer testemunhas dos assaltos e mortes — Bell mentiu.

— Não é provável que eles desencavem alguma coisa que os policiais locais já não tenham nos fornecido.

— Pretendo sair também. Pegarei o próximo trem para Los Angeles.

— Los Angeles? — Alexander olhou para ele com uma expressão suspeita no olhar. — Por que quer ir para lá?

— Não quero — Bell respondeu. — Descerei em Las Vegas e pegarei a via secundária para Rhyolite, onde planejo conversar sozinho com as testemunhas, se houver alguma.

— Um plano sábio. — Alexander quase pareceu aliviado. — Por um momento, pensei que você iria para Los Angeles por causa da senhorita Manteca.

Bell fingiu surpresa.

— Você a conhece?

— Ela sentou-se com minha esposa e eu na festa do clube de campo. Já nos encontramos em outras ocasiões. Ela contou que vocês dois se encontraram no Baile dos Órfãos e pareceu muito interessada em seu trabalho e experiência. Ficou especialmente fascinada pelo assassino e assaltante de bancos.

Aposto que ela estava mesmo interessada em meu trabalho, Bell pensou. No entanto, disse:

— Eu não sabia que havia causado uma boa impressão. Ela fez um belo trabalho ao me dispensar.

— Minha esposa acha que a senhorita Manteca ficou encantada com você.

— Dificilmente. Tudo o que descobri sobre ela é que vem de uma família rica de Los Angeles.

— Isso é verdade — Alexander respondeu, ignorante. — O pai dela tem um terreno gigantesco fora da cidade.

Estava óbvio para Bell que Alexander não tinha nem investigado Rose nem se dado ao trabalho de suspeitar das perguntas dela a respeito dele e do caso do Assaltante Açougueiro.

— Quando você pretende voltar? — perguntou Alexander.

— Devo terminar a investigação em Rhyolite e voltar dentro de cinco dias.

— E Curtis e Irvine?

— De dez dias a duas semanas.

Alexander voltou a focar sua atenção nos papéis sobre a mesa.

— Boa sorte — disse brevemente, dispensando Bell.

Voltando à sala de reuniões, Bell relaxou em uma cadeira giratória e apoiou os pés sobre a longa mesa. Bebericou uma xícara de café que a senhora Murphy tinha trazido mais cedo. Então, inclinou-se para trás e ficou olhando para o teto, como se estivesse vendo algo lá em cima.

Então, suas suspeitas sobre Rose Manteca estavam certas no que se referia ao dinheiro. Ela não só era uma fraude como talvez, de alguma forma, estivesse conectada ao Assaltante Açougueiro e fora enviada para descobrir o que pudesse sobre a investigação da Agência de Detetives Van Dorn. A presa de Bell não poderia ser subestimada. Não era um bandido comum. Contratar os serviços de uma adorável espiã era o trabalho de um homem que pensava cautelosamente em suas operações. Rose, ou qualquer que fosse a verdadeira identidade dela, era boa. Não tivera nenhum problema para conquistar a confiança do diretor da agência em Denver. A base tinha sido cuidadosamente assentada. Era com certeza o trabalho de um profissional. O fato de contratar uma impostora significava que o bandido tinha recursos de alta qualidade e uma rede de tentáculos capaz de sondar a comunidade de negócios e o governo.

**

Quando Bell voltou ao Brown Palace, foi até o balcão da recepção e perguntou o número do quarto de Rose Manteca. O recepcionista pareceu muito profissional quando disse:

— Lamento, senhor. Não podemos informar os números dos quartos de nossos hóspedes. — Então, uma expressão presunçosa surgiu em sua face. — Mas posso lhe dizer que a senhorita Manteca foi embora ao meio-dia.

— Ela disse aonde ia?

— Não, mas a bagagem dela foi levada para a Estação Union e colocada no trem das 13 horas para Phoenix e Los Angeles.

Isso não era o que Bell esperava. Ele se amaldiçoou por deixar que ela escapasse entre seus dedos.

Quem era realmente Rose Manteca? Por que tomaria o trem para Los Angeles quando não havia sinal de que vivia lá?

Então, outro pensamento começou a se desenvolver na mente de Bell. Onde sua nêmesis atacaria da próxima vez? Ele não conseguia nem imaginar, e isso era frustrante. Em seus casos anteriores, sempre sentira que estava no controle. Entretanto, esse era diferente. Diferente demais.

8

COM CABELOS LOUROS E UM FARTO BIGODE castanho-amarelado, arrumado com pomada, ele tinha a aparência de um homem próspero. Depois de sair da estação de trem, ele se acomodou no banco traseiro de um táxi, Modelo N Ford, e apreciou o dia belo, sem nuvens, enquanto espiava Salt Lake City aninhada ao pé das Montanhas Wasatch. Estava vestindo à moda engomada dos janotas de então, porém com o ar sofisticado de um homem de negócios. Usava uma cartola de seda, uma sobrecasaca preta de três botões com colete e colarinho alto, arredondado, e uma gravata elegante. Suas mãos estavam envolvidas por luvas de um cinza perolado. Polainas no mesmo tom cobriam-lhe metade dos sapatos, indo exatamente até os tornozelos.

Ele se inclinou ligeiramente para a frente enquanto olhava de uma janela a outra, sua mão segurando o cabo de uma bengala feita de liga de prata, adornada com uma cabeça de águia com um grande bico. Embora parecesse inofensiva, essa bengala tinha uma arma de cano longo cujo gatilho se projetava para fora quando um botão era pressionado. Comportava uma bala calibre .44 cuja cápsula podia ser ejetada inserindo-se um novo cartucho na cauda da águia.

O táxi passou pela igreja dos Santos dos Últimos Dias — a Capela, o Tabernáculo e o Salão de Assembleia. Construída entre 1853 e 1893, suas paredes de granito, com quase dois metros de espessura, terminavam no alto em seis pináculos, o mais alto contendo uma estátua de cobre do anjo Morôni.

Após deixar a Praça do Templo, o táxi virou na Rua Sul 300 e parou em frente ao Hotel Peery. Projetado com arquitetura europeia pouco antes da explosão da atividade mineradora, era o principal hotel em Salt Lake City. Enquanto o porteiro tirava a bagagem do porta-malas do táxi, o homem mandou que o motorista esperasse. Então, passou pelas portas duplas de vidro e entrou no majestoso saguão.

O recepcionista sorriu, balançando a cabeça. Então, olhou para um grande relógio no recinto e disse:

— Senhor Eliah Ruskin, eu presumo.

— Presume corretamente — respondeu o homem.

— São 14h15. O senhor chegou no horário exato.

— Desta vez, meu trem foi pontual.

— Poderia assinar o livro de registro?

— Preciso sair para um compromisso. Você pode cuidar para que minha bagagem seja levada para meu quarto e minhas roupas guardadas no closet e nas gavetas?

— Sim, senhor Ruskin. Cuidarei pessoalmente disso. — O recepcionista inclinou-se sobre o balcão de registro e visualizou a grande mala de couro apoiada seguramente entre as pernas de Ruskin. — Quer que eu mande levar essa mala para seu quarto?

— Não, obrigado. Eu a levarei comigo.

Ruskin virou-se e saiu para a calçada, uma mão segurando a bengala, a outra, a alça da mala. O peso de seu conteúdo puxava o ombro dele para baixo. Ele a enfiou pela porta do táxi e retomou o banco traseiro.

O recepcionista do hotel achou estranho Ruskin não ter deixado a mala no táxi. Perguntou-se por que Ruskin arrastaria tamanho peso para dentro do saguão só para levá-lo para fora novamente. Imaginou que deveria conter algo valioso. Seus pensamentos logo se dissolveram quando outro hóspede apareceu para fazer o registro.

Oito minutos mais tarde, Ruskin saiu do táxi, pagou o motorista e entrou no saguão do Banco & Crédito Salt Lake. Dirigiu-se ao segurança que estava sentado em uma cadeira perto da porta.

— Tenho um horário marcado com o senhor Cardoza.

O guarda ficou de pé e gesticulou em direção a uma porta de vidro jateado.

— Você o encontrará naquela sala.

Não havia nenhuma razão para Ruskin perguntar ao guarda aonde ir. Ele poderia simplesmente ter visto a porta do escritório do gerente do banco. O segurança não notara que Ruskin o observara atentamente — como se movia, sua idade e como posicionava o coldre, contendo uma nova pistola automática Colt Browning Modelo 1905 calibre .45 no quadril. O breve estudo revelara também que o guarda não era particularmente alerta e vigilante. Dia após dia, observar os clientes indo e vindo sem a menor perturbação o tinha tornado desatento e indiferente. Ele não pareceu ver nada de incomum na grande mala de Ruskin.

O banco tinha dois caixas em suas cabines atrás do balcão. Os únicos outros funcionários, além do segurança, eram Cardoza e sua secretária. Ruskin analisou a grande porta de aço do cofre, que estava aberta para o saguão de forma a impressionar os clientes e sugeria que suas economias estavam em mãos sólidas, protetoras.

Ele se aproximou da secretária.

— Olá, meu nome é Eliah Ruskin. Tenho um horário às 14h30 com o senhor Cardoza.

A mulher mais velha, de uns 50 anos e cabelos grisalhos, sorriu e levantou-se sem dizer nada. Ela foi até a porta onde se lia ALBERT CARDOZA, GERENTE na parte de cima da peça de vidro jateado, bateu e inclinou-se para dentro.

— Senhor Eliah Ruskin deseja vê-lo.

Cardoza rapidamente ficou de pé e contornou sua mesa. Estendeu a mão e apertou a palma e os dedos de Ruskin vigorosamente.

— É um prazer, senhor. Esperei ansiosamente sua visita. Não é todo dia que recebemos um representante de um banco nova-iorquino que esteja fazendo um depósito tão substancial.

Ruskin levantou a mala e colocou-a na mesa de Cardoza, destrancou as travas e abriu a tampa.

– Aqui estão meio milhão de dólares em dinheiro para serem depositados até nós decidirmos fazer a retirada.

Cardoza olhou com reverência para as notas douradas de 50 dólares, habilmente empacotadas e encaixadas, como se elas fossem seu passaporte para a terra prometida dos bancários. Então, olhou para cima com uma surpresa crescente.

— Eu não entendo. Por que não trazer um cheque em vez de 500 mil dólares em dinheiro?

— Os diretores do Banco do Rio Hudson de Nova York preferem trabalhar com dinheiro. Como você soube por nossas cartas, estamos prestes a abrir filiais no Oeste, em cidades que acreditamos ter potencial para o crescimento. Consideramos apropriado ter dinheiro à mão quando abrirmos nossas portas.

Cardoza lançou um olhar sombrio para Ruskin.

— Espero que seus diretores não pretendam abrir um banco competidor aqui em Salt Lake City.

Ruskin sorriu e balançou a cabeça.

— Phoenix, no Arizona, e Reno, em Nevada, serão as primeiras filiais do Rio Hudson a abrirem no Oeste.

— Phoenix e Reno certamente estão crescendo. — Cardoza parecia aliviado.

— Já houve algum assalto a banco em Salt Lake? — Ruskin perguntou casualmente enquanto olhava para o cofre.

Cardoza olhou para ele de forma zombeteira.

— Não nesta cidade. Os cidadãos não permitiriam. Salt Lake é uma das cidades com menores índices de crimes no país. Os Santos dos Últimos Dias são gente honesta e religiosa. Acredite em mim, senhor Ruskin, nenhum bandido se atreveria a tentar assaltar este banco. Seu dinheiro ficará absolutamente e 100% seguro assim que for trancado em nosso cofre.

— Li algo sobre um sujeito chamado de Assaltante Açougueiro que anda roubando e matando nos estados do Oeste.

— Não se preocupe, ele só ataca pequenas cidades mineradoras e rouba pagamentos. Não seria estúpido o suficiente para tentar roubar um banco em uma cidade do tamanho de Salt Lake. Ele não conseguiria ultrapassar os limites da cidade antes que a polícia atirasse nele.

— Um repositório muito impressionante — disse Ruskin, apontando com a cabeça para o cofre.

— É o melhor cofre a oeste do Mississippi, construído especialmente para nós na Filadélfia — Cardoza afirmou orgulhosamente. — Um regimento armado completo com canhões não poderia rompê-lo.

— Vejo que fica aberto durante o horário comercial.

— E por que não? Nossos clientes gostam de ver quão bem protegidos estão seus depósitos. E, como mencionei, nenhum banco jamais foi assaltado em Salt Lake City.

— Qual é o horário mais sossegado do seu dia?

— O horário mais sossegado? — Cardoza pareceu intrigado.

— Quando há menos clientes efetuando transações?

— Entre 13h30 e 14 horas é nosso horário menos movimentado. A maioria dos clientes volta para os escritórios depois do horário do almoço. E, como fechamos às 15 horas, alguns clientes aparecem para transações no final do expediente. Por que pergunta?

— Só estou curioso em saber como o movimento aqui se compara com o de nosso banco em Nova York, e parece ser a mesma coisa. — Ele deu um tapinha na mala. — Deixarei o dinheiro na mala e voltarei para buscá-la amanhã.

— Fecharemos em breve, mas mandarei meu principal funcionário contá-lo na primeira hora, amanhã.

Cardoza abriu uma gaveta em sua mesa, tirou um livro de couro e fez um comprovante do depósito de meio milhão de dólares. Entregou-o a Ruskin, que o colocou em uma enorme carteira que carregava no bolso do peito de seu casaco.

— Posso pedir um favor? — Ruskin inquiriu.

— Certamente. O que quiser.

— Eu gostaria de estar presente quando seu funcionário fizer a contagem.

— É muita bondade sua, mas tenho certeza de que seu banco contou cada dólar.

— Agradeço por sua confiança, mas eu gostaria de estar presente só para ficar em uma posição segura.

— Como quiser. — Cardoza encolheu os ombros.

— Há outro pedido.

— Basta dizer.

— Tenho outros negócios dos quais cuidar de manhã e não poderei voltar até as 13h30. Então, já que o banco é menos movimentado nesse horário, seria um bom momento para a contagem.

Cardoza assentiu, concordando.

— Tem toda razão. — Ele se levantou e estendeu a mão. — Até amanhã à tarde. Espero ansiosamente vê-lo.

Ruskin ergueu a bengala em um gesto de adeus, despediu-se de Cardoza e deixou o escritório. Ele passou pelo segurança, que nem o viu, e balançou a bengala como um bastão de comando quando chegou à calçada.

Ele sorriu para si mesmo, sabendo que não tinha intenção de voltar ao banco meramente para contar o conteúdo da mala.

9

NA TARDE SEGUINTE, Ruskin foi até o banco, certificando-se de ser visto nas ruas pela multidão que passava e parando em lojas só para olhar, mantendo conversas triviais com os comerciantes. Levava sua bengala mais como um acessório do que como proteção.

Chegando ao Banco & Crédito Salt Lake às 13h30, ele entrou e ignorou o segurança enquanto girava a chave na porta da frente, trancando-a. Então, virou a placa na janela para que do lado de fora se lesse FECHADO e puxou as cortinas das janelas, enquanto o guarda ficava parado, em seu estupor entediado, sem notar que o banco estava prestes a ser assaltado. Nem a secretária de Albert Cardoza, nem os caixas, nem a cliente que fazia um depósito no balcão notaram o comportamento incomum do intruso.

O segurança finalmente ficou alerta e percebeu que Ruskin não estava agindo como um cliente de banco normal e poderia estar com más intenções. Ele ficou de pé, sua mão tateando o coldre no qual guardava seu revólver .38 Smith & Wesson, e perguntou em uma voz enfadada:

— O que você pensa que está fazendo?

Então, os olhos dele se arregalaram de susto quando ele se viu cara a cara com o cano da Colt .38 de Ruskin.

— Não resista. E vá bem devagar para trás do balcão! — Ruskin ordenou enquanto embrulhava sua arma em uma echarpe de lã gasta, velha e pesada, com buracos de queimadura. Ele se moveu rapidamente para trás do balcão antes que os caixas em suas cabines percebessem e pudessem apanhar as armas de fogo aos pés deles. Esperando que o banco jamais fosse roubado, eles hesitaram, confusos.

— Nem pensem em tentar pegar as armas! — Ruskin rosnou. — Deitem no chão ou coloco uma bala nos miolos de vocês. — Ele gesticulou com a arma para a mulher apavorada diante do balcão: — Dê a volta no balcão, deite no chão com os caixas e não vai se machucar — disse em tom frio. Então, apontou a arma para a secretária de Cardoza: — Você também! No chão!

Quando todos estavam deitados de cara para o chão de mogno extremamente polido, ele bateu na porta de Cardoza. Incapaz de distinguir vozes fora do escritório, o gerente do banco ignorava o evento macabro que se desenrolava dentro do banco. Por força do hábito, esperou que sua secretária entrasse, mas ela não apareceu. Finalmente, irritado por ter sido interrompido, ele se levantou e abriu a porta. Demorou alguns segundos para compreender o que estava acontecendo. Olhou para Ruskin com a arma na mão.

— O que significa isso? — exigiu saber. Então, viu as pessoas deitadas no chão e voltou a encarar Ruskin em total confusão. — Não entendo. O que está havendo?

— O primeiro assalto a banco de Salt Lake City — disse Ruskin, parecendo divertir-se.

Cardoza não se moveu. Estava paralisado em estado de choque.

— Você é diretor de um banco respeitável em Nova York. Por que está fazendo isso? Não tem sentido. O que espera ganhar com isso?

— Tenho meus motivos — Ruskin respondeu, com voz fria e monótona. — Quero que você faça um cheque do banco no valor de 475 mil dólares.

Cardoza olhou para ele como se estivesse louco.

— Um cheque para quem?

— Eliah Ruskin, quem mais? — respondeu Ruskin. — E trate de ser rápido.

Mergulhado em confusão, Cardoza abriu uma gaveta, tirou um livro contendo cheques do banco e rabiscou apressadamente um no valor que Ruskin exigia. Quando terminou, passou-o por cima da mesa para Ruskin, que o pôs no bolso junto ao peito.

— Agora, vá para o chão com os outros.

Como se estivesse em um pesadelo, Cardoza abaixou lentamente para o chão perto de sua trêmula secretária.

— Agora, nenhum de vocês se mova, nem estremeça, até eu mandar.

Sem dizer mais nada, Ruskin caminhou para dentro do cofre e começou a enfiar o dinheiro do banco em sacos próprios, feitos de couro, que no dia anterior ele vira empilhados em uma prateleira do lado de dentro da imensa porta de cinco toneladas. Encheu dois deles, estimando levar mais ou menos 230 mil dólares em notas de alto valor, nenhuma menor que 10 dólares. Ele planejara bem. Por informações internas, sabia que o Banco & Crédito Salt Lake recebera um enorme carregamento de dinheiro enviado pelo Banco Nacional Continental & Comercial de Chicago para suas reservas. Ruskin deixou a mala com seu próprio dinheiro em outra prateleira do cofre.

Colocando os sacos de lado, ele empurrou a porta do cofre. Ela se fechou tão facilmente quanto a porta de um armário. Então, ele girou a roda que ativava as trancas internas e ajustou o temporizador para 9 horas da manhã seguinte.

Sem pressa, como se estivesse passeando pelo parque, ele passou para trás do balcão e atirou implacavelmente na parte de trás da cabeça das pessoas deitadas no chão. Os tiros abafados foram tão rápidos que ninguém teve tempo de entender o que estava acontecendo e gritar. Então, ele ergueu as cortinas das janelas do banco para que os transeuntes pudessem ver que o cofre estava trancado e presumissem que o banco estava fechado. Os corpos estavam convenientemente fora das vistas, atrás do balcão.

Ruskin esperou até que a rua estivesse livre de pedestres e veículos antes de deixar o banco com ar indiferente, fechando a porta e saindo preguiçosamente do edifício, balançando a bengala. Às 16 horas em ponto, ele tinha voltado ao Hotel Peery, tomado um banho e descido para o restaurante, onde apreciou um grande prato de salmão defumado com creme de endro e caviar, acompanhado de uma garrafa de vinho francês Clos de La Roche Burgundy, 1899. Então, leu no saguão por uma hora antes de ir para a cama e dormir como uma rocha.

**

MAIS TARDE, PELA MANHÃ, Ruskin pegou um táxi para o Banco & Crédito Salt Lake. Uma multidão de pessoas se amontoava em torno da porta enquanto uma ambulância saía da frente do banco. Havia policiais uniformizados em abundância. Ele abriu caminho pela multidão, viu um homem vestido como detetive e dirigiu-se a ele.

— O que aconteceu aqui? — perguntou educadamente.

— O banco foi assaltado e seis pessoas foram mortas.

— Assaltado? Mortas, isso mesmo? Isso é um desastre. Ontem eu depositei meio milhão de dólares em dinheiro de meu banco em Nova York.

O detetive olhou para ele, surpreso.

— Meio milhão de dólares, você disse? Em dinheiro?

— Sim, tenho meu recibo bem aqui.

Ruskin colocou o recibo bem diante do rosto do detetive, que o estudou por alguns instantes e então disse:

— Você é Eliah Ruskin?

— Sim, sou Ruskin. Represento o Banco do Rio Hudson de Nova York.

— Meio milhão de dólares em dinheiro! — o detetive arfou. — Não me admira o banco ter sido roubado. É melhor o senhor entrar, senhor Ruskin, e falar com o senhor Ramsdell, um dos diretores do banco. Sou o Capitão John Casale, do Departamento de Polícia de Salt Lake City.

Os corpos haviam sido removidos, mas grandes áreas do piso de mogno estavam cobertas de sangue seco. O Capitão Casale mostrou o caminho até um homem — um homem enorme e gordo, com um grande estômago saliente atrás de um colete e uma imensa corrente de relógio. O homem estava sentado à mesa de Cardoza, examinando os depósitos bancários. Seus olhos castanhos pareciam pasmos abaixo da cabeça calva. Ele olhou para cima e encarou Ruskin, irritado com a intromissão.

— Este é o senhor Eliah Ruskin — anunciou Casale. — Ele diz que depositou meio milhão de dólares com o senhor Cardoza ontem.

— Lamento conhecê-lo em circunstâncias tão trágicas. Sou Ezra Ramsdell, diretor administrativo do banco. — Ramsdell levantou-se e apertou a mão de Ruskin. — Uma coisa terrível, terrível — murmurou. — Seis pessoas mortas. Nada assim jamais aconteceu em Salt Lake City antes.

— O senhor tem conhecimento do dinheiro que o senhor Cardoza estava guardando para meu banco? — perguntou Ruskin simplesmente.

— Sim — Ramsdell assentiu. — Ele me telefonou e reportou que você tinha vindo e colocado o dinheiro de seu banco no cofre.

— Já que o senhor Cardoza, que Deus guarde sua alma, me fez um recibo, meus diretores presumirão que seu banco assumirá a perda.

— Diga a seus diretores que não se preocupem.

— Quanto dinheiro o ladrão levou? — Ruskin perguntou.

— 245 mil dólares.

— Mais meu meio milhão — ele disse, um pouco agitado.

Ramsdell olhou para ele estranhamente.

— Por alguma razão inexplicável, o ladrão não levou seu dinheiro.

Ruskin simulou uma expressão surpresa.

— O que está me dizendo?

— As notas dentro de uma grande mala marrom de couro são suas? — perguntou o Capitão Casale.

— As douradas? Sim, são do banco que eu represento em Nova York.

Ramsdell e Casale trocaram olhares esquisitos. Então, Ramsdell disse:

— A mala que você e o senhor Cardoza colocaram no cofre ainda contém seu dinheiro.

— Não entendo.

— Ela não foi tocada. Eu mesmo a abri e verifiquei. Suas notas douradas estão sãs e salvas.

Ruskin demonstrou abertamente sua perplexidade.

— Não faz sentido. Por que levar o seu dinheiro e deixar o meu?

Casale coçou uma orelha.

— Minha teoria é que ele estava com pressa e simplesmente ignorou a mala, sem perceber que ela continha a fortuna de um rei em dinheiro.

— Isso é um alívio — disse Ruskin, tirando sua cartola de seda e enxugando o suor imaginário da testa. — Presumindo que o ladrão não volte, deixarei o dinheiro em seu cofre até chegar a hora em que precisaremos dele para abrir nossas novas filiais em Phoenix e Reno.

— Ficamos muito gratos. Especialmente agora que nosso dinheiro vivo desapareceu.

Ruskin olhou para uma mancha de sangue seco no chão.

— É melhor eu os deixar com sua investigação. — Ele se voltou para Casale. — Espero que vocês peguem o assassino e que ele seja enforcado.

— Juro que vamos rastreá-lo — Casale disse, confiante. — Cada estrada que sai de Salt Lake e cada estação de trem estão ocupadas por uma rede de policiais. Ele não pode sair dos limites da cidade sem ser pego.

— Boa sorte para vocês — disse Ruskin. — Rezo para que capturem o demônio. — Ele se voltou para Ramsdell. — Estarei no Hotel Peery até amanhã à tarde, caso precisem de meus serviços. Às 16 horas em ponto pegarei um trem para ir tratar do estabelecimento de nosso novo banco em Phoenix.

— É muito generoso, senhor — disse Ramsdell. — Entrarei em contato assim que recomeçarmos as operações.

— Não por isso! — Ruskin virou-se para partir. — Boa sorte, Capitão — disse a Casale enquanto se dirigia para a saída do banco.

Casale olhou pela janela enquanto Ruskin atravessava a rua em direção a um táxi.

— Muito estranho — disse lentamente. — Se conheço os horários dos trens, o próximo para Phoenix só sai daqui a três dias.

Ramsdell encolheu os ombros.

— Provavelmente, ele estava mal informado.

— Mesmo assim, há algo nele que me incomoda.

— O que é?

— Ele não pareceu muito feliz porque o dinheiro do banco dele não foi levado pelo assaltante. Foi quase como se soubesse que ele estava seguro antes de entrar pela porta.

— Isso importa? — perguntou Ramsdell. — O Sr. Ruskin deve estar contente porque seu meio milhão de dólares foi ignorado pelo assaltante.

O detetive pareceu pensativo.

— Como você sabe que são meio milhão de dólares? Você contou?

— O senhor Cardoza deve ter contado.

— Tem certeza?

Ramsdell começou a andar do escritório até o cofre.

— Agora é uma hora tão boa quanto qualquer outra para fazer uma conta rápida.

Ele abriu a mala e começou a colocar a primeira camada de notas empilhadas em uma prateleira próxima. A primeira camada consistia de 20 mil dólares em notas douradas certificadas. Por baixo, o resto da mala estava cheio de jornal muito bem cortado e enfaixado.

— Bom Deus! — Ramsdell arfou. Então, como se tomado de uma revelação, ele correu para o escritório do gerente e abriu um livro que estava sobre a mesa. O livro continha apenas cheques do banco. Entretanto, o último fora removido e não tinha registro. Seu rosto ficou pálido. — O assassino desgraçado deve ter forçado Cardoza a preencher um cheque de meio milhão. Qualquer banco onde ele o deposite assumirá que o autorizamos e exigirá pagamento do Banco & Crédito Salt Lake. Por lei federal, somos obrigados a honrar isso. Se não, as ações judiciais e o processo dos agentes do Tesouro Nacional... nos forçarão a fechar o banco.

— Ruskin não é apenas uma fraude — Casale disse firmemente. — Foi ele quem roubou seu banco e matou os empregados e a cliente.

— Não posso acreditar — murmurou Ramsdell, incrédulo. Então, exigiu: — Você tem que detê-lo. Pegue-o antes que ele saia do hotel.

— Mandarei um pelotão para o Peery — disse Casale. — Mas esse cara não é nenhum idiota. Ele provavelmente fugiu assim que saiu pela porta.

— Você não pode deixar que ele escape assim.

— Se ele for o famoso Assaltante Açougueiro, então é um diabo esperto que desaparece como um fantasma.

Os olhos de Ezra Ramsdell cintilaram com perspicácia.

— Ele tem que depositar o cheque em um banco em algum lugar. Telegrafarei para os gerentes de todos os bancos da nação para que fiquem atentos à passagem dele e entrem em contato com a polícia antes que honrem o cheque de meio milhão de dólares feito para Eliah Ruskin. Ele não escapará dessa.

— Não tenho tanta certeza — John Casale disse em voz baixa. — Não tenho tanta certeza mesmo.

10

O Assaltante Açougueiro estava vários quilômetros à sua frente, Bell pensou quando o trem em que viajava desacelerou e parou na estação em Rhyolite. Ele recebera um longo telegrama de Van Dorn falando do massacre de Salt Lake, como o evento se tornara conhecido. Um banco em uma grande cidade como Salt Lake era o último lugar que ele ou qualquer outra pessoa esperaria que o Açougueiro atacasse. Aquela era sua próxima parada após Rhyolite.

Ele desceu do trem com uma maleta de couro contendo os itens mínimos e essenciais que carregava ao viajar. O calor do deserto o atingiu como o sopro de uma fornalha, entretanto, por causa da ausência de umidade no lugar, sua camisa não ensopou com suor.

Depois de perguntar o caminho para o chefe da estação, ele caminhou até o escritório do xerife e a cadeia. O xerife Marvin Huey era um homem de porte mediano com cabelo emaranhado e cinzento. Ele ergueu os olhos de uma pilha de cartazes de Procurado e encarou Bell com suaves olhos da cor de azeitonas escuras quando o agente da Van Dorn entrou no escritório.

— Xerife Huey, sou Isaac Bell da Agência de Detetives Van Dorn.

Huey não se levantou da mesa nem estendeu a mão. Em vez disso, cuspiu um chumaço de saliva e tabaco mastigado em uma escarradeira.

— Sim, senhor Bell, me disseram que você viria no trem das 10. O que acha de nosso clima quente?

Bell apanhou uma cadeira do lado de Huey sem que este a oferecesse e sentou-se.

— Prefiro o ar fresco das altitudes mais elevadas de Denver.

O xerife sorriu ligeiramente ao notar o desconforto de Bell.

— Se viver aqui tempo suficiente, pode acabar gostando.

— Eu lhe telegrafei a respeito de minha investigação — disse Bell sem mais preâmbulos. — Quero obter qualquer informação possível que possa ajudar a rastrear o Assaltante Açougueiro.

— Espero que você tenha mais sorte do que eu. Depois dos assassinatos, tudo o que encontramos foi uma carroça de carga arruinada e abandonada e uma parelha de cavalos que ele tinha trazido para a cidade.

— Alguém conseguiu dar uma boa olhada nele?

Huey balançou a cabeça negativamente.

— Ninguém nem notou o homem. Três pessoas deram descrições diferentes. Nenhuma combinava. Tudo o que sei é que meu destacamento não encontrou rastros de carroça, cavalo ou automóvel saindo da cidade.

— E quanto à estrada de ferro?

Huey balançou novamente a cabeça.

— Nenhum trem saiu da cidade por 8 horas. Coloquei homens na estação para verificarem os vagões de passageiros antes de o próximo trem sair, mas não encontraram ninguém que parecesse suspeito.

— E quanto aos trens de carga?

— Meus agentes deram uma busca no único trem de carga que saiu da cidade naquele dia. Nem eles, nem o maquinista, nem o bombeiro e nem o brequista do trem viram alguém se esconder nos vagões de carga.

— Qual é sua teoria sobre o bandido? — perguntou Bell. — Como acha que ele conseguiu fazer a fuga perfeita?

Huey parou para atirar outro chumaço de saliva com tabaco na escarradeira de latão.

— Eu desisti. Dói-me dizer, mas não tenho ideia de como ele conseguiu enganar a mim e a meus agentes. Francamente, estou desconcertado. Em 30 anos como homem da lei, nunca perdi um bandido.

— Pode procurar consolo no fato de que não é o único xerife ou delegado que o perdeu depois que ele roubou os bancos das outras cidades.

— Ainda assim, não é nada de que possa me orgulhar — resmungou Huey.

— Com sua permissão, eu gostaria de interrogar as três testemunhas.

— Vai desperdiçar seu tempo.

— Pode me dizer os nomes delas? — Bell insistiu. — Preciso fazer meu trabalho.

Huey encolheu os ombros e anotou os três nomes nas costas de um cartaz de PROCURADO e onde aquelas pessoas poderiam ser encontradas, entregando-o a Bell.

— Conheço todas essas pessoas. São cidadãos bons e honestos, que acreditam no que viram, mesmo que não concordem entre si.

— Obrigado, xerife, mas meu trabalho é investigar cada pista, não importa quão insignificantes elas sejam.

— Avise-me se eu puder ajudar em mais alguma coisa — disse Huey, um pouco mais caloroso.

— Se for necessário — disse Bell —, eu avisarei.

**

BELL GASTOU A MAIOR PARTE DA MANHÃ seguinte localizando e interrogando as pessoas da lista que recebera do xerife Huey. Bell era considerado um especialista na interpretação das descrições feitas por testemunhas, mas desta vez seu trabalho não deu em nada. Nenhuma daquelas pessoas, dois homens e uma mulher, deu informações correlatas. O xerife Huey estava certo. Bell aceitou a derrota, voltou ao hotel e se preparou para partir para a próxima cidade de seu roteiro que sofrera tragédia similar: Bozeman, Montana.

Estava sentado no restaurante do hotel, jantando um prato de cordeiro cozido, quando o xerife entrou e sentou-se à sua mesa.

— Posso pedir algo para você? — Bell ofereceu graciosamente.

— Não, obrigado. Vim procurar você porque pensei em Jackie Ruggles.

— E quem seria essa pessoa?

— É um menino de uns 10 anos. O pai trabalha na mina e a mãe é lavadeira. Ele disse que viu um homem de aparência esquisita no dia do assalto, mas eu descartei a descrição dele. Não é o menino mais inteligente da cidade. Achei que só queria impressionar os outros garotos alegando que viu o bandido.

— Eu gostaria de falar com ele.

— Suba a Rua Third até Menlo. Lá, vire à direita. Ele vive na segunda casa do lado esquerdo, uma coisa arruinada que parece capaz de cair a qualquer minuto, como a maior parte das casas naquela área da cidade.

— Fico muito grato.

— Não vai conseguir mais de Jackie do que conseguiu dos outros. Provavelmente menos.

— Preciso ser otimista! — disse Bell. — Como eu disse, tenho que verificar cada pista, não importa quão trivial. A Agência de Detetives Van Dorn quer pegar o assassino tanto quanto você.

— Você pode parar no armazém geral e comprar umas balas de goma — disse o xerife Huey. — Jackie adora bala de goma.

— Obrigado pela dica!

**

BELL ENCONTROU A CASA DOS RUGGLES exatamente como Huey descrevera. Toda a estrutura de madeira estava inclinada para um lado. Mais alguns centímetros, Bell pensou, e ela tombaria na rua. Ele começara a subir os degraus instáveis quando um garotinho saiu pela porta da frente e correu para a rua.

— Você é Jackie Ruggles? — perguntou Bell, segurando o menino pelo braço antes que ele disparasse para longe.

O garoto não ficou nem um pouco intimidado.

— Quem quer saber? — perguntou.

— Meu nome é Bell. Sou da Agência de Detetives Van Dorn. Gostaria de lhe perguntar sobre o que você viu no dia do assalto ao banco.

— Van Dorn — Jackie disse, admirado. — Caramba, vocês são famosos! Um detetive da Van Dorn quer falar comigo?

— Isso mesmo — disse Bell, aproximando-se para atacar a questão. — Quer umas balas de goma? — Ele ofereceu um pequeno saco que tinha acabado de comprar no armazém geral.

— Puxa, valeu, senhor. — Jackie Ruggles não perdeu tempo: agarrou o saco e saboreou uma bala verde. Ele vestia uma camisa de algodão, calças cortadas acima dos joelhos e sapatos gastos de couro, que Bell imaginou já terem sido de um irmão mais velho. As roupas estavam muito limpas, como cabia a uma mãe que trabalhava como lavadeira. Ele era magro feito um cabo de vassoura, com um rosto de traços infantis e coberto de sardas que terminava em um tufo de cabelos castanho-claros, despenteados e encaracolados.

— O xerife Huey me disse que você viu o ladrão de banco.

O menino respondeu enquanto mastigava a bala de goma:

— Vi, sim. O único problema é que ninguém acredita em mim.

— Eu acredito — Bell garantiu. — Conte-me o que viu.

Jackie estava a ponto de pegar mais uma bala no saco, no entanto, Bell o deteve.

— Pode ficar com elas depois que tiver me contado o que sabe.

O menino pareceu aborrecido, mas deu de ombros.

— Eu estava jogando beisebol na rua com meus amigos quando esse cara velho...

— Quão velho?

Jackie analisou Bell.

— Mais ou menos da sua idade.

Bell nunca considerara que ter 30 anos fosse velho, mas para um garotinho de 10 ele deveria parecer um ancião.

— Continue.

— Ele estava vestido como a maioria dos mineiros que vivem aqui, mas tinha um chapéu grande que nem o dos mexicanos.

— Um *sombrero*.

— Acho que é esse o nome. E ele estava carregando um saco grande por cima do ombro. Parecia que estava bem pesado, cheio de alguma coisa.

— O que mais você notou?

— Uma das mãos dele não tinha o dedo mindinho.

Bell enrijeceu. Essa era a primeira pista para identificar o assassino.

— Tem certeza de que ele não tinha o mindinho?

— Tanta certeza quanto de que estou parado aqui — respondeu Jackie.

— Em qual mão? — Bell perguntou, contendo sua crescente agitação.

— A esquerda.

— Não tem nenhuma dúvida de que era a esquerda?

Jackie apenas assentiu enquanto olhava ansiosamente para o saco de balas de goma.

— Ele olhou para mim como se estivesse muito bravo mesmo quando viu que eu estava olhando para ele.

— E o que aconteceu depois?

— Eu tive que pegar uma bola voadora. Quando virei, ele tinha ido embora.

Bell deu um tapinha amistoso na cabeça de Jackie, quase perdendo a mão em meio a um mar de cabelos castanhos revoltos. Ele sorriu.

— Vá comer suas balas de goma, mas, se eu fosse você, mastigaria devagar para elas durarem mais.

* *

Após deixar o Hotel Rhyolite e antes de embarcar no trem, Bell pagou o operador do telégrafo da estação para mandar uma mensagem a Van Dorn descrevendo o Assaltante Açougueiro como um homem sem o dedo mindinho da mão esquerda. Ele sabia que Van Dorn rapidamente mandaria notícias para seu exército de agentes para que ficassem alerta a qualquer relato de alguém com essa descrição.

Em vez de voltar para Denver, ele decidiu, de um impulso repentino, ir para Bisbee. Talvez — só talvez — ele tivesse sorte novamente e encontrasse outra pista sobre a identidade do bandido. Ele se reclinou no assento enquanto o calor tórrido do deserto grelhava o interior do vagão de passageiros Pullman. Bell mal notou.

A primeira pista sólida, fornecida por um garotinho esquelético, não era exatamente um grande avanço, porém era um começo, Bell pensou. Sentiu-se satisfeito pela descoberta e começou a sonhar acordado com o dia em que confrontaria o bandido e o identificaria pelo dedo ausente.

A CAÇADA SE ACELERA

11

4 de março de 1906
São Francisco, Califórnia

O HOMEM CUJO ÚLTIMO COGNOME era Ruskin ficou diante de uma pia de bronze ornamentada e olhou para um grande espelho oval enquanto se barbeava com uma lâmina reta. Quando acabou, enxaguou o rosto e passou uma colônia francesa cara. Então ele esticou o braço e se agarrou à pia, pois seu vagão particular parou abruptamente.

Foi até uma janela basculante, que do lado de fora era disfarçada como uma seção das paredes de madeira do carro, abriu-a cautelosamente e olhou para fora. Uma pequena locomotiva de manobra tinha empurrado dez vagões de carga desacoplados do trem, incluindo o vagão da Fábrica de Móveis O'Brian, para dentro do imenso edifício da estação terminal da Ferrovia Southern Pacific, conhecida como o Dique de Oakland. Consistia de um grande embarcadouro construído com estacas, alvenaria e rochas assentado na própria Baía de São Francisco, no lado oeste da cidade de Oakland. A inclinação pela qual os trens entravam e se acoplavam ficava no extremo oeste do edifício principal, entre torres gêmeas. As duas eram guarnecidas por equipes de homens que dirigiam a carga e descarga da imensa frota de balsas que iam e vinham de São Francisco através da baía.

Como o Dique de Oakland ficava no final da ferrovia transcontinental, passava 24 horas por dia cheio de uma multidão de pessoas que vinham do leste ou queriam cruzar o continente na direção oposta. Trens de passageiros misturavam-se a trens de carga que traziam bens e mercadorias. Era um lugar agitado em 1906, desde que os negócios começaram a prosperar nas cidades vizinhas da baía. São Francisco era centro comercial próspero, enquanto boa parte dos bens era fabricada em Oakland.

Ruskin verificou um itinerário e viu que seu método de viagem secreta, astutamente disfarçado, estava a bordo da San Gabriel, uma balsa da Ferrovia Southern Pacific construída para transportar tanto trens de carga quanto de passageiros. Era uma balsa clássica, com duas pontas, com popa e proa contendo uma cabine de piloto de cada lado — propelida por duas rodas de pás impulsionadas por dois motores a vapor, cada um com sua própria chaminé. Balsas carregando trens tinham trilhos paralelos no deque principal para os vagões de carga, enquanto o deque da cabine abrigava os passageiros. A San Gabriel tinha 30 metros de comprimento e 24 de largura, sendo capaz de carregar 500 passageiros e 20 vagões ferroviários.

Ela se dirigia ao terminal da Southern Pacific, nas ruas Townsend e Third, onde os passageiros desembarcariam. Então, a San Gabriel iria até o Píer 32 nas ruas Townsend e King, onde sua carga de vagões seria levada para o pátio ferroviário da cidade, entre as ruas Third e Seventh. Lá, o carro da Fábrica de Móveis O'Brian seria conduzido ao ramal de um depósito que o bandido possuía no setor industrial da cidade.

Ruskin tinha estado na San Gabriel muitas vezes em suas viagens pela baía e esperava sua volta pra casa com ansiedade, depois da aventura em Salt Lake City. Um imenso ruído ecoou por todo o Dique, saindo do apito a vapor da balsa, que anunciava sua partida. Ela começou a tremer quando os altos motores a vapor viraram as grandes rodas de pás, de mais de 8 metros de altura, e elas bateram na água. Logo a balsa estava cortando a superfície vítrea da baía em direção a São Francisco, não mais que 20 minutos adiante.

Ruskin terminou rapidamente de se vestir com um terno preto, de estilo conservador, estritamente feito sob medida. Uma pequena rosa amarela foi colocada na lapela. Pôs um chapéu derby em um ângulo jovial e um par de luvas de camurça. Pegou a bengala.

Então, dobrou o corpo e agarrou a maçaneta do alçapão no chão do vagão de carga, abrindo-a e jogando uma mala grande e pesada pela abertura. Então, abaixou-se lentamente até o deque entre os trilhos, tomando cuidado para não sujar suas roupas. Abaixado sob o carro, certificou-se de que nenhum dos funcionários estivesse em seu campo de visão enquanto saía e endireitava o corpo.

Ruskin estava subindo uma escada para o deque das cabines onde os passageiros navegavam quando, na metade do caminho, encontrou um funcionário descendo. O empregado parou e assentiu para ele, uma expressão séria na face.

— Foi informado, senhor, de que passageiros não têm permissão para ficar no deque principal?

— Sim, fui informado. — O bandido sorriu. — Percebi meu erro e, como pode ver, estava voltando para o deque das cabines.

— Lamento por tê-lo incomodado, senhor.

— Tudo bem. É o seu dever.

O bandido prosseguiu escada acima e chegou ao deque da cabine, ornamentado e bem decorado, onde os passageiros cruzavam a baía em grande estilo. Foi até o restaurante e pediu uma xícara de chá no balcão do bar. Depois, saiu para o deque aberto adiante e bebericou enquanto observava os edifícios de São Francisco ficarem maiores do outro lado da baía.

Na área da baía, a cidade já estava se tornando fascinante, romântica e cosmopolita. Tinha crescido muito desde 1900, estabelecendo-se como centro financeiro e comercial do Oeste. Fora construída pela presciência de empreendedores muito parecidos com o homem meticulosamente vestido parado ali no deque com sua mala. Ele, como aqueles, vira uma oportunidade e se movia rapidamente para agarrá-la.

Não sendo homem de finezas, Ruskin terminou o chá e jogou a xícara pela borda da balsa, sem voltar ao restaurante. Indolente, observou uma grande revoada de maçaricos-das-rochas passar pela balsa, seguida de um trio de pelicanos castanhos planando poucos centímetros acima da água, à procura de pequenos peixes. Então, misturando-se à multidão, dirigiu-se à escadaria que levava ao deque principal, de onde os passageiros desembarcaram no píer diante do grande terminal ornamentado da Southern Pacific, construído em estilo neocolonial.

Andou rapidamente pelo interior do terminal, arrastando a mala grande, e passou pelas portas da Rua Townsend. Nos minutos seguintes, ficou parado na calçada, esperando. Sorriu quando um Mercedes Simplex branco, de um só assento, subiu a rua e parou cantando os pneus junto do meio-fio, bem diante dele. Sob o capô estava um imenso motor de quatro cilindros, com 60 cavalos de potência, que poderia levar o carro até 130 quilômetros por hora. Era uma maravilhosa máquina de aço, bronze, madeira, couro e borracha. Dirigi-lo era uma aventura completa.

Se o carro oferecia uma visão admirável, também o fazia a mulher atrás do volante. Era esbelta e tinha uma cintura de pilão. Seu cabelo vermelho estava adornado com uma grande fita vermelha, combinando com o cabelo de fogo. Seu gorro estava preso sob o queixo para impedir que ficasse voando, e ela usava um vestido de linho bege cuja barra parava na metade de suas panturrilhas, para que suas pernas pudessem dançar nos cinco pedais do carro. Ela tirou uma mão do volante e acenou.

— Olá, irmão! Você está atrasado uma hora e meia.

— Saudações, irmã. — Ele parou para sorrir. — Minha velocidade dependia do maquinista do trem.

Ela lhe ofereceu uma bochecha, que ele zelosamente beijou. Ela inalou o cheiro dele. Sempre usava a colônia francesa que ela lhe dera. Tinha o cheiro de um mar de flores depois de uma noite de chuva suave. Se ele não fosse seu irmão, ela poderia ter tido um caso de amor com ele.

— Presumo que sua viagem tenha sido bem-sucedida.

— Sim — ele disse, colocando a mala atrás do carro. — E não temos um minuto a perder. — Ele subiu para o banco do passageiro, encapado de couro marrom. — Preciso descontar o cheque que apanhei no Banco & Crédito de Salt Lake antes que os agentes apareçam para impedir a transferência.

Ela empurrou um sapato de couro marrom contra o pedal da embreagem e trocou a marcha como uma especialista, enquanto o carro saltava rua abaixo como um leão caçando uma zebra.

— Você levou dois dias para chegar aqui. Não acha que está chegando ao limite? Eles devem ter contatado os policiais e contratado detetives particulares, mandando que procurem um cheque de banco roubado que vale uma fortuna em todos os bancos do país!

— E isso leva tempo, não menos que 48 horas — ele acrescentou, segurando a lateral do assento com uma mão, já que não havia alças para apoio naquele modelo, quando ela fez uma curva fechada à esquerda, entrando na Rua Market. Ele segurou seu derby com a outra mão antes que o chapéu pudesse sair voando.

Ela dirigia rápido, parecendo descuidada, no entanto, fazia-o com esperteza, chicoteando facilmente entre os carros mais lentos a uma velocidade que fazia cabeças se virarem e impressionava transeuntes. Ela se lançou à frente de um grande carro de cerveja, puxado por um grupo de cavalos Percheron, que bloqueava a maior parte da rua, deslizando entre os barris empilhados na rua e a calçada cheia de pedestres com poucos centímetros de folga. Ele assobiava corajosamente uma melodia rápida chamada *Garry Owen* e erguia a aba do chapéu para as garotas bonitas que saíam das lojas de roupas. O grande bonde elétrico da Rua Market surgiu adiante e ela arrancou em direção ao trecho de tráfego mais próximo para passá-lo, fazendo com que mais de um cavalo se empinasse e seus condutores, exaltados, sacudissem os punhos.

Mais duas quadras a frente, no desfiladeiro de edifícios de tijolo e pedra, ela parou rapidamente, fazendo os pneus traseiros derraparem quando pisou no freio, diante do Banco Cromwell, na esquina das ruas Market e Sutter.

— Aqui está, irmão. Acredito que tenha gostado do passeio.

— Você vai acabar se matando um dia.

— Culpe a si mesmo — ela disse, rindo. — Você me deu o carro.

— Troco minha Harley-Davidson por ele.

— Sem chance. — Ela acenou alegremente e disse: — Volte cedo para casa e não se atrase. Temos um encontro no Barbary Coast com os Gruenheims. Vamos nos misturar à gentalha e ir a um desses shows de dança escandalosos.

— Mal posso esperar — ele respondeu sarcasticamente. Saiu para a calçada antes de soltar as correias que prendiam a mala ao carro. Ela o viu levantar a mala com esforço e soube que estava abarrotada de dinheiro roubado do banco de Salt Lake.

Quando ela pisou no pedal do acelerador, o Mercedes Simplex avançou pela intersecção e rugiu rua afora, o trovão do exaustor a uns poucos decibéis de quebrar as janelas das lojas.

O bandido virou-se e olhou com orgulho para o grande e ornamentado Edifício do Banco Cromwell, com suas altas colunas jônicas e imensas janelas de vidro colorido. Um porteiro de uniforme cinza abriu uma das grandes portas de vidro diante dele. Era um homem alto de cabelo grisalho, um militar aposentado após 30 anos na Cavalaria dos Estados Unidos.

— Bom dia, senhor Cromwell. É um prazer vê-lo de volta de sua viagem.

— É um prazer estar de volta, George. Como esteve o clima na minha ausência?

— Exatamente como está hoje, senhor, ensolarado e brando. — George olhou para a mala de couro. — Posso carregar isso para o senhor?

— Não, obrigado. Eu mesmo levo. Preciso de exercício.

Uma pequena placa de bronze listava os ativos do banco como sendo de 22 milhões de dólares. Logo seriam 23, pensou Cromwell. Só o Banco Wells Fargo, que já tinha 50 anos, possuía ativos, capital e liquidez maiores. George manteve a porta aberta e Cromwell, o bandido, caminhou pelo chão de mármore do saguão do banco, passando pelas mesas lindamente esculpidas dos gerentes, as janelas dos caixas e os guichês sem balcões, totalmente abertos aos clientes. A área aberta dos caixas era uma inovação estranha por ter sido feita por um homem que não confiava em ninguém e roubava bancos fora do Estado para construir seu império financeiro.

O fato era que Jacob Cromwell não precisava mais da renda adicional que roubava para seu banco. Mas sentia-se intoxicado pelo desafio. Sentia-se invencível. Sua inteligência poderia enfrentar a de qualquer investigador da polícia, sem falar dos agentes da Agência de Detetives Van Dorn, até que ele morresse de velhice. Por seus espiões, ele sabia que ninguém estava nem remotamente perto de identificá-lo.

Cromwell entrou no elevador e subiu até o terceiro andar. Saiu diante do piso de cerâmica italiana do escritório principal, na galeria acima do saguão. Ele penetrou a grandeza de seu conjunto de escritórios, o profundo carpete marrom abafando seus passos. As paredes tinham painéis de teca com entalhes retratando cenas do Oeste no século 19, enquanto as colunas que sustentavam o teto eram esculpidas em forma de totens. O vasto teto acima fora pintado com murais mostrando os primeiros dias de São Francisco.

Ele empregava três secretárias para cuidar de seus principais negócios, assim como de muitos de seus assuntos particulares. Todas eram belas mulheres, altas, graciosas, inteligentes, e vinham de boas famílias de São Francisco. Ele lhes pagava mais do que elas poderiam ganhar trabalhando para seus concorrentes. A única exigência era que vestissem o mesmo modelo e cor de vestido, pelo qual o banco pagava. A cada dia era uma cor diferente. Hoje, estavam usando vestidos marrons que combinavam com o carpete.

Elas o viram entrar e imediatamente ficaram de pé, cercando-o, tagarelando alegremente e dando-lhe as boas-vindas do que acreditavam ter sido alguns dias de folga, nos quais ele fora pescar no Oregon. Embora tivesse que usar de muita resistência e força de vontade para isso, Cromwell nunca tivera um caso com nenhuma das três mulheres. Tinha fortes princípios acerca de brincar em seu próprio quintal.

Depois que as amenidades acabaram e as moças retornaram a suas mesas, Cromwell pediu à secretária sênior, que estava com ele havia nove anos, que entrasse em seu escritório.

Ele se sentou atrás de sua imensa mesa de teca e colocou a mala debaixo dela. Sorriu para Marion Morgan.

— Como está, senhorita Morgan? Algum novo namorado ultimamente?

— Não, senhor Cromwell. — Ela corou. — Passo as noites em casa, lendo.

Marion tinha 21 anos quando terminara a faculdade e viera trabalhar para Cromwell como caixa. Logo chegara à gerência. Tinha acabado de fazer 30 anos e nunca se casara, o que fazia com que muitos a considerassem uma solteirona. Entretanto, a verdade é que ela poderia ter tido qualquer um dos homens endinheirados da cidade. Era uma moça incomumente cativante e núbil que poderia escolher e selecionar seus pretendentes, mas ainda não selecionara um como marido. Era seletiva com homens e o Príncipe Encantado de seus sonhos ainda não aparecera. Seu cabelo louro-palha estava preso em torno da cabeça, como era moda à época, e seus adoráveis traços faciais ficavam no topo de um longo pescoço de cisne. Seu corpo, dentro do corpete, tinha o clássico formato de ampulheta. Ela olhou por cima da mesa para os olhos verde-coral de Cromwell e sua mão delicada segurou uma caneta apoiada sobre um bloco de notas.

— Alguns agentes representando um banco em Salt Lake City devem chegar a qualquer momento para verificar nossos registros.

— Eles vão examinar nossos livros? — ela perguntou, como se levemente alarmada.

Ele balançou a cabeça negativamente.

— Nada disso. Ouvi rumores entre meus colegas banqueiros de que um banco em Salt Lake City foi assaltado e que as notas roubadas podem ter sido depositadas em outro banco.

— Quer que eu cuide do assunto?

— Não. Por favor, só os entretenha até que eu esteja preparado para lidar com isso.

Se Marion tinha alguma dúvida quanto à ambiguidade do pedido de Cromwell, ela não demonstrou curiosidade.

— Sim, claro, cuidarei para que eles fiquem confortáveis até que o senhor queira vê-los.

— Isso é tudo — disse Cromwell. — Obrigado.

Assim que Marion saiu da sala e fechou a porta, Cromwell tirou do bolso o cheque do Banco & Crédito de Salt Lake. Então, levantou-se e foi até o grande cofre que continha os livros de registros do banco. Rapidamente, como um especialista, adulterou os livros para que parecesse que o cheque já fora recebido e a quantia total paga a Eliah Ruskin. Cromwell também criou entradas indicando que o dinheiro fora deduzido do capital líquido de seu banco.

Não precisou esperar muito após adulterar os registros. Os agentes que esperava entraram no escritório externo 20 minutos depois. Marion os detivera, dizendo que o senhor Cromwell estava extremamente ocupado. Quando uma pequena campainha debaixo de sua mesa soou, ela os levou até o escritório dele.

Ele estava segurando um telefone e balançando a cabeça quando gesticulou para que eles se sentassem.

— Sim, senhor Abernathy, cuidarei pessoalmente para que sua conta seja encerrada e os fundos sejam transferidos para o Banco de Baton Rouge na Louisiana. Por nada. Fico feliz em ajudar. Faça uma boa viagem. Adeus.

Cromwell colocou o telefone no gancho como se estivesse mesmo encerrando; não havia nenhum interlocutor do outro lado da linha. Ele se levantou, contornou a mesa e estendeu a mão.

— Olá, sou Jacob Cromwell, presidente do banco.

— Estes cavalheiros são de Salt Lake City — disse Marion. — Querem falar com o senhor sobre um cheque descontado do banco deles. — Então ela se virou, a saia rodopiando poucos centímetros acima dos tornozelos, deixou o escritório e fechou a porta.

— Como posso ajudá-los? — perguntou Cromwell educadamente.

Um dos homens era alto e de membros longos, o outro, baixo e sólido e suado. O alto falou primeiro.

— Sou William Bigalow e meu colega é Joseph Farnum. Estamos investigando se alguma instituição financeira em São Francisco pode ter recebido um cheque bancário de 475 mil dólares do Banco & Crédito de Salt Lake.

Cromwell ergueu as sobrancelhas, fingindo apreensão.

— Qual é o problema?

— O cheque foi feito pelo gerente do banco sob coação antes de um bandido matá-lo com um tiro e fugir com a quantia, incluindo o dinheiro que estava no cofre do banco. Estamos tentando rastrear seu paradeiro.

— Ah, meu Deus! — disse Cromwell, atirando as mãos para cima em sinal de aflição. — Esse cheque veio parar em nossas mãos na tarde de ontem.

Os dois agentes ficaram tensos.

— O senhor está com o cheque? — Farnum perguntou, ansioso.

— Sim, está em um cofre em nosso departamento de registros. — O tom de Cromwell tornou-se sério. — Infelizmente, nós honramos a retirada.

— Vocês honraram a retirada! — Bigalow arfou.

Cromwell encolheu os ombros.

— Bem, sim!

— Com outro cheque, sem dúvida — disse Farnum, na esperança de que ainda houvesse tempo para impedir o bandido de retirar o dinheiro em outro banco.

— Não, o cavalheiro cujo nome estava no cheque pediu dinheiro e nós concedemos.

Bigalow e Farnum olharam chocados para Cromwell.

— Você pagou quase meio milhão de dólares em dinheiro a alguém que veio da rua e simplesmente entrou em seu banco? — Bigalow fez uma cara severa.

— Eu mesmo verifiquei o cheque quando meu gerente o trouxe para minha aprovação. Parecia perfeitamente legítimo.

Bigalow não estava feliz. Cairia sobre ele o fardo de contatar os diretores do Banco de Salt Lake e dizer a eles que os 475 mil dólares tinham desaparecido.

— O cheque era nominal a quem?

— Ao senhor Eliah Ruskin — respondeu Cromwell. — Ele trouxe arquivos que demonstravam que era o fundador de uma companhia de seguros e que estava indo pagar as indenizações necessárias por causa de um incêndio que destruiu um quarteirão inteiro de uma cidade... — Cromwell fez uma pausa. — Acredito que ele tenha dito que o nome era Bellingham, no Estado de Washington.

— Pode descrever Ruskin?

— Muito bem-vestido — disse Cromwell. — Alto, com cabelo louro e um grande bigode louro. Não prestei atenção à cor dos olhos. Mas me lembro de que ele carregava uma bengala incomum, com cabo de prata em forma de cabeça de águia.

— Esse é Ruskin, com certeza — resmungou Farnum.

— Ele não perdeu tempo — Bigalow disse a seu parceiro. — Deve ter pego um trem expresso para não levar muito mais que um dia para chegar aqui.

Farnum encarou Cromwell ceticamente.

— O senhor não achou que era uma quantia astronômica para entregar a um perfeito estranho de fora do Estado?

— Sim, mas, como eu disse, verifiquei pessoalmente o cheque para me certificar de que não era falso. Perguntei a ele por que não o descontou em um banco de Seattle, e ele disse que sua empresa estava abrindo um escritório em São Francisco. Eu lhes garanto que o cheque era autêntico. Não vi nenhuma razão para desconfiar. Nós pagamos, embora tenha sido necessário quase todo o dinheiro vivo que tínhamos no cofre.

— O banco que representamos não ficará feliz com isso — Farnum comentou.

— Não estou preocupado — Cromwell replicou, sugestivo. — O Banco Cromwell não fez nada ilegítimo ou ilegal. Seguimos as regras e regulamentos da atividade bancária. Quanto ao Banco & Crédito de Salt Lake falhar em cumprir suas obrigações, não é assunto meu. Além de a companhia de seguros deles pagar pelo roubo das notas de dinheiro, também sei que os ativos deles são mais que suficientes para cobrir uma perda de meio milhão.

Farnum dirigiu-se a Bigalow sem olhar para ele.

— É melhor encontrarmos a agência de telégrafo mais próxima e notificar os diretores do Banco & Crédito de Salt Lake. Eles não ficarão felizes.

— Sim — Bigalow assentiu pesadamente. — Podem não aceitar isso sem briga.

— Eles não têm escolha senão honrar o cheque. É seguro afirmar que a comissão bancária favorecerá o Banco Cromwell, caso os diretores do Banco de Salt Lake decidam iniciar um processo.

Os dois agentes ficaram de pé.

— Precisaremos de uma declaração sua, senhor Cromwell — anunciou Farnum —, explicando as circunstâncias do pagamento.

— Mandarei meus advogados cuidarem disso na primeira hora amanhã.

— Obrigado por sua consideração.

— Por nada — disse Cromwell, continuando sentado. — Farei tudo a meu alcance para cooperar.

Assim que os agentes saíram, Cromwell chamou a senhorita Morgan.

— Por favor, cuide para que eu não seja perturbado nas próximas duas horas.

— Cuidarei disso — ela disse, eficientemente.

Segundos depois de a porta se fechar, Cromwell foi até lá e a trancou em silêncio. Então, ergueu a mala pesada de debaixo da mesa até a superfície de teca e a abriu. O dinheiro estava amontoado desordenadamente dentro dela, algumas notas em maços presos com elásticos.

Metodicamente, Cromwell começou a contar e empilhar as notas, prendendo as que estavam soltas com elásticos enquanto marcava os valores. Quando acabou, tinha sua mesa cheia de feixes de dinheiro bem empilhados, marcados e contados. O valor chegava a 241 mil dólares. Então, ele recolocou com cuidado o dinheiro na mala, escorregou-a para baixo da mesa e abriu diversos livros de registro, anotando depósitos em contas falsas, que ele abrira previamente para esconder o dinheiro roubado ao longo dos anos. Dinheiro que ele usara para erguer os recursos necessários para abrir seu próprio banco. Satisfeito por ter cobertura em todos os sentidos, ele chamou a senhorita Morgan pela campainha e informou-a de que estava pronto para lidar com o negócio rotineiro de dirigir uma casa de finanças bem-sucedida.

O horário do banco ia das 10 horas da manhã às 3 horas da tarde. Quando chegou o momento de fechar, Cromwell esperou até que os empregados tivessem ido para casa e o banco estivesse trancado. Agora, sozinho no vasto interior do prédio, ele carregou a mala pelo elevador até o andar principal e para dentro do cofre do banco, que ainda estava aberto, de acordo com suas instruções. Colocou as notas, um feixe por vez, nos compartimentos apropriados, usados pelos caixas para transações de clientes. Os recibos que fizera seriam entregues de manhã a seu contador-chefe, que registraria os depósitos fraudulentos sem saber os números de série.

Jacob Cromwell sentiu-se satisfeito. Fraudar e assaltar o banco em Salt Lake City tinha sido sua empreitada mais audaciosa até o momento. E ele não pretendia repeti-la. O ato maldoso afastaria seus perseguidores, que pensariam que ele estava se tornando mais atrevido e seriam levados a pensar que ele poderia tentar roubar um banco em uma grande cidade novamente. No entanto, ele sabia quando não abusar da sorte. Um assalto como aquele era extremamente complicado. Da próxima vez que saísse para sua farra criminosa, seria em alguma pequena cidade ainda não escolhida.

Depois de fechar o cofre e ajustar as trancas e o temporizador, desceu até o porão e deslizou para a rua através de uma porta escondida cuja existência só ele conhecia. Assobiando *Yankee Doodle*, chamou um táxi e foi até a Rua Califórnia, onde pegou o bonde para subir o declive, com uma inclinação de 24 graus e 115 metros de altura, que levava a sua casa em Nob Hill, a "colina coberta por palácios", como Robert Louis Stevenson a descrevera.

A mansão entre mansões de Cromwell ficava em uma alameda pitoresca chamada Rua Cushman. Os outros monumentos à riqueza foram construídos por mineradores de ouro e prata e pelos quatro grandes barões da Central Pacific, mais tarde Ferrovia Southern Pacific: Huntington, Stanford, Hopkins e Crocker. Aos olhos de um artista ou projetista criativo, as mansões pareciam monstruosidades da arquitetura enlouquecida pela ostentação.

Diferente das outras, feitas de madeira, a casa de Cromwell e de sua irmã Margaret fora construída com pedra lavrada e refletia um interior sereno, quase como o de uma livraria. Havia quem considerasse que tinha uma semelhança impressionante com a Casa Branca, em Washington.

Ele encontrou a irmã esperando impacientemente. Com Margaret instando-o, ele se aprontou com rapidez para uma noite no Barbary Coast. Sim, de fato, pensou enquanto se vestia em trajes de noite; fora uma semana produtiva. Mais um sucesso para afirmar sua sensação de que era invencível.

12

IRVINE NÃO CONSEGUIA DESCOBRIR os números de série das notas em Bozeman. Não apenas o banco deixara de registrá-los, como também encerrara seus negócios devido ao assalto. No momento em que seus ativos conseguiram compensar a perda, o banco já tinha entrado em colapso e o fundador vendeu os poucos bens que restavam, incluindo o edifício, a um rico minerador de prata.

Seguindo em direção ao seguinte banco assaltado em sua lista, Irvine pegou a Ferrovia Northern Pacific até a cidade mineradora de Elkhorn, Montana, localizada em uma elevação a quase 2 mil metros acima do nível do mar. Uma crescente cidadezinha mineradora com 2.500 habitantes, Elkhorn produzira cerca de 10 milhões de dólares em ouro e prata de 1872 a 1906. O Assaltante Açougueiro roubara o banco da cidade três anos antes, deixando quatro mortos atrás de si.

Pouco antes de o trem entrar na estação da cidade, Irvine estudou, pela décima vez desde que deixara Bozeman, o relatório do assalto em Elkhorn. Era o mesmo *modus operandi* que o bandido usara em todos os seus outros roubos. Disfarçado como mineiro, ele entrara no banco logo depois de o carregamento de dinheiro chegar para pagar os 3 mil homens que trabalhavam nos filões de quartzo. Como de costume, não havia testemunhas do crime em si. Todas as quatro vítimas — o gerente do banco, um caixa e um casal, que fazia uma retirada no momento — tinham sido baleadas na cabeça a uma curta distância. Novamente, os tiros não foram ouvidos e o bandido desaparecera no ar sem deixar pistas.

Irvine registrou-se no Hotel Grand antes de sair andando pela rua até o Banco Marvin Schmidt, que ganhara o nome do minerador que o comprara. A arquitetura do edifício era típica do estilo da época na maioria das cidades de minas. Pedra local arranjada em estilo gótico. Ele passou por uma porta de esquina na intersecção das ruas Old Creek e Pinon. O gerente estava atrás de uma divisória próxima ao grande cofre de aço pintado com a figura de um imenso alce projetando-se sobre uma rocha.

— Senhor Sigler? — perguntou Irvine.

Um jovem de cabelos pretos, escovados e oleados olhou para cima ao ouvir a saudação. Os olhos eram de um tom verde-escuro e as feições indicavam sangue índio em sua ancestralidade. Vestia calças confortáveis de algodão e uma camisa de colarinho mole sem gravata. Ergueu um par de óculos da mesa e colocou-os na ponta do nariz.

— Sou Sigler. Como posso ajudá-lo?

— Sou Glenn Irvine, da Agência de Detetives Van Dorn. Estou aqui para uma investigação a respeito de um roubo ocorrido alguns anos atrás.

Sigler franziu rapidamente o rosto em uma expressão irritada.

— Não acha que é um pouco tarde para a Van Dorn chegar à cena? O assalto e os assassinatos aconteceram em 1903.

— Não estávamos envolvidos na investigação nessa época — Irvine retorquiu.

— Então, por que está aqui agora que é tarde?

— Para anotar os números de série das notas levadas pelo ladrão, se eles foram registrados.

— Quem está pagando por seus serviços? — Sigler insistiu.

Irvine conseguia entender a desconfiança e incompreensão de Sigler. Ele poderia ter sentido o mesmo se estivesse no lugar do gerente.

— O governo dos Estados Unidos. Eles querem que os assaltos e assassinatos cessem.

— Para mim, parece que o desgraçado não pode ser pego — Sigler disse friamente.

— Se ele andar em duas pernas — Irvine respondeu, confiante —, a Agência Van Dorn o pegará.

— Só acredito vendo — disse Sigler, indiferente.

— Posso ver seu registro dos números de série? Se obtivermos os das notas roubadas, faremos todos os esforços para rastreá-las.

— O que o faz pensar que esses números foram registrados?

Irvine encolheu os ombros.

— Nada. Mas perguntar não ofende.

Sigler remexeu sua mesa e apanhou um molho de chaves.

— Mantemos todos os registros do banco antigo em um depósito atrás do prédio.

Ele gesticulou para que Irvine o seguisse enquanto mostrava o caminho, passando por uma porta dos fundos e dirigindo-se a um pequeno edifício de pedra situado no meio do terreno do banco. A porta protestou quando foi aberta, rangendo alto em suas dobradiças sem óleo. Lá dentro, prateleiras continham livros de registros e de contabilidade enfileirados. Nos fundos do depósito havia uma pequena mesa com cadeira.

— Sente-se, senhor Irvine, e verei o que posso encontrar.

Irvine não estava otimista. Encontrar um banco que mantivesse um registro dos números de série de seu dinheiro parecia altamente improvável. As chances eram muito pequenas, entretanto cada caminho deveria ser explorado. Ele observou enquanto Sigler analisava vários livros com capa de tecido. Por fim, ele abriu um e balançou a cabeça.

— Aqui está — Sigler disse triunfalmente. — Os números de série registrados por nosso guarda-livros, referentes a todas as notas que estavam no cofre dois dias antes do roubo. Alguma delas, é claro, foram entregues aos clientes. Mas a maior parte foi levada pelo bandido.

Irvine ficou perplexo quando abriu o livro e olhou para as colunas habilmente preenchidas dentro das linhas das páginas. Havia muitos tipos diferentes de notas bancárias de alto valor. Certificadas douradas, certificadas prateadas, notas lançadas por bancos individuais e registradas no livro. Números de série do Tesouro Nacional estavam impressos vertical e horizontalmente dos lados; o banco local que as lançava acrescentava seu próprio número na parte de baixo das notas. A maioria vinha do Banco Nacional Continental & Comercial de Chicago e do Primeiro Banco Nacional Crocker de São Francisco. Ele olhou para Sigler, agora inflamado de entusiasmo.

— Você não sabe o que isso significa — Irvine disse, sentindo-se recompensado além de suas maiores expectativas. — Agora, podemos passar os números das notas roubadas a cada banco do país onde o bandido possa tê-las depositado. Panfletos com os números também podem ser distribuídos aos comerciantes de todo o Oeste, pedindo que fiquem de olho nas notas.

— Boa sorte — disse Sigler, pessimista. — É pouco provável que você possa rastreá-las até três anos atrás. A esta altura, qualquer uma delas pode ter mudado de mãos umas cem vezes.

— Você provavelmente está certo, mas há esperança de que o bandido ainda esteja gastando esse dinheiro.

— As chances são pequenas — Sigler disse com um sorriso tímido. — Aposto que o salário de um mês ele gastou há muito tempo.

Sigler provavelmente estava certo, Irvine pensou. Entretanto não se deixou desencorajar. Bell tinha dito que seria um erro insignificante que revelaria o bandido. Agora, era só uma questão de fazer a informação chegar aos bancos e comerciantes e esperar que houvesse uma resposta para levá-los ao paradeiro do misterioso assassino.

13

Curtis sentou-se a uma mesa na Divisão dos Arquivos do Oeste do escritório da Ferrovia Union Pacific em Omaha, Nebraska, cercado por prateleiras repletas de livros de registro e de relatórios sobre operações ferroviárias. Durante os nove dias desde que iniciara sua busca, ele percorrera os registros de quatro diferentes ferrovias e das linhas de diligências da Wells Fargo, tentando encontrar um elo entre elas e a fuga do Assaltante Açougueiro depois de cometer seus assaltos e horríveis assassinatos.

Era um exercício de futilidade. Nada se encaixava. Ele começara com as diligências. A maior parte das linhas já não existia em 1906. A Wells Fargo ainda tinha o monopólio, com linhas que se estendiam por milhares de quilômetros de rotas terrestres expressas em áreas remotas, não servidas pelas ferrovias. Mas suas tabelas de horários não se encaixavam nos momentos certos.

Havia 1.600 ferrovias de empresas diferentes na nação em 1906, com mais de 354 mil quilômetros de trilhos entre elas. Cinquenta das maiores tinham mais de 1.600 quilômetros de trilhos cada uma. Curtis tinha reduzido o número de empresas para cinco. Eram as ferrovias cujos itinerários passavam pelas cidades atacadas pelo bandido.

— Gostaria de uma xícara de chá?

Curtis ergueu o olhar de uma tabela de horários para o rosto de um homem de não mais que 1,55 metro de altura. Seu nome era Nicholas Culhane e seu cabelo castanho, já meio grisalho, estava escovado por cima da cabeça de forma a cobrir a crescente calvície. Os olhos castanhos se deslocavam com frequência impressionante. Ele usava um bigode aparado em formato bem fino cujas pontas se estendiam por vários centímetros por cima dos lábios. Caminhava com uma leve inclinação e usava óculos com lentes que ampliavam seus olhos. Curtis gostava do homenzinho prestativo de passos elásticos. Era o estereótipo perfeito do encarregado de arquivos bolorentos.

— Não, obrigado. — Curtis parou para olhar seu relógio de bolso. — Nunca bebo café à tarde.

— Está tendo sorte? — perguntou Culhane.

Curtis balançou a cabeça, cansado.

— Nenhum dos trens de passageiros passou por perto nos momentos em que o bandido roubou os bancos.

— Rezo para que vocês peguem esse assassino desgraçado! — disse Culhane com voz repentinamente zangada.

— Você parece odiá-lo.

— Tenho um rancor pessoal.

— Pessoal?

Culhane assentiu, balançando a cabeça.

— Minha prima mais próxima e o filhinho dela foram mortos pelo Açougueiro no banco em McDowell, no Novo México.

— Sinto muito — Curtis disse solenemente.

— Vocês precisam pegá-lo e enforcá-lo! — Culhane acertou a mesa com o punho, fazendo o livro de horários, que estava aberto, tremer e virar as páginas. — Ele já se safou dos crimes por tempo demais.

— Eu lhe garanto, a Agência Van Dorn está trabalhando noite e dia para levá-lo à justiça.

— Encontrou alguma coisa que possa ajudar a rastreá-lo? — Culhane perguntou ansiosamente.

Curtis ergueu as mãos em um gesto impotente.

— Tudo o que descobrimos é que ele não tem o dedo mindinho da mão esquerda. Além disso, não temos nada.

— Você verificou as linhas de diligência?

— Passei um dia inteiro no departamento de arquivos da Wells Fargo. Foi um beco sem saída. Nenhum dos horários indicava diligências passando pelas cidades em um período de quatro horas próximo dos roubos. Mais do que tempo suficiente para o bandido fugir.

— E os trens de passageiros?

— O xerife e os delegados telegrafaram para as cidades vizinhas pedindo que parassem todos os trens e examinassem os passageiros, procurando alguém que parecesse suspeito. Eles procuraram até entre as bagagens, na esperança de que uma das malas pudesse conter o dinheiro roubado, mas não descobriram nenhuma evidência, nem puderam fazer uma identificação. O bandido foi muito esperto. Os disfarces que usou para roubar e matar foram originais demais e muito bem executados. Os oficiais da lei têm pouco ou nada a perseguir.

— As tabelas de horários deram algum resultado?

— Só duas — Curtis replicou, exausto. — Os horários das partidas das outras não coincidiam com os eventos.

Culhane esfregou o cabelo ralo, pensativo.

— Você eliminou diligências e trens de passageiros. E quanto aos trens de carga?

— Trens de carga?

— Você verificou os horários de partida deles?

Curtis assentiu.

— Aí a coisa muda de figura. Os trens que fui capaz de encontrar no lugar e na hora certos deixaram as cidades roubadas nos horários necessários.

— Aí está sua resposta — Culhane disse.

Curtis não respondeu imediatamente. Estava cansado, à beira da completa exaustão e deprimido por não ter avançado e nem feito descobertas. Intimamente, xingou o Assaltante Açougueiro. Não parecia humanamente possível que o homem fosse tão obscuro, tão ardiloso, tão capaz de desafiar todas as tentativas de detecção. Quase conseguia ver o homem rindo dos esforços ineptos de seus perseguidores. Por fim, Curtis disse:

— Você subestima os oficiais da lei. Eles vasculharam os vagões de carga fechados de todos os trens de carga que passaram pelas cidades durante o tempo-limite especificado.

— E quanto aos vagões de carga parados em ramais, esperando para serem levados para outros destinos por trens que chegariam depois? Ele poderia ter evitado os destacamentos policiais escondendo-se em um vagão de carga.

Curtis balançou a cabeça.

— Os destacamentos vasculharam todos os vagões vazios e não encontraram sinais do bandido.

— Eles checaram os vagões já carregados? — Culhane inquiriu.

— Como poderiam? Esses vagões estavam trancados. Não haveria jeito de o bandido entrar neles.

Culhane sorriu como uma raposa com uma trilha promissora.

— Acho que ninguém lhe disse que todos os brequistas de trem carregam chaves capazes de abrir todos os cadeados das portas dos vagões em caso de incêndio.

— Eu não sabia disso — disse Curtis.

— Certamente é algo em que pensar. — Os óculos com aros de aço escorregaram do nariz de Culhane.

— É, sim — Curtis refletiu, sua mente começando a girar. — Estamos olhando para um processo de eliminatória. Os destacamentos alegam que não havia rastros a seguir para fora da cidade, o que significa que nosso homem não estava a cavalo. Não há quase nenhuma chance de que ele tenha pego uma diligência e parece improvável que ele tenha comprado uma passagem e saído da cidade em um trem de passageiros. Ele também não foi visto em nenhum vagão de carga vazio.

— O que deixa os vagões de carga carregados como a única possibilidade de transporte que não foi examinada — Culhane persistiu.

— Você pode ter descoberto alguma coisa — disse Curtis, pensativo. Uma expressão peculiar cruzou-lhe a face quando começou a visualizar um novo cenário. — Isso nos dá um caminho inteiramente novo. Agora, tenho que verificar os registros dos trens de carga para estudar os vagões que compunham esses trens específicos, quem são seus proprietários, sua carga declarada e seu último destino.

— Não é uma tarefa fácil — disse Culhane. — Você terá que procurar por centenas de vagões de carga de uma dúzia de trens.

— É como uma peça em um quebra-cabeça. Encontrar o vagão de carga que estava estacionado em um ramal próximo em todas as cidades roubadas nos dias em que os assaltos ocorreram.

— Ficarei feliz em ajudá-lo com os registros da Union Pacific.

— Obrigado, senhor Culhane. Dois dos trens de carga em questão foram trazidos pela Union Pacific.

— Só me diga em quais cidades eles estavam e eu encontrarei os registros que contêm os números de série dos vagões, seus proprietários e o agente que arranjou e pagou por seu transporte.

— O senhor tem sido de grande ajuda para mim e estou grato — disse Curtis sinceramente.

— Sou eu quem está grato, senhor Curtis. Nunca pensei que poderia colaborar para levar o Assaltante Açougueiro, que matou minha prima e o filho dela, à justiça.

Quatro horas mais tarde, com a hábil assistência de Culhane, Curtis encontrou a informação que deu à sua investigação um rumo sólido. Agora, tudo o que tinha a fazer era pesquisar os arquivos das ferrovias Southern Pacific, Atchison, Topeka & Santa Fé e Denver & Rio Grande para confirmar a teoria de Culhane.

Ao anoitecer, ele estava em um trem para Los Angeles, rumo aos arquivos da Atchison, Topeka & Santa Fé. Inspirado demais para dormir, encarou o próprio reflexo na janela, já que estava escuro demais para ver a paisagem passar do lado de fora. Estava otimista, acreditando que o fim da trilha parecia estar logo além da próxima colina, após a próxima curva.

14

A NOITE CAIU COM UMA CHUVA LEVE que umedeceu a poeira das ruas ao longo de toda a cidade quando Bell desceu do trem. À luz que definhava, ele pôde ver que Bisbee, Arizona, era uma cidade vertical, com colinas afiadas e ocupadas por muitas casas às quais só se podia chegar por escadarias íngremes. No caminho para o Hotel Copper Queen, ele andou pelas ruas estreitas e retorcidas, um labirinto flanqueado por novos e substanciais edifícios de tijolos.

Era sábado e Bell encontrou um delegado de plantão na cadeia e escritório do xerife. O delegado disse que o xerife estava tirando alguns dias de folga para fazer reparos em sua casa, que fora danificada por uma enchente que varrera as colinas, e não voltaria ao trabalho até terça-feira. Quando Bell perguntou a ele onde ficava a casa do xerife, o delegado recusou-se a informar, alegando que seu superior não queria ser perturbado a não ser que fosse uma emergência.

Bell registrou-se no Copper Queen, comeu uma refeição leve na sala de jantar do hotel e depois saiu para ver a cidade. Privou-se de um drinque no Saloon Copper Queen e andou pela infame Brewery Gulch, com 50 *saloons* em sua extensão e conhecida em todo o território como a rua mais selvagem e obscena do Oeste, além de o melhor lugar para beber.

Ele visitou quatro dos *saloons*, entrando em cada um e estudando o movimento antes de ir para o seguinte. Finalmente, aquietou-se em uma grande sala com paredes de madeira, um palco e uma pequena banda tocando um *ragtime* enquanto quatro dançarinas, no palco, dançavam ao seu ritmo. Deslocando-se por entre as mesas apinhadas de gente até o balcão, ele esperou até que um ocupado atendente perguntasse:

— O que vai ser, amigo? Uísque ou cerveja?

— Qual é seu melhor uísque?

— Jack Daniel's do Tennessee — respondeu o atendente sem hesitar. — Venceu a medalha de ouro na Feira de St. Louis como o melhor uísque do mundo.

Bell sorriu.

— Já o provei uma vez. Traga-me uma dose dupla.

Enquanto o atendente o servia, Bell virou-se, apoiou os cotovelos atrás de si no balcão e olhou à sua volta para o *saloon* lotado. Como a maioria dos bares do Oeste, uma grande parte do recinto era dedicada ao jogo. Os olhos de Bell foram de mesa em mesa, procurando pela mistura certa de jogadores de pôquer. Encontrou o que esperava: uma mesa com homens vestidos em roupas mais elegantes do que as do grande número de mineiros. Pareciam ser homens de negócios, comerciantes ou oficiais de minas. O melhor de tudo é que havia quatro deles, faltando um quinto jogador.

Bell pagou pelo uísque e caminhou até aquela mesa.

— Posso me juntar aos cavalheiros? — perguntou.

Um homem corpulento de rosto vermelho assentiu e gesticulou em direção a uma cadeira vazia.

— Você é muito bem-vindo, sente-se — disse.

Um homem do outro lado da mesa embaralhou as cartas, olhou para Bell quando ele se sentou e começou a distribuí-las.

— Sou Frank Calloway. Os outros são Pat O'Leery, Clay Crum e Lewis Latour.

— Isaac Bell.

— É novo na cidade, senhor Bell? — perguntou O'Leery, um irlandês grande e musculoso.

— Sim, cheguei no trem das 18h30 de Phoenix.

— Negócios ou lazer? — O'Leery inquiriu.

— Negócios. Sou um agente da Agência de Detetives Van Dorn.

Todos ergueram os olhos das cartas e encararam Bell com interesse inquisitivo.

— Deixe-me adivinhar — disse Crum, dobrando as mãos sobre a barriga rotunda. — Você está investigando os roubos a banco e assassinatos que aconteceram quatro meses atrás.

— Está correto, senhor — Bell assentiu enquanto colocava suas cartas em leque e as examinava.

Latour falou com sotaque francês enquanto acendia um charuto:

— Está um pouco atrasado, não? A pista ficou fria.

— Não mais do que estava cinco minutos após o crime — Bell considerou. — Quero duas cartas.

Calloway distribuía o baralho enquanto os jogadores informavam o número de cartas que, esperavam, lhes daria uma mão vencedora.

— Isso é um mistério — disse ele. — Nenhum sinal do bandido jamais foi encontrado.

— Esquisito — O'Leery concordou enquanto inspecionava sua mão, a expressão revelando que não tinha nada digno de uma aposta. — Eu saio. — Seus olhos encontraram brevemente os de Bell. — Esquisito que ele tenha desaparecido em pleno ar.

— O xerife não encontrou nenhum sinal da trilha dele — resmungou Crum. — O destacamento voltou para a cidade com cara de quem viu as esposas fugirem com um bando de caixeiros-viajantes. — Ele pausou. — Aposto dois dólares.

— Cubro com três dólares — ofereceu Calloway.

Latour jogou sua mão em direção ao que dava as cartas.

— Estou fora — disse.

— E o senhor, senhor Bell, ainda está no jogo? — perguntou Calloway.

Bell divertia-se com o fato de que as apostas não eram altas, no entanto, também não vinham sem dinheiro.

— Eu aceito — respondeu.

— Duas rainhas — anunciou Crum.

— Duas de dez — disse Calloway. — Você me bateu. — Virou-se. — Senhor Bell?

— Duas de oito — Bell disse, passando as cartas para Calloway com as faces viradas para baixo. Bell não tinha perdido. Tinha três valetes, entretanto pensou que perder o ajudaria a conquistar a confiança daqueles homens. — Alguém deu algum palpite sobre como o assaltante escapou?

— Não que eu tenha ouvido — replicou O'Leery. — Da última vez que falei com o xerife, ele estava confuso.

— Seria o xerife Hunter? — Bell perguntou, relembrando o que lera no relatório da agência.

— Joe Hunter morreu do coração dois meses depois dos assassinatos — respondeu Latour. — O novo xerife é Stan Murphy, que foi delegado-chefe de Hunter. Ele sabe o que aconteceu tão bem quanto qualquer outra pessoa.

— Ele é muito simpático se gostar de você — Crum disse. — Mas pise no calo dele e o homem o parte em pedacinhos.

— Gostaria de falar com ele, mas duvido que esteja em seu escritório no sábado — disse Bell, sem mencionar os comentários desencorajadores do delegado Murphy. — Onde posso encontrá-lo?

— Tivemos uma bela enchente na cidade duas semanas atrás — respondeu Calloway. — A casa dele ficou muito danificada. Suspeito que você o encontrará enterrado até o pescoço nos reparos.

— Pode me dizer como chegar à casa dele?

O'Leery estendeu uma mão em direção ao norte.

— É só subir a Rua Howland até o fim e subir as escadas. A casa está pintada de verde e tem um pequeno pomar com laranjeiras do lado.

O assunto mudou para política e se Teddy Roosevelt poderia concorrer a um terceiro mandato em 1908 e, se não, quem ele escolheria como seu sucessor. Bell perdeu três partidas para cada uma que ganhou, tranquilizando facilmente os outros homens quando estes perceberam que o estranho não era nenhum trapaceiro. Ele jogou a conversa de volta para os assassinatos no banco.

— Parece estranho que ninguém tenha visto o ladrão deixar o banco nem sair da cidade — disse Bell de forma indolente, enquanto lidava com suas cartas.

— Ninguém comentou nada — disse O'Leery.

— E ninguém viu o bandido entrar nem sair do banco — Latour acrescentou.

— Havia um mineiro velho e bêbado parado lá na rua, do outro lado do banco — respondeu Calloway —, mas ele desapareceu logo depois.

— O xerife Hunter não o considerou suspeito?

Latour não teve sorte. Deixou o jogo pela quinta vez desde que Bell se sentara à mesa.

— Um mineiro velho e totalmente acabado e com jeito de quem não ia ficar muito mais tempo neste mundo? — comentou ele. — Era a última pessoa que o povo achou que poderia ter algo a ver com o crime.

— Mais de uma vez eu o vi esparramado na calçada, bêbado, totalmente inconsciente — disse O'Leery. — Ele poderia ter roubado um banco e matado três pessoas tanto quanto eu poderia ser eleito governador. Ainda acho que foi um trabalho interno feito por alguém que todos nós conhecemos.

— Pode ter sido um estranho — Bell disse.

Calloway encolheu os ombros, discordante.

— Bisbee tem 2 mil habitantes. Quem reconheceria um estranho?

— Que tal o sujeito na motocicleta? — Crum perguntou a ninguém em particular.

— Havia uma motocicleta na cidade? — perguntou Bell, com interesse crescente.

— Jack Carson disse que viu um almofadinha pilotando uma. — Crum deitou à mesa uma mão vencedora, fazendo um *flush*.

— Jack disse que o motociclista estava bem-vestido quando o viu passar por um beco — disse Latour, dando uma longa tragada em seu charuto. — Ele não conseguiu entender como alguém pilotando uma geringonça daquelas poderia estar com roupas tão limpas e impecáveis.

— Seu amigo conseguiu ver o rosto do motociclista?

— Tudo o que Jack soube dizer é que o homem estava bem barbeado — Calloway respondeu.

— E a cor do cabelo?

— De acordo com Jack, o sujeito estava de chapéu. Jack não tinha certeza, já que não pôde ver direito porque a moto passou rápido demais, mas ele achou que o cabelo poderia ser vermelho. Pelo menos, foi o que ele pensou, vendo as suíças dele de relance.

Pela segunda vez naquela semana, Bell sentiu a excitação correr por suas veias. Um residente de Eagle City, Utah, outra cidade mineradora onde o Assaltante Açougueiro deixara quatro cidadãos mortos, mencionara ter visto um estranho pilotando uma motocicleta no dia das mortes.

— Onde posso encontrar Jack Carson?

— Não em Bisbee — replicou Crum. — Pelo que eu soube, ele voltou para casa, no Kentucky.

Bell fez uma anotação mental: pedir a Van Dorn que tentasse encontrar Carson.

O'Leery fez outra careta azeda ao ver sua mão.

— Quem quer que tenha pilotado aquela moto deve ter ficado na cidade por alguns dias depois do roubo — disse.

— Por que diz isso? — inquiriu Bell.

— Porque o xerife e o destacamento dele teriam visto os rastros da motocicleta se o assassino tivesse saído da cidade imediatamente após o roubo.

— Podemos pensar que ele teria sido visto se tivesse ficado na cidade até os policiais desistirem da busca.

— Podemos pensar que sim — disse Calloway —, mas ele nunca mais foi visto.

— Carson era uma testemunha confiável? — Bell colocou cinco dólares na mesa. — Subo a aposta.

— Jack já foi prefeito de Bisbee, um advogado com a reputação de ser um homem honrado — Latour explicou. — Se ele disse que viu um homem em uma motocicleta, ele viu um homem em uma motocicleta! Não tenho razão para duvidar da palavra dele.

— Você vai ver o xerife Murphy amanhã? — Crum inquiriu, finalmente ganhando uma rodada.

— Na primeira hora da manhã — Bell assentiu. — Mas, depois de falar com os senhores, temo que haja pouca coisa de importância que ele possa me dizer.

Depois de bebericar seu drinque durante quase duas horas de jogo, Bell estava quase empatado com os outros. Ele embolsara apenas quatro dólares e nenhum dos outros jogadores se importou quando ele lhes disse boa-noite e voltou para o hotel.

**

A ESTRADA QUE SERPENTEAVA até a rua da casa do xerife era longa e lamacenta após a tempestade que atacara Bisbee no meio da noite. Chegando a um beco sem saída, Bell começou a subir a escadaria íngreme que parecia não ter fim. Apesar de estar em excelente forma física, estava ofegando quando chegou ao topo.

Bell estava de bom humor. Ele ainda não sabia o que Irvine e Curtis haviam descoberto. No entanto, tinha absoluta certeza de que o homem visto na motocicleta era o Assaltante Açougueiro depois de ter tirado o disfarce de velho mineiro bêbado. Um dedo ausente e uma pista sobre cabelo vermelho não chegavam a ser um triunfo. Até a cor do cabelo vislumbrada por Jack Carson era uma possibilidade pequena. Era a motocicleta que intrigava Bell, não porque o bandido tivesse uma, mas porque combinava com uma mente sagaz e calculista usar a mais nova tecnologia em transporte.

A questão primordial era: como o bandido dirigira a moto para fora da cidade sem ser visto novamente?

A casa do xerife Murphy ficava a poucos passos do topo da escadaria. Era pequena e parecia mais uma choupana que uma casa. A inundação a arrancara de sua fundação e Bell viu que Murphy estava ocupado em escorá-la em sua nova localização, três metros afastada de onde estivera antes. Fiel à descrição de O'Leery, estava pintada de verde, porém a inundação devastara o pomar de laranjas.

Murphy empunhava um martelo furiosamente e não ouviu o detetive se aproximar. Uma grande torrente de cabelo castanho-escuro fluía sobre seu pescoço e ombros. A maioria dos homens da lei no Oeste não era gorda, mas esguia e angulosa. Murphy tinha o corpo de um ferreiro mais do que o de um xerife. Os músculos em seus braços pareciam troncos de árvores e ele tinha o pescoço de um boi.

— Xerife Murphy! — Bell gritou por sobre as pancadas do martelo contra os pregos.

Murphy deteve o martelo na metade do golpe e virou-se. Olhou para Bell como se olhasse para um coiote.

— Sim, sou Murphy. Mas, como pode ver, estou ocupado.

— Pode continuar trabalhando — disse Bell. — Sou da Agência de Detetives Van Dorn e gostaria de lhe fazer algumas perguntas sobre o roubo a banco e os assassinatos de alguns meses atrás.

O nome Van Dorn era respeitado nos círculos da lei. Murphy soltou o martelo e apontou para dentro da pequena casa.

— Entre. O lugar está meio bagunçado, mas tenho café no fogão.

— Depois de subir a colina, um copo d'água seria bem-vindo.

— Lamento, o poço ficou sujo depois da inundação e a água não está boa para beber. Mas enchi um galão em um cocho da cidade.

— Será café — disse Bell com certa agitação.

Murphy levou o detetive para dentro da casa e ofereceu a ele uma cadeira à mesa da cozinha. Não havia sinal da presença de uma mulher, então Bell assumiu que o xerife fosse um solteirão. Ele serviu em duas xícaras de estanho o café de uma caneca esmaltada que estava sobre um fogão à lenha.

— Não sei como posso ajudá-lo, senhor Bell. Mandei uma cópia de meu relatório para sua agência em Chicago.

— O senhor não mencionou o que Jack Carson viu.

Murphy riu.

— O cara na motocicleta? Não acredito no que Jack disse ter visto. A descrição não combinou com ninguém que eu conheça na cidade.

— O bandido pode ter mudado de disfarce — Bell sugeriu.

— Não houve tempo para ele alterar completamente sua aparência, recuperar a motocicleta e sair por aí.

— O motorista e sua máquina nunca mais foram vistos?

Murphy encolheu os ombros.

— Para mim parece esquisito ninguém tê-lo visto, exceto Jack. Um homem com a única motocicleta na cidade deveria ser notado. E como é que ele poderia ter saído da cidade sem deixar um rastro?

— Admito que isso soa um pouco improvável — disse Bell, sem vontade de descartar a visão.

— Jack Carson era um cidadão honesto e não era conhecido por ser um beberrão ou contador de lorotas. Mas acredito que ele estava alucinando.

— Foi descoberta mais alguma evidência que não estava em seu relatório?

— Uma coisa foi encontrada depois de eu mandar o relatório a Chicago. — Murphy levantou-se da cadeira e puxou uma gaveta de uma escrivaninha. Passou para Bell uma cápsula vazia feita de latão. — Isso foi encontrado duas semanas depois por um menino que brincava no chão do banco enquanto o pai dele fazia um depósito. Estava debaixo de um tapete. O bandido não deve ter percebido.

Bell estudou o cartucho.

— Calibre .38. Se foi ejetada, deve ter vindo de uma arma automática, provavelmente uma Colt.

— Foi esse meu palpite.

— Posso ficar com ela?

— Claro. Mas duvido que descobrirá alguma coisa com ela, exceto que veio da arma do bandido. E mesmo isso não é uma evidência certa.

— Se não do bandido, de onde teria vindo?

Murphy ergueu as mãos em um gesto desamparado.

— Não tenho a menor ideia.

Bell segurou cuidadosamente o cartucho na palma da mão.

— Talvez possamos obter as impressões digitais do bandido.

Murphy sorriu.

— Você encontrará as minhas, assim como as do menino e a de dois delegados.

— Ainda assim — Bell disse, otimista —, nossos especialistas talvez sejam capazes de obter uma impressão. Não precisamos de uma amostra das do menino que a encontrou. As dele serão pequenas. Mas eu gostaria de amostras das suas impressões e das de seus delegados. Você pode mandá-las para meu escritório em Chicago.

— Nunca tirei uma impressão digital — disse Murphy. — Não tenho nem ideia de como se faz.

— Essa ciência existe há séculos, mas só nos últimos anos é que tem sido usada para o cumprimento da lei. As impressões em um objeto, esta cápsula, por exemplo, são criadas pelos sulcos na pele. Quando o objeto é manuseado, a transpiração e os óleos da pele são transferidos para ele, deixando uma impressão do padrão dos sulcos da ponta dos dedos. Para gravar as impressões, um pó fino como o grafite triturado de um lápis é espalhado pela superfície. Então, um pedaço de fita adesiva é usado para capturar a impressão e permitir que seja estudada.

— Vou tentar — disse Murphy, bebericando seu café.

Bell agradeceu ao xerife e saiu, descendo a escadaria. Três horas mais tarde, estava em um trem de volta para Denver.

15

O chofer de Cromwell dirigiu o Rolls-Royce Brougham, Modelo 1906, feito em Londres pelo fabricante Barker, com seu motor de seis cilindros e 30 cavalos de potência, saindo da garagem na frente da mansão palaciana de Nob Hill, que o próprio Cromwell tinha projetado e mandado construir com blocos de mármore branco, cortados e trazidos de uma pedreira em Colorado pela estrada de ferro. A fachada tinha o aspecto de um templo grego, com altas colunas em forma de flauta, enquanto o resto da casa tinha um desenho mais simples, com janelas em arco e uma cornija coroando as paredes.

Enquanto o chofer — Abner Weed, um irlandês de rosto pétreo que Cromwell contratara mais pela experiência como lutador do que pelo profissionalismo atrás do volante de um automóvel — esperava pacientemente dentro do Rolls na frente da casa, Cromwell esperava por sua irmã no estúdio, esparramado confortavelmente em um sofá de couro, ouvindo valsas de Strauss em um fonógrafo com cilindro de Edison. Estava trajado de forma conservadora, com um paletó de lã preta. Depois de ouvir *Vozes da Primavera*, ele trocou os cilindros e tocou *Histórias do Bosque de Viena*. Cada cilindro tocou dois minutos de música.

Cromwell ergueu os olhos do aparelho quando sua irmã entrou na sala trajando um vestido de couro de corça que caía lindamente até suas panturrilhas curvilíneas.

— Estamos um pouco *risqué*, não? — disse ele, vendo a pele dela exposta.

Ela rodopiou, girando a saia e mostrando as pernas até o meio das coxas.

— Já que vamos sair com gentinha no Barbary Coast, pensei em me vestir como uma prostituta.

— Só tente não agir como uma.

Ele levantou-se do sofá, desligou o fonógrafo e pegou o casaco dela para que ela pudesse se vestir. Mesmo com sapatos de salto, ele tinha a mesma altura da irmã. Então, seguiu-a através das portas de entrada, grandes e intricadamente esculpidas, até a frente da casa e o Rolls-Royce. Abner, uniformizado em sua libré e com botas pretas reluzentes, levantou-se, atento, e abriu a porta traseira do carro. O Rolls era um carro para a cidade, com um compartimento para passageiros coberto e o chofer ao ar livre, sem nada além do para-brisas para protegê-lo. Assim que a irmã de Cromwell se acomodou, ele informou ao motorista aonde ir. Abner pisou no pedal e o grande carro rodou silenciosamente por cima das pedras de granito que revestiam a rua.

— Esta é a primeira oportunidade que temos de conversar desde que vim para casa — disse Cromwell, seguro por saber que o motorista não podia ouvir a conversa deles pela divisória que separava o banco da frente e o dos passageiros.

— Sei que sua viagem a Salt Lake City foi bem-sucedida. E que nosso banco está 700 mil dólares mais rico.

— Você não me disse como foram as coisas em Denver.

— Seus espiões da Agência Van Dorn foram muito acurados ao avaliar a investigação. O escritório em Denver recebeu o encargo de chefiar a caçada ao Assaltante Açougueiro.

— Odeio ser chamado assim. Preferia algo mais elegante.

— Como o que, pode dizer? — ela perguntou, rindo.

— O Espírito Estiloso.

Ela revirou os olhos.

— Duvido que os editores dos jornais ficassem entusiasmados com esse nome.

— O que mais você descobriu?

— O chefe do escritório em Denver, Nicholas Alexander, é um idiota. Depois que joguei um pouco de charme, ele não conseguiu parar de falar sobre a caçada. Estava irritado por não ter sido encarregado de chefiar a investigação e não teve reservas ao revelar informações pertinentes a respeito dos métodos que pretendiam usar para pegar o notório bandido. O próprio Van Dorn colocou seu principal agente, Isaac Bell, como chefe no caso. Um demônio belo e elegante. E muito rico, devo acrescentar.

— Você o viu?

— Eu o encontrei e, além disso, dancei com ele. — Ela tirou uma pequena fotografia da bolsa. — Estava esperando para lhe dar isto. Não é o melhor retrato, mas o fotógrafo que contratei não era exatamente um perito em fotografar sem antes preparar a foto.

Cromwell ligou a luz dentro do carro e examinou a foto. Ela mostrava um homem alto, de cabelo louro e bigode.

— Devo me preocupar com ele?

— Não sei dizer. — Os olhos dela assumiram uma expressão evasiva. — Ele pareceu mais inteligente e sofisticado do que nossos espiões me levaram a crer. Mandei vasculhar o passado dele. O homem raramente falha em encontrar e capturar seu alvo. A ficha dele é admirável. Van Dorn o tem em alta estima.

— Se, como você diz, ele é rico, por que fica perdendo tempo como um simples detetive?

Margaret encolheu os ombros.

— Não tenho a menor ideia. Talvez, como você, ele precise de desafios? — Ela hesitou enquanto ajeitava com os dedos um cacho fora do lugar.

— Onde ele conseguiu a fortuna?

— Será que esqueci de contar que ele vem de uma família de banqueiros em Boston?

Cromwell enrijeceu.

— Eu sei sobre os Bell. São donos do Banco de Boston dos Estados Americanos, uma das maiores instituições financeiras do país.

— Ele é um paradoxo — ela disse lentamente, recordando os poucos minutos com ele no Hotel Brown Palace. — Mas pode ser também muito perigoso. Virá atrás de nós como uma raposa caçando um coelho.

— Um detetive que conhece os mecanismos internos dos processos bancários não é boa notícia — Cromwell disse, em tom baixo e frio. — Precisamos ser especialmente cautelosos.

— Concordo.

— Tem certeza de que ele não tem nenhuma pista de sua verdadeira identidade?

— Cobri bem meu rastro. Até onde ele e Alexander sabem, meu nome é Rose Manteca, de Los Angeles, onde meu pai possui uma vasta fazenda.

— Se Bell for esperto como você sugere, ele verificará isso e descobrirá que Rose não existe.

— E daí? — ela disse maliciosamente. — Ele nunca saberá que meu nome é Margaret Cromwell, irmã de um respeitado banqueiro que vive em uma mansão em Nob Hill, em São Francisco.

— Que outra informação você extraiu de Alexander?

— Apenas que a investigação de Bell não está indo bem. Eles não têm indícios que levem a você. Alexander estava furioso por Bell não o tratar com confiança. Ele disse que Bell era reticente no que dizia respeito às suas ações com dois agentes conhecidos como Curtis e Irvine. Tudo o que pude descobrir é que estão procurando pistas por toda parte.

— É bom ouvir isso. — Cromwell sorriu vagamente. — Eles nunca imaginarão que um banqueiro está por trás dos assaltos.

Ela o encarou.

— Você poderia parar, sabe? Não precisamos mais do dinheiro. E não importa quão cuidadoso e inteligente você seja, é apenas uma questão de tempo até que seja apanhado e enforcado.

— Você quer que eu desista da excitação e do desafio de conseguir o que ninguém mais se atreveria a tentar e fazer o papel de um banqueiro tedioso pelo resto de meus dias?

— Não, não quero — ela disse com um brilho perverso nos olhos. — Eu amo a excitação também. — Então, a voz dela se suavizou e tornou-se distante. — Mas eu sei que não consigo fazer isso para sempre.

— Chegará o tempo em que saberemos quando parar — ele disse, sem ênfase.

Nenhum dos dois sentia sequer um laivo de pesar nem remorso por todos aqueles homens, mulheres e crianças que Cromwell matara. E não poderiam se importar menos com todas as economias dos pequenos negócios, mineiros e fazendeiros que eles haviam varrido quando os bancos assaltados, incapazes de reembolsá-los pelos depósitos, tiveram que fechar as portas.

— Quem você levará esta noite? — ela perguntou, mudando de assunto.

— Marion Morgan.

— Aquela puritana?! — ela zombou. — É um mistério para mim por que você a mantém na folha de pagamento.

— Acontece que ela é muito eficiente — ele retorquiu, sem vontade de argumentar.

— Por que você nunca a levou para a cama? — ela perguntou com uma risada leve.

— Você sabe que nunca brinco com minhas funcionárias. É um princípio que tem me poupado muitos problemas. Só a levarei para sair esta noite como um bônus pelo trabalho dela. Nada mais. — O vestido da irmã dele estava puxado para cima dos joelhos. Ele esticou a mão e apertou um deles. — Quem é o sortudo esta noite?

— Eugene Butler.

— Aquele almofadinha? — provocou ele. — Ele é totalmente imprestável!

— Ele é absurdamente rico...

— O pai dele é absurdamente rico — Cromwell corrigiu-a. — Se Sam Butler não tivesse tido um golpe de sorte quando tropeçou naquele veio de ouro de Midas, ele teria morrido pobre.

— Eugene será mais rico do que você quando o pai dele morrer.

— Ele é gastador e beberrão. Gastará toda a fortuna tão rápido que você ficará zonza.

— Posso lidar com ele — disse a irmã. — Está loucamente apaixonado por mim e fará tudo o que eu disser.

— Você consegue coisa melhor que isso. Bem melhor — grunhiu Cromwell. Apanhou um tubo acústico e falou ao motorista: — Abner, vire à esquerda na próxima rua e pare na residência dos Butler.

Abner acenou com uma mão para indicar que entendera. Ele parou o Rolls em frente a uma enorme mansão feita de madeira no estilo vitoriano. Então, saiu do carro e tocou a campainha junto do portão de ferro da entrada. Uma criada atendeu e ele lhe deu o cartão de visitas de Cromwell. Ela olhou para o cartão e fechou a porta. Alguns minutos depois, ela se reabriu e um homem alto e bonito, com traços faciais afiados, saiu e andou em direção ao carro. Ele poderia ter passado por um ídolo dos palcos nas matinês. Como Cromwell, vestia um terno de lã, mais azul-marinho que preto, colarinho engomado e gravata estampada com losangos brancos. Parou no pórtico e aspirou o ar, que estava matizado por uma leve neblina vinda da baía.

Abner abriu a porta traseira do Rolls, puxou um assento dobrável e cedeu passagem. Butler entrou e sentou-se. Ele se virou para a irmã de Cromwell.

— Maggie, você está absolutamente linda, um prato cheio... — Ele deixou a frase no ar ao ver a expressão terrível e hostil nos olhos de Cromwell. Ele cumprimentou o banqueiro sem oferecer a mão. — Jacob, é bom vê-lo.

— Você está em boa forma — disse Cromwell, como se se importasse.

— Estou mesmo. Caminho oito quilômetros por dia.

Cromwell o ignorou, pegou o tubo acústico e instruiu Abner a apanhar Marion Morgan. Depois, virou-se para a irmã.

— Em qual *saloon* do Barbary Coast você quer que nos misturemos com o populacho malcheiroso?

— Ouvi dizer que o Spider Kelly's é bem miserável.

— A pior espelunca do mundo — Cromwell disse, bem informado. — Mas eles têm boas bandas e uma pista de dança grande.

— Acha que é seguro?

Cromwell riu.

— Red Kelly tem um pequeno exército de leões de chácara cascas-grossas para proteger clientes endinheirados, como nós, de perigos ou constrangimentos.

— Então, que seja o Spider Kelly's — disse Butler. — Eu até já levei minha mãe e meu pai para lá uma vez. Eles realmente gostaram de ver a mistura de gente fedorenta que frequenta o lugar. Ficamos na sacada da clientela superior olhando os pobretões pularem.

O Rolls parou na frente de um prédio residencial em Russian Hill, no cruzamento das ruas Hyde e Lombard, um bairro de bom gosto, mas não caro. Essa área de Russian Hill continha casas e pontos de encontro onde intelectuais, artistas, arquitetos, escritores e jornalistas se ocupavam de debates e discussões grandiosas — no entanto, a maioria das pessoas apenas socializava e festejava.

Marion não se prendeu ao protocolo. Estava esperando já do lado de fora, no alto da escada de seu prédio. Quando o Rolls desacelerou junto da calçada, ela desceu e parou enquanto Abner abria a porta para ela. Usava uma jaqueta curta sobre uma blusa azul com uma saia no mesmo tom, simples e elegante. Seu cabelo louro estava preso atrás, torcido em uma longa trança com um laço por cima do longo pescoço.

Cromwell desceu e galantemente ajudou-a a tomar o assento traseiro. O chofer puxou o outro banco dobrável no qual Cromwell, de forma cortês, sentou-se.

— Senhorita Marion Morgan, quero lhe apresentar o senhor Eugene Butler. E você já conhece minha irmã Margaret — ele disse.

— Senhorita Cromwell, é um prazer vê-la novamente. — O tom de Marion era gracioso, mas não exatamente repleto de calor. — Assim como a você, Eugene — Marion acrescentou com doçura e familiaridade.

— Vocês já se conhecem? — perguntou Margaret, surpresa.

— Eugene... o senhor Butler... me levou para jantar algum tempo atrás.

— Há dois anos — Butler disse afavelmente. — Não consegui impressioná-la. Ela rejeitou todos os meus convites depois.

— E avanços — Marion completou, sorrindo.

— Preparada para uma grande noite em Barbary Coast? — perguntou Cromwell.

— Será uma experiência nova para mim — respondeu Marion. — Nunca tive coragem de ir lá.

— Lembram-se da velha canção? — disse Margaret.

The miners came in 'forty-nine,
the whores in 'fifty-one.
And when they got together,
they produced the native son.[4]

Marion corou e olhou modestamente para o tapete no chão, enquanto os homens riam.

Alguns minutos depois, Abner virou na Rua Pacific e dirigiu até o coração de Barbary Coast, cujo nome viera do covil dos piratas berberes, vindos de Marrocos e da Tunísia. Era lar de jogadores, prostitutas, assaltantes, vigaristas, bêbados, indigentes, degoladores e assassinos. Havia de tudo lá: libertinagem e degradação, pobreza e riqueza, miséria e morte.

A infame costa podia gabar-se de ter mais de 300 *saloons*, grudados uns aos outros, ocupando seis quarteirões da cidade; desses estabelecimentos, 50 ocupavam somente a Rua Pacific. Existia porque políticos desonestos aceitavam suborno dos proprietários de *saloons*, casas de jogo e bordéis. Os cidadãos respeitáveis da cidade reclamavam publicamente a respeito do covil de perversidade, entretanto desviavam o olhar, pois secretamente estavam orgulhosos de saber que sua bela São Francisco sobrepujava Paris, que possuía uma invejável reputação como a cidade mais pecaminosa do Ocidente, um carnaval de vício e corrupção.

E ainda assim Barbary Coast era chamativo e glamoroso, com montes de propagandas sensacionalistas e enganosas, um verdadeiro paraíso para pessoas honestas se misturarem à ralé. Os sujeitos repulsivos que controlavam os covis do pecado — em sua maioria, homens — apreciavam ver os grã-finos de Nob Hill entrarem em seus estabelecimentos porque não tinham escrúpulos em cobrar-lhes preços exorbitantes pelo ingresso e pela bebida, normalmente 30 dólares por uma garrafa de champanhe em vez da taxa corrente de 6 a 8 dólares. Na maioria dos *saloons*, drinques misturados custavam 25 centavos e cerveja, 10.

[4] "Os mineiros vieram em (18)49, as prostitutas, em (18)51. E quando eles se juntaram, produziram o filho nativo." Canção da época, de título não identificado. Refere-se às consequências da Febre do Ouro. Em 1848, a descoberta de ouro em São Francisco, que até então era uma cidade pequena, passou a atrair milhares de pessoas em busca de fortuna (N. T.).

Abner fez o Rolls deslizar entre os farristas que vagavam pela rua e parou em frente a um edifício de três andares, onde na parte de cima funcionava um hotel — na verdade, um bordel, apelidado de estábulo, que abrigava 50 mulheres em quartos, chamados de baias. O andar principal era dedicado a jogos e bebidas, enquanto o porão tinha um palco para shows libidinosos e uma grande pista de dança feita de madeira. Eles desceram do carro, com os homens à frente para proteger as moças, que olhavam fascinadas para um funcionário de uniforme cintilante que gritava na calçada.

— Entrem direto no Spider Kelly's, o melhor estabelecimento de dança e bebida da costa! Todos são bem-vindos, todos terão a melhor noite de suas vidas. Vejam os shows mais loucos e as garotas mais bonitas do mundo inteiro. Venham vê-las chutar para o alto, lançando o pé para cima da cabeça! Venham vê-las rebolar de um jeito que irá chocá-los e maravilhá-los!

— Já gosto deste lugar — Margaret disse alegremente.

Marion olhou e agarrou com força o braço de Cromwell, olhando para uma placa amplamente ignorada pela clientela, onde se lia NESTE ESTABELECIMENTO NÃO SE PERMITE VULGARIDADE.

Entraram em um saguão grande, em forma de U, decorado com painéis emoldurados de mulheres nuas dançando entre ruínas romanas. Um gerente em um smoking de mau caimento apareceu para recebê-los e escoltá-los para dentro.

— Querem ver o show lá embaixo? — perguntou. — O próximo começa em 10 minutos.

— Gostaríamos de uma mesa separada da gentalha — disse Cromwell em um tom exigente. — Depois de tomar uma garrafa de seu melhor champanhe, desceremos para dançar e ver o show.

— Sim, senhor. — O gerente fez uma mesura. — Por aqui.

Ele levou o grupo de Cromwell por um salão lotado até a sacada da clientela superior que Butler mencionara, com vista para a pista principal do *saloon*. Logo, uma garçonete vestida em uma blusa decotada e uma saia bem acima dos joelhos, mostrando uma ampla área de pernas em meias de seda pretas presas por ligas caprichosas, trouxe uma garrafa de

1,5 litro de champanhe Veuve Clicquot Ponsardin, safra de 1892. Enquanto colocava a garrafa em um balde comum com gelo, ela roçou-se nos homens e lançou a cada um deles um sorriso vulgar. Margaret devolveu o sorriso, permitindo que a garçonete soubesse que ela, Margaret, sabia que, além de servir os clientes do *saloon*, a moça também trabalhava nas baias do andar de cima. Surpresa por ver uma grã-fina de Nob Hill usando um traje tão revelador, a garçonete lançou a Margaret um olhar lascivo.

— Sabe, queridinha, uma ruiva como você tem muita procura. Poderia dar seu próprio preço.

Marion ficou pasma. Cromwell lutou para não rir, enquanto Butler mostrou-se francamente indignado.

— Esta mulher é uma dama! — disparou. — Peça desculpas!

A garçonete o ignorou.

— Se ela for judia, pode cobrar mais caro que todas. — Então, virou-se, sacudiu os quadris e desceu a escada.

— O que ser judia tem a ver com isso? — Marion perguntou ingenuamente.

— Há um mito por aí — explicou Cromwell — de que ruivas judias são as mulheres mais cheias de paixão.

Margaret estava se divertindo enquanto observava toda a pista principal do *saloon*. Sentia uma alegria estonteante ao ver os marinheiros e estivadores, as garotas honestas e trabalhadoras que, sem perceber, eram levadas para o mau caminho e os criminosos empedernidos procurando furtos a fazer na pista, apinhada de homens bêbados demais para oferecer resistência. Sem que ninguém, inclusive seu irmão, soubesse, Margaret visitara as espeluncas de Barbary Coast em diversas ocasiões. E sabia muito bem que seu irmão Jacob visitava frequentemente as mais caras e exclusivas casas de prazer, onde a realeza das prostitutas exercia seus negócios.

Marion achava tudo repulsivo e fascinante ao mesmo tempo. Ouvira dizer que a costa era a cova do amargor e do desespero para os pobres de São Francisco, entretanto não tinha ideia de quão baixo as pessoas podiam decair. Não estava acostumada a beber e o champanhe a embriagou depois de um tempo; então, ela começou a ver a depravação sob uma luz menos doentia. Tentou imaginar-se como uma daquelas mulheres perdidas, levando homens para as baias no andar de cima por meros 50 centavos. Horrorizada consigo mesma, rapidamente expulsou o pensamento de sua mente e ficou de pé sem muita firmeza, depois que Cromwell ergueu a garrafa vazia e anunciou que era hora de descer.

O gerente apareceu e encontrou uma mesa que estava ocupada na pista de dança, não muito distante do palco. Dois casais vestidos em roupas de trabalho manchadas protestaram por ter que deixar a mesa, no entanto, o gerente ameaçou a integridade física deles caso não saíssem.

— Que sorte — disse Margaret. — O show está só começando.

Cromwell pediu outra garrafa de champanhe enquanto eles observavam uma mulher bem-dotada subir no pequeno palco e começar a dança dos sete véus. Não demorou muito para os véus caírem e restar somente um traje insuficiente que deixava pouco trabalho para a imaginação. Seus músculos abdominais ondulavam enquanto ela girava e fazia diversas contorções sensuais. Quando terminou, os homens da plateia jogaram moedas no palco.

— Bom, isso foi de fato excitante — Margaret disse sarcasticamente.

Uma pequena banda começou a tocar e casais se dirigiram para a pista de dança, agitando-se vivamente ao ritmo conhecido como Texas Tommy. Butler e Margaret rodopiaram pela pista com alegre abandono, como se fossem um só. Marion experimentou uma sensação de forte constrangimento ao ser segurada junto do corpo de seu chefe. Em todos aqueles anos trabalhando para ele, essa era a primeira vez que ele a convidava para sair. Era um excelente dançarino e ela seguiu seus movimentos graciosamente.

A banda mudava de ritmo de tempos em tempos, para que os dançarinos pudessem mudar seus passos para o Turkey Trot e o Bunny Hug. Logo, os dançarinos começaram a suar no recinto do porão, fechado e sem entradas de ar. O champanhe começou a fazer a cabeça de Marion rodar e ela pediu a Cromwell para sentar-se por alguns minutos.

— Você se importaria se eu a deixasse por um instante? — Cromwell perguntou educadamente. — Eu gostaria de subir e jogar umas partidas de faraó[5].

[5] Ou pharaon, é um jogo de cartas de origem francesa (N. T.).

Marion ficou imensamente aliviada. Estava à beira da exaustão e os sapatos novos estavam causando desconforto a seus pés.

— Sim, por favor, senhor Cromwell. Eu bem que gostaria de uma pausa.

Cromwell subiu os degraus de madeira e caminhou lentamente pela alvoroçada seção de jogos até chegar a uma mesa onde não havia jogadores a não ser o *dealer*. Dois homens robustos postavam-se atrás dele, desencorajando qualquer cliente a se aproximar da mesa.

O homem que dava as cartas parecia o filho de um touro. Sua cabeça era como uma rocha entalhada sobre o pescoço, que era grosso como um tronco de árvore. O cabelo negro estava tingido, achatado com pomada e dividido ao meio. O nariz era achatado por ter sido quebrado numerosas vezes. Os olhos límpidos pareciam estranhamente deslocados em um rosto que parecia ter tido mais que sua quota de socos. Seu torso era um barril de cerveja, redondo e abundante, mas duro, sem gordura. Spider Red Kelly fora lutador e já enfrentara James J. Corbett, nocauteando o ex-peso-pesado duas vezes, mas sendo ele mesmo nocauteado no 21º round. Quando Cromwell se aproximou, ele ergueu o olhar.

— Boa noite, senhor Cromwell. Estava esperando o senhor.

Cromwell abriu a tampa de seu relógio e olhou para os ponteiros no mostrador.

— Perdoe-me por estar oito minutos atrasado, senhor Kelly. Fui inevitavelmente detido.

Red Kelly sorriu, exibindo uma boca cheia de dentes de ouro.

— Sim, eu também ficaria detido na companhia de uma dama tão adorável. — Ele gesticulou para a mesa. — Gostaria de tentar a sorte?

Cromwell tirou a carteira e contou dez cédulas de 50 dólares do Banco Nacional impressas por seu próprio banco sob contrato com o governo federal. Kelly colocou casualmente as notas em uma pilha do lado da mesa e empurrou para adiante uma pilha de peças de cobre com o nome do *saloon* gravado. Na superfície de feltro verde da mesa estava pintado um típico desenho do jogo de faraó, com um grupo de 13 cartas. O grupo era de espadas, indo de ás a rei, com o ás do lado esquerdo do *dealer*.

Cromwell colocou uma peça sobre a carta do valete e uma entre o cinco e o seis, em uma aposta chamada *splitting*. Kelly descartou a carta de cima, tirando-a da pilha do *dealer*, mostrando a carta seguinte e chamando a carta perdida. Era um dez. Se Cromwell tivesse apostado nela, teria perdido, já que a casa vence quaisquer apostas colocadas sobre a carta exibida. Então, Kelly empurrou a carta perdida para fora da pilha, revelando a carta ganhadora. Era um cinco. Cromwell venceu a aposta toda, não metade.

— Sorte de principiante — ele disse enquanto Kelly empurrava as fichas ganhadoras para ele.

— O que deseja, senhor Cromwell?

— Nada, obrigado.

— Você pediu para falar comigo — disse Kelly. — O que posso fazer para devolver os favores que o senhor me fez ao longo dos anos, os empréstimos generosos e a ajuda para manter a polícia longe de meus negócios?

— Preciso que alguém seja eliminado. — Cromwell falava como se estivesse pedindo uma cerveja.

— Aqui na cidade? — perguntou Kelly, enquanto distribuía outra mão de cartas.

— Não. Em Denver.

— Um homem, imagino — disse Kelly sem erguer os olhos do trabalho. — Faça sua aposta.

Cromwell assentiu e moveu uma ficha entre a rainha e o valete.

— Na verdade, é um agente da Agência de Detetives Van Dorn.

Kelly parou antes de puxar uma carta da pilha.

— Apagar um agente da Van Dorn poderia ter sérias repercussões.

— Não se for feito do jeito certo.

— Qual é o nome dele?

— Isaac Bell. — Cromwell passou por cima da mesa a foto que sua irmã lhe dera. — Eis a foto dele.

Kelly olhou brevemente para a imagem.

— Por que o senhor quer eliminá-lo?

— Tenho minhas razões.

Kelly tirou a carta perdedora e revelou a carta ganhadora: era a rainha. Cromwell ganhara de novo. Kelly olhou para ele do outro lado da mesa.

— Pelo que ouvi — disse —, todo mundo que já matou um agente da Van Dorn foi rastreado e enforcado.

— Eram criminosos que estupidamente se deixaram encontrar por detetives da agência. Se a coisa for feita de forma eficiente, Van Dorn nunca saberá quem matou Bell ou por quê. Faça com que pareça uma morte aleatória ou mesmo um acidente. Se não deixar rastros, será impossível os agentes da Van Dorn retaliarem.

Kelly afundou-se lentamente na cadeira.

— Preciso lhe dizer, Cromwell, não gosto disso. — Não houve um "senhor" antes do nome.

Cromwell deu um sorriso cruel.

— Gostaria mais se eu lhe pagasse 20 mil dólares pelo serviço?

Kelly sentou-se ereto e olhou para Cromwell como se não estivesse certo de acreditar nele.

— Vinte mil dólares, você diz?

— Quero que seja feito por um profissional, não por algum matador de rua barato.

— Onde quer que a ação aconteça?

Não havia dúvida de que Kelly faria o trabalho. O proprietário do *saloon* estava afundado até os joelhos em todo tipo de atividade criminosa. O fato de que cairia sob o feitiço de Cromwell com a promessa de ganho financeiro fora uma conclusão prévia.

— Em Denver. Bell trabalha no escritório da Van Dorn em Denver.

— Quanto mais longe de São Francisco melhor — Kelly disse em voz baixa. — Negócio fechado, senhor Cromwell.

O "senhor" estava de volta e a transação, concluída. Cromwell ergueu-se da cadeira e balançou a cabeça, olhando para as fichas na mesa.

— Para o *dealer* — disse, sorrindo. — Farei com que 10 mil em dinheiro sejam entregues a você até o meio-dia de amanhã. Receberá o resto quando Bell estiver morto.

— Entendo. — Kelly continuou sentado.

Cromwell abriu caminho até o andar de baixo e, em meio aos dançarinos, que tinham parado de dançar, viu que estavam observando sua irmã apresentar um tipo de dança do ventre ondulante e provocativa no palco, para o deleite de todos os presentes. Ela soltara o espartilho e os cabelos, antes lindamente presos. Seu quadril girava e pulsava sensualmente ao som da banda. À mesa, Butler estava estatelado em um torpor embriagado e Marion fitava admirada os rodopios de Margaret.

Cromwell dirigiu-se a um dos gerentes, que também atuavam como seguranças.

— Senhor?

— Por favor, carregue o cavalheiro até meu carro.

O segurança assentiu e, com um movimento prático, colocou de pé um Butler completamente intoxicado e o atirou sobre os ombros. Então, o leão de chácara prosseguiu escada acima, carregando Butler tão facilmente como se fosse um simples saco de aveia. Cromwell inclinou-se em direção a Marion.

— Consegue andar até o carro?

Ela olhou para cima como se estivesse zangada:

— Claro que consigo andar!

— Então, é hora de ir. — Ele a pegou pelo braço e fê-la levantar da cadeira. Marion, sem assistência, porém cambaleante, subiu os degraus. Então, Cromwell voltou sua atenção para a irmã. Não estava feliz com aquele comportamento escandaloso. Agarrou-a pelo braço com força suficiente para deixar uma contusão e arrastou-a do palco e para fora do salão até o carro que esperava junto do meio-fio. Butler estava desmaiado no banco da frente, ao lado de Abner, enquanto Marion sentava-se de olhos embaçados no de trás.

Cromwell atirou Margaret bruscamente no banco de trás e seguiu-a, empurrando-a para um canto. Ele se sentou no meio, entre as duas mulheres, enquanto Abner foi para o volante, deu a partida e dirigiu pela rua iluminada por luzes multicoloridas.

Lentamente, Cromwell fez o braço deslizar por cima dos ombros de Marion. Ela olhou para ele com uma expressão vaga, indiferente. O champanhe lhe dera uma sensação de letargia, entretanto ela não estava bêbada. Sua mente estava clara e afiada. A mão dele apertou um de seus ombros e houve uma pequena pausa em sua respiração. Podia sentir o corpo dele pressionado contra o dela no espaço limitado do assento.

Houve um tempo em que Marion considerava seu patrão interessante e sentia uma profunda atração por ele. No entanto, nos anos em que trabalhou para ele, o homem não fizera esforço para diminuir a distância entre eles. Agora, de repente, depois de todo esse tempo, ele demonstrava interesse por ela. Estranhamente, nenhuma emoção nem excitação surgia dentro dela. Sentia-se como que repelida por ele e não conseguia entender por quê.

Marion ficou aliviada por não haver mais nenhum avanço da parte dele. Seu próprio braço permaneceu enrolado em sua cintura e a mão dele repousou de leve em seu ombro até que Abner parasse o Rolls em frente ao seu prédio. Cromwell saiu para a calçada e ajudou-a a descer.

— Boa noite, Marion! — disse, segurando a mão dela. — Espero que você tenha tido uma noite interessante.

Era como se, agora, ela visse algo dentro dele, lá no fundo, que nunca vira antes. Sentiu-se repugnada pelo toque dele.

— Foi uma noite da qual me lembrarei por muito tempo — disse honestamente. — Espero que o senhor Butler e sua irmã se recuperem.

— Estarão de ressaca amanhã e será muito justo — ele disse com um sorriso apertado. — Vejo-a segunda-feira de manhã. Há uma pilha de cartas que preciso ditar. Quero ter uma mesa limpa quando partir em uma viagem de negócios na sexta.

— Vai partir novamente tão cedo?

— Uma conferência de banqueiros em Denver. Preciso comparecer.

— Até segunda de manhã, então — ela disse com vasto alívio quando ele soltou sua mão.

Marion subiu os degraus até a porta, depois se virou e olhou para o Rolls-Royce enquanto este partia pela rua. Sua mente agiu sem comando. As coisas entre ela e seu chefe nunca mais seriam as mesmas. Havia nele uma frieza da qual ela não tivera consciência antes; encolheu-se ao lembrar-se do toque dele. De forma repentina, o cheiro que restara da fumaça e do suor do salão de dança em suas roupas deixou-a enjoada.

Ela apressou-se a subir para seu quarto, abriu as torneiras da banheira, tirou freneticamente as roupas e escorregou para dentro da água ensaboada para remover de sua memória todo traço daquela noite decadente.

* *

— Sobre o que foi sua reuniãozinha com Red Kelly? — perguntou Margaret depois que eles deixaram Marion no apartamento.

— Eu o contratei para um pequeno trabalho.

Ela fitou o rosto dele, iluminado pelas luzes mutantes dos postes de rua.

— Que tipo de trabalho?

— Ele cuidará de Isaac Bell — respondeu ele de forma prosaica.

— Você não pode matar um agente da Van Dorn! — Margaret arfou. — Cada homem da lei deste país viria atrás de você.

Cromwell riu.

— Não se preocupe, querida irmã. Instruí Kelly a infligir a Bell danos suficientes apenas para mantê-lo no hospital por alguns meses. Só isso. Pode-se dizer que é um aviso.

Cromwell mentira descaradamente para a irmã. Fingiria surpresa quando o assassinato de Bell fosse noticiado e alegaria que a morte do agente fora um erro, que Kelly fora longe demais. Provocar a ira da irmã, ele decidira, era um preço pequeno a pagar pela erradicação do homem que se tornara seu pior inimigo.

16

— **Deem outra mão de tinta** — Cromwell ordenou aos dois homens que pintavam seu vagão de carga. A cor fora o marrom terroso no qual quase todos os carros de carga eram pintados desde os primórdios da ferrovia. No entanto, vermelho toscano era a nova cor usada pela Southern Pacific para padronizar sua vasta frota de trens de carga. Cromwell queria uma segunda mão porque o Fábrica de Móveis O'Brian, Denver ainda era visível sob a camada de tinta recém-aplicada.

Margaret, trajando vestido de lã e jaqueta curta para manter-se aquecida, estava de pé contra a brisa fresca que soprava do oceano através da Golden Gate e segurava uma sombrinha contra a leve neblina do começo da manhã que caía sobre a cidade. Os dois observavam os pintores na doca de carga de um depósito vazio que o irmão dela alugara sob um nome falso.

— São confiáveis? — ela perguntou.

— Os pintores? — Ele olhou para os quatro homens que passavam tinta no vagão. — Para eles, é só mais um trabalho, outro vagão que precisa ser colocado em ordem. Desde que sejam bem pagos, não farão perguntas.

— Já era hora de você mudar o nome — ela disse. — Algum xerife ou detetive da Van Dorn acabaria descobrindo que o vagão fretado da Móveis

O'Brian esteve presente em cinco das cidades roubadas.

— O mesmo pensamento me passou pela cabeça — respondeu ele.

— Qual será o nome desta vez?

— Nenhum — respondeu Cromwell. — Ele parecerá só mais um vagão de carga pertencente à Ferrovia Southern Pacific.

— Você poderia comprar e decorar um novo. Por que ficar com essa velha relíquia?

— Porque parece uma velha relíquia — ele disse com uma risada ligeira. — Foi construído em 1890. A ferrovia ainda usa esse modelo. Prefiro que ele pareça gasto e esgotado de muitos anos e milhares de quilômetros de uso. Com essa aparência exterior tão ordinária, ninguém suspeitará de seu verdadeiro propósito. Mesmo seu senhor Espertinho Bell não poderia nem imaginar a real finalidade deste vagão.

— Não subestime Bell. Ele é astuto o suficiente para acabar descobrindo sua suíte de hotel móvel.

— Não tão astuto assim. — Ele lhe lançou um olhar ácido. — E, mesmo que ele fareje a verdade, já é tarde demais. O carro da Móveis O'Brian não existe mais.

Cromwell sentia orgulho de seu vagão envelhecido. Tinha cerca de 10 metros de comprimento, com capacidade para 18 toneladas. Vazio, pesava 5. Assim que a segunda demão secou, o carro pôde receber acabamento com a sinalização apropriada em seus lados de madeira, o que incluiria um número de série abaixo das letras SP, de Southern Pacific. A capacidade e o peso sem carga também seriam indicados em um dos lados, enquanto o logotipo do sol nascente da SP — um círculo branco com a palavra SOUTHERN no topo, em forma de arco, PACIFIC arqueada na parte de baixo e LINHAS no meio — seria pintado no lado oposto. Quando terminado, o vagão se pareceria com outros milhares de carros pertencentes à Southern Pacific.

Até o número de série, 16173, estava correto. Cromwell arranjara para que o número fosse retirado de um vagão no meio de uma ferrovia, raspado dele e então transferido para sua suíte ambulante.

Nada era jamais deixado ao acaso. Cada movimento era cuidadosamente planejado, e então ensaiado e ensaiado de novo e de novo. Todas as contingências possíveis eram consideradas e as providências, tomadas.

Nada escapava à atenção de Cromwell, nem o menor detalhe. Nenhum bandido na história dos Estados Unidos, incluindo Jesse James e Butch Cassidy juntos, chegara perto de rivalizar com ele em número de assaltos bem-sucedidos e no volume de ganhos que tivera. Nem na quantidade de pessoas mortas.

À menção do nome de Bell, a mente de Margaret viajou de volta ao momento em que dançaram juntos no Hotel Brown Palace. Ela se xingou por querer esticar a mão e tocá-lo. O mero pensamento gerou um arrepio em sua espinha. Ela conhecera muitos homens, um grande número deles intimamente. Entretanto, nenhum a afetara tanto quanto estar nos braços de Bell. Era uma onda de anseio que ela não conseguia nem entender, nem controlar. Começou a se perguntar se ainda o veria de novo, sabendo, lá no fundo, que isso seria extremamente perigoso. Se um dia se encontrassem, ele certamente descobriria sua verdadeira identidade e encontraria um caminho até o irmão dela, Jacob.

— Vamos embora — disse, zangada consigo mesma por permitir que suas emoções escapassem ao controle.

Cromwell viu a expressão distante nos olhos dela, porém decidiu ignorá-la.

— Como quiser. Voltarei amanhã para inspecionar o resultado final.

Eles se viraram e entraram pela porta do depósito. Cromwell parou para trancar a porta e colocar uma barra no lugar, para que ninguém pudesse entrar. Os passos deles ecoaram pelo interior deserto do edifício. Os únicos móveis estavam em um canto: duas mesas e um balcão que lembrava as cabines com janelas dos caixas de banco.

— É uma pena que você não possa sublocar este espaço e dar a ele um bom uso — disse Margaret, endireitando o chapéu que tinha se inclinado para um lado da cabeça quando o grampo escorregara.

— Preciso de um lugar para estacionar o vagão — Cromwell replicou. — Enquanto ele estiver despercebido em um ramal, perto das docas de carga de um depósito vazio cujo proprietário não pode ser rastreado, melhor.

Ela lançou ao irmão um olhar desconfiado e disse:

— Você está com aquela cara de novo.

— Que cara?

— Cara de quem está planejando mais um assalto.

— Não consigo enganar minha própria irmã — ele disse, sorrindo.

— Suponho que seja perda de tempo tentar convencê-lo a se aposentar do ramo dos assaltos.

Ele tomou a mão dela e deu-lhe uma pancadinha carinhosa.

— Um homem não suportaria desistir de uma ocupação na qual se distingue.

Ela suspirou, derrotada.

— Tudo bem. Onde será desta vez?

— Ainda não decidi. O primeiro passo é fazer perguntas discretas nos círculos bancários a respeito de pagamentos. Então, preciso escolher cidades que tenham ferrovias e ramais para trens de carga. A fuga é a parte mais importante da operação. O próximo passo é um estudo das ruas e da localização do banco. Finalmente, tenho que planejar com cuidado o roubo em si, o tempo e meus disfarces.

Margaret parou ao lado das mesas e do balcão.

— E aqui é onde você ensaia.

Ele assentiu.

— Depois que nossos agentes obtêm um projeto do interior do banco, eu arrumo esses móveis de acordo.

— Você transforma a coisa em uma ciência refinada.

— Eu tento — ele respondeu altivamente.

— Seu método de operação está se tornando sistemático demais, sofisticado demais — ela o avisou.

Ele a pegou pelo braço, apertando-o gentilmente.

— Eu não gostaria que fosse de outro jeito.

17

Bell foi direto do trem para o escritório e encontrou Irvine e Curtis já na sala de reuniões, esperando por ele. Pôde adivinhar que as notícias eram boas porque não havia cenhos franzidos nem expressões azedas no rosto deles. O clima jovial foi acentuado pelo fato de Irvine estar fumando um charuto e Curtis, tirando uma cigarreira de prata do bolso do casaco.

— Vocês dois parecem estar com ótimo humor — disse Bell, colocando sua mala no chão.

— Encontramos algumas pistas — Curtis disse, acendendo um cigarro. — Nada que faça a terra tremer, mas algumas peças para encaixar no quebra-cabeça.

— E quanto a você, Isaac, descobriu alguma coisa? — perguntou Irvine.

Antes que Bell pudesse responder, Agnes Murphy entrou na sala de reuniões carregando uma bandeja com três xícaras e um bule de café.

— Lamento interromper — disse docemente —, mas pensei que os cavalheiros poderiam querer um café.

Bell pegou a bandeja das mãos dela e colocou-a sobre a mesa.

— É muita gentileza sua, Agnes — disse.

— Volto já. — Ela se virou e saiu pela porta. Em menos de um minuto, voltou com um pote de açúcar e um jarro de creme. — Não esqueci. Só não consegui trazer tudo de uma vez.

— Você é uma salva-vidas — disse Curtis com um largo sorriso, beijando-a gentilmente na bochecha.

Bell e Irvine trocaram olhares, sorrindo. Ambos sabiam que Curtis e Agnes eram apenas amigos e viviam provocando um ao outro. Agnes segurou as saias enquanto se virava, deixou a sala de reuniões e fechou a porta.

— Além do café — disse Bell —, foi muita consideração dela fechar a porta.

Curtis soltou um anel de fumaça em direção ao teto.

— Ela sabe o que faz. Não tem mais respeito por Alexander do que nós.

— Vocês estavam dizendo... — Irvine instigou Bell.

— Descobri que, além de não ter um dedo, ele provavelmente tem cabelo ruivo. E dirige uma motocicleta, que já usou em mais de um roubo. — Bell enfiou a mão no bolso e tirou de lá um pequeno saco de seda, abriu-o e expeliu o cartucho na mesa. — Agora, sabemos que o Assaltante Açougueiro usa uma pistola automática Colt calibre .38. Esta cápsula foi encontrada debaixo de um tapete. O assassino de alguma forma não a percebeu, pois não deixou nenhuma outra cápsula em seus outros assaltos. O xerife Murphy, em Bisbee, foi um homem esperto e pediu ao médico-legista do condado que tirasse as balas das vítimas de assassinato. Todas vieram de uma Colt .38.

— Podemos verificar as vendas de todas as Colts .38 automáticas — disse Curtis.

— Não poderia haver mais que 10 mil delas! — Irvine replicou sarcasticamente. — Levaria dez anos de trabalho verificar cada negociante de armas, vendedor e proprietário de loja de armamentos que venda Colts .38 automáticas.

— Art está certo — Bell disse, olhando para o cartucho de bronze. — Seria uma chance tremendamente pequena.

Curtis deu um sorriso de raposa.

— Não se tivermos uma pista para nos levar até o esconderijo do bandido. Então, podemos verificar os vendedores na área.

— Boa ideia — Bell concordou, sem saber o que Curtis estava prestes a revelar. — Nesse meio tempo, mandarei uma mensagem a Chicago para ver se os especialistas de nossa agência conseguiram extrair alguma impressão digital. — Ele relaxou na cadeira e fê-la empinar-se nas pernas traseiras, apoiando um pé contra a mesa. — Agora, contem-me o que vocês descobriram.

Irvine abriu um livro de registro e colocou-o na mesa diante de Bell e Curtis.

— Encontrei algo importante em Elkhorn, Nevada. Eles haviam registrado os números de série das notas de 50 dólares do cofre um dia antes do roubo.

— Posso entender por quê — disse Bell. — As notas de 50 são mais falsificadas que qualquer outra. Enquanto o guarda-livros desse banco relacionava as notas, ele deve ter estudado cada uma e se certificado de que não eram falsas.

Irvine tocou as entradas no livro com o dedo enquanto olhava para Bell.

— Pode pedir ao escritório de Chicago que espalhe boletins avisando aos bancos do Oeste que fiquem de olho nessas notas. As cinquentinhas serão mais fáceis de rastrear do que notas de 5, 10 ou 20.

— E muito mais fáceis do que as de 1 — Curtis acrescentou.

— Cuidarei disso — Bell garantiu a Irvine.

— Fiz minhas próprias perguntas por aí e acabei descobrindo dois bancos em São Francisco onde três dessas notas foram encontradas.

— Bom trabalho — disse Bell. Então, encarou Curtis: — Agora, e quanto a você, Arthur? Alguma sorte na missão?

— Você encontrou algum trem de passageiros que o assassino possa ter usado para escapar? — perguntou Irvine.

— Não. Mas trens de carga são outra história.

— Eles não foram vasculhados pela polícia?

Curtis balançou a cabeça.

— Não aqueles que estavam com carga e trancados.

— Então, aonde isso o levou? — inquiriu Bell.

Curtis deu um sorriso largo e brilhante.

— Levei muitas horas cavando entre registros velhos e mofados das companhias ferroviárias, mas consegui fazer uma descoberta interessante.

Encontrei três vagões que estavam nos ramais das cidades roubadas. O vagão de carga fechado com número de série 15758 estava presente em Virginia City e Bisbee durante os roubos. Em Virginia City, sua declaração de carga estava listada como 50 fardos de arame farpado a serem levados para um rancho no sul da Califórnia. O vagão 15758 estava vazio quando ficou em um ramal esperando para ser atrelado a outro trem em Bisbee.

— Vazio — Irvine repetiu, mexendo-se impaciente na cadeira.

— Sim, vazio. Ele tinha trazido uma carga de cerâmica de Las Cruces, no Novo México, até Tucson, antes de ser enviado vazio para El Paso.

— Então, podemos riscar esse da lista — murmurou Bell. — E quanto aos outros?

Curtis verificou suas notas.

— O número 18122 estava presente em Elkhorn, Nevada, e em Grand Junction, Colorado, quando os bancos dessas cidades foram roubados. Estava em um ramal em Grand Junction esperando para ser atrelado a um trem que o levaria a Los Angeles. Sua carga eram seis estojos de vinho. Em Elkhorn, recebeu um carregamento de colchões de uma fábrica em Sacramento, Califórnia.

— Esqueçamos o 18122 — disse Irvine. — Não é provável que o bandido tenha escapado para localidades diferentes.

— Deixei a melhor parte para o final — disse Curtis, sorrindo belamente. Levantando-se e andando até o quadro negro, escreveu FÁBRICA DE MÓVEIS O'BRIAN, DENVER na superfície escura. Então, virou-se com uma expressão satisfeita no rosto. — Agora, chegamos a um vagão de carga que esteve presente em cinco roubos.

Tanto Bell quanto Irvine levantaram-se de repente de suas cadeiras. Curtis capturara totalmente a atenção deles. Ele apanhara o touro pelos chifres e sondara uma área à qual ninguém pensara em ir. Bell, surpreso com a revelação inesperada de Curtis, disse:

— O vagão esteve em cinco cidades nos dias em que seus bancos foram roubados?

— Fiz uma lista de cidades, horários e destino final.

Irvine quase derramou o café enquanto o colocava de volta na bandeja.

— Você quis dizer destinos, no plural?

— Não. Destino, no singular. — Curtis riu suavemente. — Em cada ocasião, o vagão da fábrica de móveis de Denver foi a São Francisco. Não pude encontrar um registro indicando que tenha sido levado a Denver nem a qualquer outro lugar. Só posso presumir que foi uma fachada que o bandido usou para escapar da polícia.

Bell olhou para o escrito no quadro negro.

— Aposto o salário de um mês que uma olhada nas lojas de móveis de Denver provará que a Móveis O'Brian não existe.

— Acho que isso é óbvio — Irvine resumiu.

— Qual foi o último registro da Ferrovia Southern Pacific a respeito desse vagão? — perguntou Bell, voltando-se para Curtis.

— Ele foi colocado em um ramal no pátio de manobras de São Francisco duas semanas atrás. Da última vez que chequei, ainda estava lá.

— Então, temos que encontrá-lo e vasculhá-lo.

— E vigiá-lo — disse Irvine.

— Isso também — replicou Bell. — Mas precisamos ter muito cuidado para que o bandido não saiba que estamos nos aproximando.

Curtis acendeu outro cigarro.

— Parto para São Francisco no primeiro trem amanhã — disse.

— Irvine e eu nos juntaremos a você. — Bell, então, voltou sua atenção a Irvine. — Você mencionou três notas que apareceram em São Francisco.

— Isso mesmo — assentiu Irvine. — Uma no Banco Nacional Cromwell de São Francisco e duas no Banco Nacional Crocker.

— Parece, cavalheiros — disse Bell, sorrindo pela primeira vez —, que todos os caminhos levam a São Francisco.

— Está começando a parecer que sim — Curtis concordou, com crescente entusiasmo.

Os dois agentes olharam para Bell cheios de expectativa enquanto ele estudava o mapa com as bandeiras marcando os terríveis crimes cometidos pelo Assaltante Açougueiro. A evidência era quase infinitesimal e poderia facilmente levar a becos sem saída. Ainda assim, havia satisfação nas informações que os três agentes da Van Dorn haviam juntado. Escassas como eram, também não tinham outras opções. No entanto, eram suficientes para que um plano se formasse na mente de Bell.

— Pode ser como apostar em um cavalo de arado na corrida, mas acredito que tenhamos uma oportunidade de pegar o bandido em uma armadilha.

— Você tem um plano? — perguntou Irvine.

— Suponha que plantemos histórias nos jornais locais de São Francisco revelando que um pagamento de 1 milhão de dólares será levado por um trem especial para um banco em alguma cidade com população de alguns milhares de mineiros. A quantia seria imensa porque os proprietários das minas anunciaram um bônus especial para os trabalhadores a fim de evitar uma greve que a união dos mineiros ameaça fazer, exigindo um aumento substancial nos salários.

Curtis ponderou sobre a proposta de Bell e disse:

— O bandido poderia facilmente verificar a história e descobrir que é falsa.

— Não se um de nós estiver plantado na agência do telégrafo quando o questionamento chegar e der a resposta apropriada.

— Poderíamos até ter sorte e descobrir quem o enviou — disse Irvine.

— Tem isso também — Bell assentiu.

Irvine olhou para sua xícara de café como se fosse um vidente lendo folhas de chá.

— É uma chance em mil. Todos nós sabemos disso.

— Sem dúvida — Bell concordou —, mas vale a tentativa. E, se o esquema falhar, podemos ainda tropeçar em outra pista que leve ao bandido.

— Tem alguma cidade mineradora em mente? — Curtis perguntou.

— Telluride, Colorado — respondeu Bell. — Pois a cidade está localizada em um desfiladeiro. Telluride também é a área na qual os mineiros fizeram greves contra os proprietários das minas em 1901 e 1903, então, outra greve é igualmente plausível.

— Se o vagão de carga da Móveis O'Brian aparecer — disse Curtis —, saberemos que nosso homem mordeu a isca.

— Uma vez que o vagão seja deslocado para o ramal em Telluride, o único caminho para fora será aquele por onde veio. — Irvine suspirou e sorriu, contente. — O bandido ficará preso e não terá meios de escapar.

A atmosfera na sala de reuniões crepitava de expectativa e esperança. O que quase parecera uma causa perdida estava começando a se consolidar. Os olhos dos três detetives fixaram-se no mapa gigante, viajaram para o oeste em direção ao Oceano Pacífico e focaram a cidade portuária de São Francisco.

No elevador que o levou até o nível da rua para sua caminhada até o Brown Palace, Bell sentia-se exultante. Ganhar, perder ou empatar, o fim do jogo estava à vista. De fato, ainda estava nebuloso e indistinto, entretanto as cartas finalmente estavam caindo a favor de Bell. Seus pensamentos se voltaram para Rose e ele se viu imaginando, pela centésima vez, qual seria a conexão dela com o Assaltante Açougueiro.

Que mulher poderia ser tão próxima de um homem que matava mulheres e crianças? Ele começou a acreditar que ela era tão podre quanto ele, se não ainda mais.

* *

Bell saiu do elevador do Brown Palace e caminhou até sua suíte. Tirou a chave do bolso da calça e a inseriu na fechadura. Antes que pudesse virar a chave, a porta abriu-se em uma fresta. O ferrolho não ficara inteiramente encaixado quando a porta fora fechada.

Bell parou, tenso. Seu primeiro pensamento foi de que a arrumadeira se esquecera de fechar a porta e acionar a tranca. Era uma suposição lógica, no entanto, sua intuição deixou-o desconfiado. A percepção de que algo não estava certo já o salvara em mais de uma ocasião.

Bell fizera muitos inimigos durante seus anos como detetive da Van Dorn. Muitos dos homens que ele capturara e levara a julgamento e consequente prisão juraram vir atrás dele. Três tentaram e dois morreram.

Se alguém estivesse esperando por ele dentro do quarto, não seria com uma arma, raciocinou. Tiros fariam eco por todo o hotel e faria vários funcionários virem correndo. Para um criminoso escapar do terceiro andar, ele teria que esperar pelo elevador ou descer as escadas correndo. Nenhuma dessas opções era uma boa escolha para uma fuga bem-sucedida.

Bell tinha consciência de que provavelmente estava superestimando a ameaça, que poderia muito bem nem existir. Entretanto, não sobrevivera por todo esse tempo sem uma mente desconfiada. Se alguém estivesse esperando dentro da suíte, ele pensou, essa pessoa faria o trabalho sujo com uma navalha.

Ele tirou o chapéu e deixou-o cair. Antes que acertasse o carpete, já tinha na mão sua arma, uma pequena calibre .41 de dois canos sobrepostos que perfurava com facilidade impressionante a curtas distâncias.

Bell remexeu a chave na fechadura como se estivesse destrancando a porta. Empurrou-a, abrindo-a, e hesitou, olhando por todo o vestíbulo até a sala de estar antes de entrar. O cheiro de cigarro saudou suas narinas, confirmando a suspeita de Bell. Ele raramente fumava, acendendo um charuto somente acompanhado de conhaque após um jantar *gourmet*. Com a arma na mão, entrou na suíte. A morte, na forma de um homem, estava esperando lá dentro.

O homem estava sentado em um sofá lendo jornal. À aproximação de Bell, ele baixou o jornal e revelou uma face feia como o pecado. O cabelo preto estava engordurado, lustroso e achatado na cabeça. O rosto era como se tivesse sido pisoteado por uma mula e ele tinha o corpo de um porco premiado em feira estadual. Os olhos eram estranhamente suaves e amistosos, aspecto que enganava muitas de suas vítimas. Bell não se enganou; podia ver que o homem tinha força suficiente para atacar como um tigre.

— Como entrou aqui? — o detetive perguntou simplesmente.

O estranho mostrou uma chave.

— Chave mestra — disse em uma voz de triturador de pedras. — Nunca saio de casa sem uma.

— Qual é seu nome?

— Não vai adiantar nada saber meu nome. Nunca vai ter chance de usá-lo. Mas, já que perguntou, sou Red Kelly.

A memória fotográfica de Bell girou com suas engrenagens e a recordação de um relatório que lera voltou à sua mente.

— Sim, o infame Red Kelly. Pugilista, dono de um *saloon* em Barbary Coast e assassino. Travou uma boa batalha contra o campeão mundial James J. Corbett. Uma vez, li um relatório a seu respeito para o caso de você vagar além da fronteira da Califórnia. É um erro de sua parte. Você tem a proteção de políticos corruptos que evita que seja extraditado por crimes em outros estados, mas isso não o ajudará no Colorado. Aqui, está sujeito à prisão.

— E quem é que vai me prender? — perguntou Kelly, exibindo uma vastidão de dentes de ouro. — Você?

Bell permaneceu parado, tranquilo, esperando um movimento de Kelly.

— Você não seria o primeiro — respondeu.

— Sei tudo sobre você, galãzinho — disse Kelly com desprezo. — Vai sangrar exatamente como os outros pobres coitados que mandei para a cova.

— Quantos detetives e policiais?

— Três, que eu me lembre. — Kelly sorriu maldosamente. — Depois de um tempo, a gente começa a esquecer os números.

— Seus dias de matança acabaram, Kelly — Bell disse calmamente.

— Esse dia ainda não chegou, galãzinho. Se acha que pode me intimidar com essa arminha na sua mão, está desperdiçando fôlego.

— Não acredita que eu possa matá-lo com ela? — Bell perguntou.

— Nunca vai ter chance — retorquiu Kelly com frieza.

Ali estava. Bell captou-a instantaneamente. A súbita mudança nos olhos. Ele se virou, agachando, e, num piscar de olhos, mirou e atirou na testa do homem que vinha por trás dele, escondido por uma cortina. O som reverberou através da porta aberta e pelo átrio do hotel.

Kelly olhou para o corpo de seu comparsa sem muito interesse. Então, sorriu para Bell.

— Sua reputação é bem merecida. Você deve ter olhos na nuca.

— Você veio me matar — disse Bell, inalterável. — Por quê?

— É um trabalho, nada mais.

— Quem o pagou?

— Você não precisa saber. — Kelly deixou o jornal de lado e lentamente ficou de pé.

— Não tente pegar a arma no cinto em suas costas — Bell disse, com a arma tão firme quanto um galho em um carvalho.

Kelly mostrou os dentes dourados novamente.

— Não preciso de arma.

Ele se atirou em direção a Bell, suas pernas poderosas propelindo-o pelo recinto como se ele tivesse sido lançado por um canhão.

O que salvou o detetive naqueles dois segundos foi a distância entre eles, uns dois metros e meio. Qualquer distância menor e Kelly teria caído sobre ele como uma avalanche. Daquela forma, Kelly atacou-o como um aríete, um golpe de relance que derrubou Bell de lado sobre uma cadeira e então no carpete verde-grama. Mas não antes que ele puxasse o gatilho da pistola e enfiasse uma bala no ombro direito de Kelly.

O bruto foi detido no momento, porém não caiu. Era poderoso demais, musculoso demais, para dobrar-se com uma bala que não tivesse penetrado o coração ou o cérebro. Contemplou a vermelhidão que se espalhava por sua camisa com o olhar imparcial de um cirurgião. Então, sorriu diabolicamente.

— Sua arma só comporta duas balas, galãzinho. Agora, está vazia.

— Gostaria que parasse de me chamar de galãzinho — disse Bell, saltando para ficar de pé.

Agora, era a vez de Kelly pegar o revólver Colt às suas costas. Ele estava precisamente fazendo a mira para puxar o gatilho quando Bell arremessou a arma como um lançador de beisebol que recebe o sinal do apanhador para lançar a bola em alta velocidade. A pouco mais de um metro de distância, ele não poderia errar. A pequena arma, sólida como um pedaço de quartzo, acertou o rosto de Kelly pouco acima do nariz e entre os olhos.

Sangue esguichou do talho e rapidamente cobriu a metade inferior do rosto de Kelly. A pancada o fez cambalear mais do que a bala no ombro. Não houve gemido de dor nem grito horripilante. Ele não emitiu outro som que não um grande suspiro. A arma ainda estava em sua mão, mas ele não a ergueu para mirar. Não conseguia. Bell abaixou a cabeça e investiu contra o homem feito um bólido, acelerando a cada passo, metendo a cabeça no estômago do bandido com toda a sua força. O ex-pugilista apenas grunhiu e empurrou Bell para longe, fazendo-o atravessar metade do recinto com uma força nada menos que fenomenal.

Bell colidiu contra a parede com um ruído que tirou todo o ar de seus pulmões. Se o impacto tivesse sido mais forte, teria ficado hospitalizado por dois meses. Entretanto, seu ataque quebra-ossos não fora em vão. Durante a colisão de seus 84 quilos contra os 115 de Kelly, ele arrebatara o revólver da mão do assassino.

Não houve ordem para evitar outro ataque, nenhum "pare ou eu atiro". Bell já conhecia o negócio e sabia que não se desperdiça palavras com um matador decidido a mandá-lo para a mesa do legista. Não tinha a ilusão de vencer Kelly em uma luta corpo a corpo. O assassino era mais forte e mais impiedoso. Bell mal conseguiu disparar dois tiros antes que Kelly se recuperasse o suficiente para alcançar o detetive e agarrá-lo pelo pescoço com a ferocidade de um gorila, suas mãos imensas estrangulando sua vida. Ele caiu sobre Bell, pressionando-o contra o carpete, sua massa gigantesca comprimindo o torso do detetive e prendendo seus braços para que ele não disparasse o revólver novamente. Kelly apertou calma e deliberadamente, como se as balas que recebera fossem uma mera irritação.

Bell não conseguia se mover. Não havia forma de erguer as mãos e tentar remover os dedos cravados em seu pescoço. A força de Kelly era muito superior à sua. Bell não duvidava de que ele não era o primeiro homem que Kelly estrangulava. A não ser que fizesse algo bem rápido, também não seria o último. Os cantos de sua vista estavam escurecendo, ficando mais negros a cada momento.

O que atordoava Bell, mais do que a noção de que estava a poucos segundos da morte, era o que havia acontecido com as duas balas que ele disparara em Kelly. Tinha certeza de que acertara o corpo do Golias. Bell encarou dois olhos escuros e perversos e o sangue que transformara a parte inferior do rosto em uma máscara horrível de carmesim. O que o estava mantendo vivo? Por que sua força não se esvaía? O homem não era humano.

Então, perceptivelmente, Bell sentiu a pressão começar a diminuir ligeiramente. Em vez de tentar arrancar as mãos em torno de seu pescoço, ele ergueu os braços e enfiou os polegares nos olhos inexpressivos de Kelly, sabendo que seria seu último ato antes que a escuridão se fechasse sobre ele. Em uma torção violenta, Bell girou o corpo, saindo de debaixo de Kelly.

O grande pugilista grunhiu e cobriu os olhos com as mãos. Sem enxergar, ele rastejou em direção a Bell, que o chutou ferozmente, acertando Kelly no estômago. Só então viu os dois buracos das balas vazando sangue através da camisa do bandido, abaixo das costelas. O que o mantinha consciente? Bell perguntou-se. Ele já deveria ter morrido a essa hora. No entanto, em vez disso, o bandido esticou o braço e o agarrou pela perna.

Bell sentiu que era puxado sobre o carpete, agora manchado e ensopado do sangue de Kelly. Ele escoiceou com o pé livre, que simplesmente quicou em Kelly, que agiu como se nem o sentisse. A mão em torno da perna de Bell se apertou. Unhas cavaram através de suas calças, chegando à carne. Ele foi puxado para mais perto de Kelly e viu um rosto agonizante e olhos que luziam de ódio.

Era hora de acabar com aquela luta medonha. A mão direita de Bell ainda segurava o Colt. Com uma calma mortal, ele ergueu o cano até que o bocal estivesse a poucos centímetros da face de Kelly, deliberadamente puxou o gatilho e enfiou uma bala calibre .44 bem no olho direito do inimigo.

Não houve grito terrível nem gorgolejar horrendo. Kelly soltou o último e audível suspiro e rolou para o carpete como uma grande fera que, em seus espasmos de morte, caiu por terra.

Bell sentou-se no chão e massageou a própria garganta, ofegando pelo esforço. Virou a cabeça e olhou para o corredor, vendo que homens vinham correndo para a suíte. Eles se detiveram, pasmos e chocados, à vista do mar de sangue e da montanha de homem cuja face era irreconhecível por causa da máscara de sangue coagulado. A face parecia particularmente grotesca devido aos dentes de ouro que se exibiam entre os lábios abertos, lentamente cobrindo-se de vermelho.

Kelly fora duro de matar. E por quê? Dinheiro? Dívida? Vingança? Não a última. Bell nunca realizara uma investigação contra o gigante de Barbary Coast. Alguém deveria ter pagado o bandido para matá-lo — e pagado extremamente bem.

Bell imaginou se um dia saberia a resposta.

* *

Na manhã seguinte, Bell saiu da grande banheira de porcelana, enxugou a água que pingava de seu corpo e olhou para o espelho. Sua garganta não tinha um bom aspecto. Estava inchada, com contusões roxas tão óbvias que ele podia ver o formato dos dedos de Red Kelly, onde eles haviam se cravado em sua carne. Vestiu uma camisa branca e limpa e ficou satisfeito em ver que o colarinho alto e engomado, embora roçasse incomodamente sua pele sensível, cobria as contusões.

Não eram as únicas marcas roxas e verdes em seu corpo dolorido. Havia várias por ter caído sobre a cadeira e por ter sido atirado contra a parede pela força bruta de Kelly. Estavam sensíveis ao toque e não se desvaneceriam tão cedo.

Depois de vestir o terno de linho que era sua marca registrada, Bell deixou o hotel e parou no escritório da Western Union para mandar um telegrama a Joseph Van Dorn, contando sobre o atentado à sua vida. Quando passou devagar pela porta do escritório, Agnes Murphy encarou-o abertamente. Ela se levantou com um ar de preocupação maternal no olhar.

— Ah, senhor Bell. Ouvi falar de seu infeliz incidente. Realmente espero que esteja bem.

— Alguns hematomas, Agnes, nada mais.

Curtis e Irvine ouviram a voz dele e vieram da sala de reuniões, seguidos por Alexander, que saiu de seu escritório. Ambos os agentes apertaram e sacudiram vigorosamente a mão dele — um pouco vigorosamente demais, Bell pensou, retraindo-se com o desconforto que perpassou seu corpo dolorido. Alexander ficou apenas parado de pé, atrás deles, como o espectador de uma audiência.

— Estou contente em ver que está vivo e bem — disse Curtis. — Ouvimos dizer que foi uma bela luta.

— Foi o mais perto que já cheguei de bater as botas — respondeu Bell.

— Depois de falar com você ao telefone — Curtis disse —, mandei sua descrição de Red Kelly para nosso escritório em São Francisco. Eles investigarão Kelly e quaisquer dos clientes dele que possam tê-lo mandado acabar com você.

— Uma coisa terrível — Alexander disse sem emoção. — É impensável que alguém tentasse assassinar um agente da Van Dorn.

Bell lançou a Alexander um olhar longo e severo.

— Só consigo pensar em como Kelly sabia onde eu estava hospedado.

— Kelly era um chefe do crime bem conhecido em Barbary Coast, São Francisco — disse Irvine. — Algum dos sujeitos que você pôs na cadeia ou amigos e familiares daqueles que foram executados porque você os prendeu poderiam ser de São Francisco?

— Nenhum que eu saiba nomear — respondeu Bell. — Se tivesse que adivinhar, diria que o Assaltante Açougueiro está por trás disso.

— Sabendo que você está no caso — disse Irvine —, ele certamente teria um motivo.

— Não descansaremos enquanto não chegarmos ao fim desse caso — Alexander anunciou. Para Bell, suas palavras pareceram vazias. — Nem sei dizer como estou feliz por você estar vivo e bem. — Então, virou-se e voltou para seu escritório.

Assim que ele ficou fora do alcance da conversa, Bell disse:

— Mais um prego no caixão, cavalheiros. A chave para o paradeiro do bandido é São Francisco.

18

Quando Bell, Irvine e Curtis saíram da balsa vinda de Oakland e entraram no imenso Ferry Building, eles se viram em um salão de três andares com arcos sobrepostos e claraboias acima. Saíram para o Embarcadero, ao pé da Rua Market. Enquanto Irvine e Curtis chamavam um táxi motorizado, Bell se virou e olhou para a torre do relógio, com cerca de 73 metros de altura, modelada a partir do campanário La Giralda, em Sevilha, Espanha, construído no século 12. Os longos ponteiros no vasto mostrador avisavam que eram 16h11.

Bell verificou a hora em seu relógio e notou devidamente que o relógio do edifício da balsa estava um minuto adiantado.

Por causa da grande multidão no terminal após quatro balsas terem descarregado passageiros ao mesmo tempo, os agentes não foram capazes de encontrar um táxi motorizado livre. Bell parou uma carruagem, pechinchou um preço com o motorista e mandou que os levasse até o Hotel Palace, na Rua Montgomery. Enquanto se acomodavam na carruagem, Curtis falou com Bell.

— Como planeja lidar com o escritório da Van Dorn em São Francisco?

— Jantaremos com o diretor local. O nome dele é Horace Bronson. Já trabalhei com ele em Nova Orleans. É um bom sujeito e muito eficiente. Quando lhe enviei o telegrama, ele respondeu oferecendo toda cooperação a seu alcance. Prometeu mandar seus agentes obterem com os negociantes de armas os nomes das pessoas que podem ter comprado um Colt automático calibre .38.

Irvine rolou um charuto apagado entre os dedos.

— De minha parte, começarei com os bancos Cromwell e Crocker e verei se eles podem ajudar a rastrear algum dos números de série das notas roubadas.

— Você pode checar também os outros bancos maiores — disse Bell a Irvine —, como o Wells Fargo e o Banco da Itália, caso alguma das notas roubadas esteja nas mãos deles. Se o bandido for de São Francisco, tem sentido imaginar que ele as tenha passado adiante na cidade.

— Já temos nosso trabalho dividido — disse Curtis. — Verei se consigo rastrear o vagão da Móveis O'Brian.

Bell esticou os pés na carruagem e disse:

— Depois que tivermos nos encontrado com Bronson, escreverei novas matérias sobre o carregamento falso de notas enviado ao Banco do Vale de San Miguel, em Telluride, e convencerei os maiores jornais da cidade a espalhar a história.

A carruagem chegou ao magnífico Hotel Palace e adentrou o Garden Court, a elegante entrada de veículos do hotel que era dominada por sete andares de sacadas de mármore branco brilhante, com mais de cem colunas ornamentadas. A luz vinda de cima filtrava-se através de uma imensa claraboia de vidro colorido na forma de um domo.

Bell pagou o cocheiro enquanto carregadores levavam a bagagem para dentro. Os três detetives da Van Dorn entraram em um saguão vasto e majestoso. Depois de se registrarem, subiram para seus quartos em um elevador hidráulico com painéis de sequoia. Bell cuidara para que os quartos se unissem, criando uma grande suíte.

— Querem saber? — ele disse a Irvine e Curtis. — São quase cinco da tarde, então não conseguiremos nada hoje. Vamos tomar um banho. Então, sairemos, faremos uma boa refeição, teremos uma boa noite de sono e começaremos a vasculhar tudo na primeira hora da manhã.

— Parece bom para mim — Irvine respondeu, com o estômago rugindo, já que nenhum deles comera nada nas últimas oito horas.

— Que restaurante tem em mente? — perguntou Curtis.

— Bronson é membro do Clube Bohemian. Ele fez arranjos para que nós comêssemos com ele na sala de jantar do clube.

— Parece bem exclusivo.

Bell sorriu.

— Você não imagina quanto.

* *

Às 20 HORAS EM PONTO, os homens saíram de um táxi motorizado na Rua Taylor, diante de uma das entradas do poderoso e elitista Clube Bohemian. Fundado em 1872 como ponto de encontro de jornalistas e homens das artes e da literatura, seus membros incluíam Mark Twain, Bret Harte, Ambrose Bierce e Jack London. Ao longo dos anos, os poderosos e influentes que formavam a elite de negócios da cidade se juntaram e logo se tornaram o grupo dominante. Mulheres não eram permitidas, e as esposas e convidadas solteiras dos membros precisavam entrar por uma porta dos fundos.

Naquela noite, mulheres eram permitidas na sala de jantar porque Enrico Caruso estava sendo homenageado e insistira que sua mulher deveria estar presente. Os diretores do clube consideraram uma ocasião especial e fizeram dessa uma das poucas exceções.

Irvine e Curtis seguiram Bell à recepção principal e ali ficaram por um momento, até que um homem alto com um rosto juvenil em um corpo bem condicionado e musculoso, que passava a impressão de ser grande como uma torre, veio em sua direção e apertou a mão de Bell vigorosamente:

— Isaac, que bom vê-lo!

— O prazer é meu — respondeu Bell, feliz em ver um velho amigo e preparado para um aperto de mão esmagador. — Você está em boa forma!

— Eu ainda me exercito. — Ele balançou a cabeça em um cumprimento a Irvine e Curtis e sorriu. — Olá, sou Horace Bronson.

A voz dele era rouca e combinava com os ombros largos, que pareciam prestes a estourar as costuras de seu terno cinza feito sob medida. No entanto, seus traços faciais o faziam parecer um garoto de escola sob uma densa floresta de cabelos queimados pelo sol.

Bell fez as apresentações e divertiu-se em ver as expressões apertadas nos rostos de seus agentes e os olhos deles piscando quando Bronson comprimiu-lhes as mãos em sua pata gigantesca. Embora comandasse uma equipe de dez agentes em uma cidade grande, Bronson submetia-se a Bell, que era hierarquicamente superior a ele na agência. Também admirava Bell imensamente por sua vasta experiência e reputação invejável na apreensão daqueles que violavam a lei. E estava em débito com o grande detetive que o recomendara a Van Dorn para o posto em São Francisco.

— Venham por aqui para a sala de jantar — ele disse calorosamente. — O clube é conhecido por sua comida *gourmet* e ótimo vinho.

Bronson liderou o caminho começando pelo imponente saguão principal até a grande e impressionante sala de jantar, revestida majestosamente com mogno no chão, paredes e teto. Ele trocou algumas palavras com o *maître*.

Bronson colocou a mão no ombro de Bell.

— Pedi a ele uma mesa que normalmente reservo para falar de negócios. Fica em um canto da sala onde não poderemos ser ouvidos.

O *maître* levou-os a uma mesa solitária, mas com uma vista excelente das outras mesas espalhadas pela sala. Um garçom que estava à espera colocou guardanapos nos colos deles e esperou até que Bronson folheasse a carta de vinhos e fizesse sua escolha. Assim que o garçom se afastou, Bronson relaxou e olhou para Bell.

— Verifiquei o número de lojas que venderam Colts .38 automáticas desde que foram lançadas no mercado. O total é de 67. Coloquei quatro agentes na investigação. Eles devem ter uma resposta em dois ou três dias, ou antes, se tiverem sorte.

— Obrigado, Horace — disse Bell. — Isso nos poupará um tempo muito necessário para estudarmos nossas pistas.

— É o mínimo que posso fazer — Bronson disse com um largo sorriso. — Além disso, o senhor Van Dorn mandou que eu lhes prestasse minha máxima cooperação.

— Precisaremos de toda ajuda possível.

— Tem alguma outra pista sobre o Assaltante Açougueiro?

— Terei que pedir que jure segredo. Descobri que o bandido tem espiões dentro da agência.

— Esteja certo de que pode confiar em mim — Bronson disse com preocupação crescente. — É difícil acreditar que uma intrusão como essa possa acontecer. Van Dorn sabe disso?

— Sabe — Bell assentiu.

Então, Bell deu a Bronson um esclarecimento a respeito da evidência, exígua que era, que os levara a São Francisco. Explicou que Irvine rastreara os números de série do dinheiro, que Curtis descobrira sobre a fuga no vagão de carga e o próprio Bell revelara a cor do cabelo do bandido e o dedo que faltava. Contou tudo cuidadosamente, com detalhes, entretanto sem embelezar nada. Irvine e Curtis também acrescentaram comentários sobre o que haviam desencavado durante suas investigações.

Quando Bell terminou o relato, Bronson ficou em silêncio por um longo momento. Por fim, disse:

— Sua investigação teve um grande progresso, Isaac. Vocês têm algo tangível onde, algumas semanas atrás, não havia nada. Mas, infelizmente, é muito difícil identificar o bandido.

— De fato, é — Bell concordou —, mas é um fiapo que pode levar a uma linha que pode levar a uma corda.

O vinho que Bronson escolhera, uma reserva de chardonnay californiano de Charles Krug, a mais antiga vinícola de Napa Valley, chegou e, depois da cerimônia apropriada de degustação, foi servido. Enquanto estudavam o menu, toda a conversa sobre o bandido foi deixada de lado para que aproveitassem o vinho e escolhessem seus pratos.

— O que o intriga? — Bronson perguntou a Bell.

— A cozinha tem timo em molho bechamel. Vou prová-lo, já que sou um amante de timo.

— Não são testículos de touro? — perguntou Curtis.

— Você está confundindo com as "ostras" das Montanhas Rochosas — disse Bronson, rindo.

— Apreciadas por *gourmets* em todo o mundo — explicou Bell —, são as glândulas vasculares do vitelo. Há duas glândulas, uma na garganta e outra perto do coração. O timo do coração é considerado o mais delicioso pelos chefs...

De repente, Bell parou no meio da frase e olhou atentamente para o outro lado da sala de jantar. Seus olhos violeta se estreitaram, como se focando a distância. Sua posição relaxada se enrijeceu e ele sentou-se ereto, como se estivesse perdido em preocupações.

— O que foi, Isaac? — perguntou Irvine. — Parece que viu Cristo ressuscitado.

— Eu vi — Bell murmurou, seus olhos fitos em um casal que passara pela porta e estava falando com o *maître*. Era um casal surpreendente, que fez com que todas as cabeças na sala se virassem. Ambos tinham o mesmo cabelo flamejante. A mulher tinha a mesma altura que o homem, que era de pequena estatura.

Ela trajava um conjunto amarelo de saia e blusa em estilo império, com a saia enviesada criando uma boca de sino cuja cauda chegava ao chão. A blusa era enfeitada com acabamento em renda e vestida sob uma jaqueta curta de gola extremamente baixa, que permitia à mulher exibir um magnífico colar de diamante. Em uma sociedade dominada pela formalidade, seu chapéu estilo viúva alegre, prodigamente guarnecido de plumas, era perfeito para criar um efeito vistoso. Um boá de raposa envolvia seus ombros.

O homem vestia um caro terno preto com colete. Uma grande corrente de ouro pendia de um bolso, passando por uma casa de botão até outro bolso, que continha um relógio, e um pingente incrustado de diamante pendia dela. Havia um ar confiante nos olhos dele, que nada perdiam. Ele vistoriou o salão como se fosse o proprietário. Vendo várias pessoas que conhecia, sorriu leve e graciosamente e curvou a cabeça.

O casal foi levado até uma mesa no centro da sala de jantar em posição altamente visível para os outros comensais. Aquela fora uma entrada ensaiada, levada a cabo com sofisticada elegância.

— Quem é o casal que fez a grande entrada? — Bell perguntou a Bronson.

— Aquele é Jacob Cromwell, dono do Banco Nacional Cromwell. É membro do Clube Bohemian. A bela mulher ao lado é a irmã dele.

— Irmã?

— Sim, o nome dela é Margaret, e faz parte da elite social. Ela se ocupa com trabalhos de caridade. Os dois são muito ricos e influentes. Vivem em Nob Hill.

— Então, o nome dela é Margaret Cromwell — disse Bell em voz baixa. — Eu a conheci em Denver como Rose Manteca.

Irvine olhou para Bell.

— Aquela é a mulher da qual você nos falou, que era uma espiã do Assaltante Açougueiro?

— A não ser que tenha uma irmã gêmea — Bell respondeu —, é ela.

— Impossível — disse Bronson em um tom pesado de escárnio. — A suposição é absolutamente ridícula. Ela e o irmão fazem mais por São Francisco do que metade dos ricos da cidade juntos. Eles sustentam orfanatos, a sociedade protetora dos animais perdidos e abandonados e o embelezamento da cidade. Fazem grandes doações a causas dignas. São altamente respeitados e admirados.

— Ele está certo — disse Curtis. — Se os Cromwell possuem um grande banco em São Francisco e já são ricos, o que ganhariam roubando e matando?

— A senhorita Cromwell é casada? — Bell perguntou a Bronson.

— Não, é solteira e tem a reputação de ser bem travessa.

— Não foi um erro seu acreditar que ela seria uma espiã do bandido? — Irvine sugeriu.

Bell olhou atentamente para Margaret Cromwell, considerando cada detalhe do rosto dela. Parecia imersa em profunda conversa com o irmão e não se virou na direção dele.

— Eu poderia ter me enganado — murmurou sem convicção. — A semelhança entre ela e a mulher que conheci em Denver é fantástica.

— Conheço Cromwell pessoalmente — disse Bronson. — Ele cooperou com a Van Dorn em um caso de fraude bancária no qual uma gangue de vigaristas estava trapaceando os negócios locais. Apresentarei você a ele.

Bell balançou a cabeça e ficou de pé.

— Não se incomode. Eu mesmo me apresentarei.

Ele desviou-se das cadeiras dos comensais e abriu caminho até a mesa dos Cromwell. De propósito, veio por trás e ligeiramente pelo lado de Margaret para que ela não notasse sua aproximação. Ignorou Cromwell e olhou para ela com um sorriso condescendente, imaginando como ela reagiria.

— Com sua licença, senhorita Cromwell, acredito que nos conhecemos em Denver. Meu nome é Isaac Bell.

Ela ficou rígida e não se virou para olhar para ele. Fitou os olhos do irmão do outro lado da mesa com uma expressão impenetrável — surpresa, talvez, ou consternação, ou algo mais —, algo à beira do choque ou da aflição. Por um instante, era como se ela não soubesse como reagir. Então, ela se recuperou em um piscar de olhos.

— Lamento, mas não conheço nenhum Isaac Bell. — A voz dela era firme, sem o menor indício de tremor. Falou sem olhar para ele. Sabia que, se fizesse isso, seria como um golpe físico em seu estômago. Estava grata por não estar de pé, ou suas pernas teriam virado borracha e ela teria caído no tapete.

— Perdoe-me — respondeu Bell, que agora tinha certeza, pela reação, de que ela era a mulher que ele conhecera como Rose Manteca. — Deve ser um caso de identidade enganosa.

Cromwell se colocara de pé por cortesia e estava segurando seu guardanapo. Ele olhou para Bell como um lutador medindo o oponente antes de soar o sino do primeiro round. Não mostrou o menor sinal de surpresa ou incompreensão. Estendeu a mão.

— Jacob Cromwell, senhor Bell — disse. — O senhor é membro do clube?

— Não, um convidado de Horace Bronson, da Agência de Detetives Van Dorn.

Bell apertou a mão de Cromwell, estranhando o fato de o banqueiro usar luvas enquanto comia. Por anos de hábito investigativo, ele olhou para o dedo mindinho da luva da mão esquerda. O material sobre o dedo era solidamente preenchido. Não que ele imaginasse haver a mais remota chance de que Cromwell fosse o bandido. Essa era uma ideia maluca.

Cromwell assentiu.

— Conheço Horace. Um bom homem. Uma glória para sua agência.

De perto, Bell notou como o cabelo vermelho de Cromwell era cortado bem curto e estava começando a rarear no topo da cabeça. O banqueiro era baixo e magro e se movimentava mais com graça feminina do que com rigor masculino. Bell viu nos olhos dele a mesma expressão que um dia vira nos olhos de um leão da montanha no qual atirara em Colorado. Havia um aspecto frio, quase morto, lá no fundo.

— Sim, ele é.

— Bell? Acho que eu ainda não tinha ouvido seu nome — Cromwell disse, como se tentasse situá-lo. Dispensou o pensamento como se não fosse de grande importância. — O senhor mora em São Francisco?

— Não, Chicago.

Margaret ainda não conseguia forçar-se a olhar para Bell. Sentia um fogo incontrolável dentro de seu corpo. Seu desconforto era visível e ela corou até ficar vermelha como uma cereja. Então, ficou zangada, não tanto com Bell, mas consigo mesma, por demonstrar emoção.

— Meu irmão e eu gostaríamos de jantar em particular, senhor Bell. Se puder nos dar licença...

Ele viu o longo pescoço dela ficar vermelho e sentiu-se satisfeito.

— Lamento muito pela intrusão. — Cumprimentou Cromwell com um meneio de cabeça. — Senhor Cromwell. — Então, Bell virou-se e caminhou de volta à sua mesa.

Assim que teve certeza de que Bell não poderia ouvi-los, Cromwell bufou.

— Que diabos ele está fazendo em São Francisco? Pensei que Red Kelly tinha dado um jeito nele.

— Aparentemente, Kelly falhou — disse Margaret com uma pequena sensação de satisfação no estômago.

— Como é que ele sabia que você estava aqui?

— Não olhe para mim — Margaret respondeu, zangada. — Peguei o trem de Denver a Los Angeles como Rose Manteca e comprei um cavalo lá usando outro nome. Então, cavalguei até Santa Bárbara e de lá peguei um trem para São Francisco usando um terceiro nome falso. Não haveria forma de ele conseguir me rastrear.

— Devemos considerar isso uma coincidência?

Ela parecia um cachorrinho perdido.

— Não sei. Eu simplesmente não sei.

— Independentemente do porquê ele esteja em São Francisco, a presença dele cheira a problema — disse Cromwell, olhando abertamente e com um sorriso forçado para os quatro agentes sentados em torno da outra mesa. — Não acho que ele tenha somado dois e dois, mas, depois de ver você, suspeitado que tenha uma conexão com o bandido e sabido que é minha irmã, ele começará a bisbilhotar.

— Talvez seja hora de eu tirar umas férias.

— Não é má ideia.

— Agendarei uma passagem para Juneau, Alaska, na primeira hora da manhã.

— Por que Juneau? — perguntou Cromwell. — Lá é tão frio quanto o inferno é quente.

— Porque é o último lugar onde ele procuraria. — Ela fez uma pausa e seus olhos assumiram um ar astuto. — E há o fato de o pai de Eugene, Sam Butler, negligenciar as operações mineradoras dele perto de Juneau. — Margaret riu, soltando a rédea de suas emoções. — Isso me dá uma chance de cuidar de meus futuros interesses financeiros.

— Querida irmã — Cromwell disse cordialmente —, você é uma fonte infinita e constante de perplexidade. — Então, ele olhou descaradamente para Bell do outro lado do salão. — Eu me pergunto — murmurou — o que aconteceu com Red Kelly.

— Talvez Bell o tenha matado.

— Talvez — disse Cromwell. — Se for esse o caso, Bell é muito mais perigoso do que eu imaginei. Da próxima vez, eu mesmo cuidarei do assunto.

* *

Quando Bell voltou à mesa, seu prato de timo havia chegado. Ele pegou um garfo, ansioso para provar a iguaria, entretanto foi detido pelas perguntas de todos à mesa.

— Era ela a mulher que você pensou ter conhecido em Denver? — Bronson exigiu saber.

Bell esquivou-se da questão, sem vontade de se demorar em um assunto que sabia ser delicado para Bronson.

— Provavelmente me enganei. Admito. Mas a semelhança é realmente extraordinária.

— Você tem olhos para a beleza — Bronson disse com uma risadinha branda.

— O que achou de Cromwell? — perguntou Irvine. — Acha que ajudará quando eu agendar uma conversa com ele para discutir as notas roubadas que passaram pelo banco dele?

— Você terá que perguntar a Horace. Não mencionei nossa investigação. Ele pareceu um bom sujeito, ainda que um pouco arrogante.

— Ele tem a reputação de ser altivo — disse Bronson. — Mas, olho no olho, é muito solícito e tenho certeza de que será muito cooperativo em sua investigação.

— Veremos — Bell disse, finalmente saboreando o timo. Depois de engolir, ele meneou a cabeça para Irvine. — Acho que acompanharei você no Banco Nacional Cromwell.

— Quer encontrá-lo de novo? — perguntou Bronson.

Bell balançou a cabeça, negando.

— Não é uma prioridade, mas eu gostaria de sondar o bando dele.

— O que espera encontrar? — perguntou Curtis.

Bell deu de ombros, mas havia um brilho leve em seus olhos.

— Sabe, não tenho a menor ideia.

19

Marion estava sentada à mesa, datilografando uma carta, quando dois homens entraram no escritório. Ela ergueu o olhar de sua máquina de escrever Underwood Modelo 5 e os encarou. Um homem, com um tufo de cabelo castanho não escovado, sorriu amigavelmente. Era magro e teria parecido doentio, não fosse o rosto bronzeado. O outro era alto, de cabelo louro. Ela não pôde ver o rosto dele porque ele se virara e parecia estar estudando a luxuosa decoração do escritório.

— Senhorita Morgan?

— Sim, posso ajudá-los?

— Meu nome é Irvine. — Ele entregou a ela o cartão de sua agência. — Meu colega Isaac Bell e eu somos da Agência de Detetives Van Dorn. Temos um horário marcado com o senhor Cromwell.

— É claro. — Ela ficou de pé, mas não sorriu. — Seu horário é às 9h30. Os senhores chegaram 5 minutos adiantados.

Irvine fez um gesto amplo com as mãos.

— Sabe o que dizem...

— O primeiro pássaro é que pega a minhoca? — ela completou, parecendo divertir-se.

O homem alto e louro virou-se para ela.

— Mas o segundo rato é que pega o queijo.

— Muito astuto, senhor Bell... — disse Marion, a voz sumindo.

Os olhos dos dois se encontraram e Marion subitamente sentiu algo que nunca sentira antes quando encarou os olhos azul-violeta. Percebia agora que ele tinha bem mais que 1,80 metro, com um corpo delineado vestido em um terno de linho branco muito benfeito. O grande bigode era do mesmo tom dos cabelos claros e bem-arrumados. Não era bonito no sentido de ser um galã, contudo seus traços eram fortes e masculinos. Havia certa robustez nele, o ar de um homem que se sente à vontade tanto no território selvagem do Oeste quanto nos confortos da vida urbana. Ela olhou abertamente para ele, suas emoções, em geral bem controladas, em polvorosa. Nenhum homem jamais mexera com ela dessa forma, não à primeira vista.

Bell também ficou abalado pela beleza de Marion e sua aura de amabilidade. O chão tremeu sob seus pés quando olhou para ela. Parecia delicada e ao mesmo tempo forte como uma árvore. Havia nela uma autoconfiança serena que sugeria que era capaz de resolver qualquer questão complicada. Era equilibrada e graciosa, e, da cintura fina até a barra larga da saia comprida, ele podia notar que tinha pernas longas. O cabelo denso e lustroso estava preso no topo da cabeça, com uma trança longa e fina chegando quase até a cintura. Ele adivinhou que ela deveria ter mais ou menos sua idade, um ano a menos ou a mais.

— O senhor Cromwell está ocupado? — perguntou, forçando-se a voltar ao propósito da visita.

— Sim... — ela disse com um pouco de gagueira. — Mas está esperando pelos senhores.

Ela bateu na porta de Cromwell, entrou e anunciou a chegada de Bell e Irvine. Então, ficou de lado e gesticulou para que eles entrassem, enquanto Cromwell saía de trás da mesa para recebê-los. Quando passaram pela porta, Bell roçou a mão de propósito contra a de Marion. Ela sentiu como se um choque elétrico tivesse passado através de seu corpo antes de fechar a porta.

— Sentem-se, cavalheiros — disse Cromwell. — Horace Bronson me disse que vocês viriam para falar do dinheiro roubado que passou por meu banco.

Irvine pareceu não perceber, no entanto, Bell novamente considerou estranho o fato de Cromwell usar luvas.

— Está correto — respondeu Irvine, enquanto Bell deixava que conduzisse a conversa. — Uma das cédulas, com o número de série 214799, foi registrada e depositada em seu banco.

— Isso é inteiramente possível — disse Cromwell, brincando com um charuto apagado. — Presumo que tenha sido uma nota de 50 ou de 100 dólares, pois nunca registramos nenhuma nota menor do que isso.

— Na verdade — Irvine verificou suas anotações em um bloco de notas —, veio de um comerciante da Rua Geary, uma floricultura. O gerente, cujo nome é Rinsler, entrou em contato com a Agência de Detetives Van Dorn porque pensou que a nota poderia ser falsa. Ela provou ser genuína. Ele afirmou que a obtivera no Banco Nacional Cromwell ao transferir dinheiro para um cofre particular.

— As razões de Rinsler parecem um tanto obscuras — acrescentou Bell. — Mas, se ele tiver violado a lei, esse é um problema para o departamento de polícia local.

— Milhões de dólares passam por este banco durante todo o ano — disse Cromwell. — Não entendo por que uma nota é tão importante.

— Porque a verificação do número de série dela provou que veio de um assalto a banco em Elkhorn, Montana, onde o bandido matou quatro empregados e clientes do banco — Bell explicou.

Cromwell esperou por mais, entretanto Bell e Irvine ficaram em silêncio. Irvine estava examinando suas anotações, mas Bell observava Cromwell atentamente. O banqueiro encontrou o olhar inflexível sem alterar-se. Era estimulante para seu ego saber que estava em um jogo de inteligência com o melhor agente da Van Dorn.

— Lamento, cavalheiros — disse Cromwell, tirando os olhos de Bell para o charuto apagado. — Não consigo ver como posso ajudá-los. Se outras notas desse assalto passaram pelo Banco Cromwell, já partiram há muito tempo, circulando normalmente, e não há forma de rastreá-las, nem de saber quem as depositou.

— Isso é verdade — Bell replicou. — Mas temos que verificar cada pista, não importa quão remota.

— As cédulas eram novas e tinham números de série consecutivos — explicou Irvine. — É possível que vocês as tenham registrado antes que fossem colocadas em circulação?

— É bem possível, já que, como eu disse, registramos as notas de 50 e 100 dólares.

— O senhor poderia pedir a seu guarda-livros que verificasse os registros? — Bell pediu.

— Ficarei feliz em fazer isso. — Cromwell parou para pressionar uma campainha debaixo de sua mesa. Dentro de segundos, Marion Morgan estava parada à porta. — Senhorita Morgan, poderia, por favor, pedir ao senhor Hopkins que venha à minha sala?

— É claro — ela assentiu.

Quando Hopkins apareceu, não era o que Bell esperava. Em vez de um homem pálido e desbotado com óculos e um lápis atrás da orelha que passava a vida estudando números em livros contábeis, Hopkins parecia um astro do atletismo, grande, robusto e de movimentos ágeis. Ele meneou a cabeça quando Bell e Irvine foram apresentados.

— Os senhores Bell e Irvine são da Agência de Detetives Van Dorn. Estão aqui para verificar números de série de notas que foram roubadas durante um assalto a banco em Elkhorn, Montana. Uma nota de 50 dólares foi depositada em nosso banco antes de ser entregue a um cliente que descontou um cheque. Esses cavalheiros acreditam que outras cédulas roubadas podem ter passado pelo banco. Eles gostariam que você verificasse a lista de números de série que registramos.

Hopkins pareceu muito bem-disposto enquanto sorria.

— Precisarei saber quais números — disse.

— Procure notas com números consecutivos abaixo de 214799 — respondeu Cromwell, confiando na própria memória.

— É para já, senhor — disse Hopkins. Curvou-se levemente para Bell e Irvine. — Terei os números, caso eles existam, dentro de poucas horas.

— Ficarei grato — respondeu Bell.

— Mais alguma coisa, senhores? — perguntou Cromwell, encerrando a conversa.

— Não, o senhor foi de grande ajuda. Obrigado.

Bell deixou Irvine seguir na frente no caminho para o elevador, ficando para trás. Ele parou perto da mesa de Marion e olhou para ela.

— Senhorita Morgan?

Ela girou na cadeira, virando-se da máquina de escrever para ele, mas evitou olhar em seus olhos.

— Sei que é terrivelmente presunçoso da minha parte, mas a senhorita me parece uma dama audaciosa e eu estava imaginando se poderia deixar a cautela de lado e jantar comigo esta noite.

O primeiro impulso de Marion foi rejeitá-lo, entretanto alguma porta proibida tinha se aberto e ela travou uma batalha entre seus princípios e seu desejo.

— Não tenho permissão para sair com clientes do banco. Além disso, como saber se posso confiar em um completo estranho?

Ele riu e se inclinou para ela.

— Primeiro, não sou um cliente do banco. E, segundo, se não puder confiar em um detetive registrado, em quem poderá confiar?

Ele se aproximou e tomou a mão dela. Uma terrível onda de ansiedade abateu-se sobre ela enquanto travava uma batalha perdida. Sua última barreira caiu por terra e, com ela, seu último fio de controle. Toda a sua prudência havia evaporado.

— Tudo bem. — Ela se ouviu dizer, como se estivesse ouvindo uma estranha total. — Eu saio do trabalho às 17 horas em ponto.

— Ótimo — ele respondeu, um tanto entusiasmado demais, pensou. — Eu a encontrarei na porta da frente.

Ela o viu seguir em direção ao elevador.

— Meu Deus — murmurou para si mesma. — Devo estar louca para ter concordado em jantar com um perfeito estranho.

Ainda assim, enquanto se repreendia, ela tinha um brilho no olhar.

* *

IRVINE ESPEROU por Bell no elevador.

— O que foi aquilo?

— Tenho um jantar marcado com a secretária particular de Cromwell.

— Você age rápido — Irvine disse, admirado.

Bell sorriu.

— As coisas simplesmente se encaixaram.

— Conhecendo-o como eu o conheço, aposto que tem um motivo oculto.

— Pode-se dizer que estou misturando negócios com prazer.

— Você pode estar brincando com fogo — Irvine disse seriamente. — Se ela perceber que você a está usando para bisbilhotar os negócios de Cromwell, pode haver problemas.

— Eu me preocuparei com isso quando chegar a hora — Bell respondeu confortavelmente.

No caminho de volta ao hotel, os pensamentos de Bell a respeito da noite vindoura não se dirigiram à parte dos negócios, mas sim à do prazer.

20

Marion não conseguia explicar. Era uma sensação que ela não experimentava desde que o garoto com o qual ela sonhara nos tempos da escola sorrira para ela. Isso fora tudo. Ele nunca se aproximara nem falara com ela. Agora, sentada diante de uma mesa para dois, sentia-se leviana como uma garotinha.

Bell a apanhara do lado de fora do Banco Cromwell exatamente às 17 horas usando um táxi motorizado. O motorista partira diretamente dali para um edifício de sete andares no qual ficava o restaurante francês mais famoso da cidade, o Delmonico's. Eles entraram em um elevador e foram até o último andar, onde o *maître* os levou para uma sala de jantar particular com uma grande janela panorâmica com vista para a cidade e a baía.

As pessoas que podiam pagar por isso consumiam refeições com dez pratos sem pensar, cada um acompanhado de um vinho diferente. Bell pediu ostras à Rockefeller com um forte molho curry, seguidas de um caldo saboroso, esturjão pescado nos Grandes Lagos, pernas de rã à la poulette, costeletas de porco, galinha à Kiev, aves silvestres sortidas e assadas, batatas cozidas e creme de ervilhas.

Marion nunca jantara de forma tão suntuosa em toda a sua vida. Era verdade que já fora levada para beber e jantar pelos solteiros mais elegíveis e endinheirados da cidade, no entanto, nenhum a tratara de forma tão generosa. Estava mais do que grata por as porções serem pequenas, mas arrependia-se de não ter deixado o espartilho previamente solto.

Como sobremesa, Bell pediu crepes suzette, a iguaria flamejante com sabor de laranja. Quando o garçom parou junto à mesa, servindo habilmente a mistura em chamas sobre o crepe, Marion forçou-se a olhar diretamente nos olhos de Bell.

— Posso lhe fazer uma pergunta, senhor Bell?

O sorriso dele era sedutor.

— Acredito que nos conheçamos bem o suficiente para que você me chame de Isaac.

— Eu prefiro senhor Bell, se não se importa — ela disse em um tom que imaginou ser apropriado.

O sorriso permaneceu.

— Fique à vontade.

— Como consegue pagar por tudo isso com o salário de um detetive?

Ele riu.

— Acreditaria que poupei por um mês inteiro só para impressionar você?

— Nem por um instante — ela disse de forma altiva.

— O Cromwell é o maior banco em São Francisco?

Ela foi pega de surpresa pela pergunta feita após sua resposta.

— Não, há outros dois que são maiores, incluindo o Wells Fargo. Por que pergunta?

— Minha família possui o maior banco em Nova Inglaterra.

Ela tentou digerir a informação, no entanto, não conseguiu.

— Ficaria aborrecido se eu dissesse que não acredito em você?

— Pergunte a seu chefe. Ele comprovará o que digo.

Ela franziu o cenho, confusa.

— Por que trabalha como detetive quando poderia ser presidente de um banco?

— Acontece que gosto de investigação criminal mais do que da atividade bancária. Sentia-me preso atrás de uma mesa. Há também o desafio de equiparar minha inteligência com a de uma mente criminosa.

— Você é bem-sucedido nisso? — ela perguntou, provocadora.

— Venço mais vezes do que perco — respondeu ele, honestamente.

— Por que eu? — ela perguntou. — Por que levar uma mera secretária para beber e jantar em vez de uma socialite do seu nível?

Bell não mediu palavras:

— Porque você é atraente, inteligente e eu fui cativado.

— Mas você não me conhece.

— Espero mudar isso — disse ele, saqueando-a com os olhos novamente. — Agora, chega de conversa. Vamos aproveitar os crepes.

Quando terminaram a saborosa sobremesa, Bell pediu ao garçom duas taças de vinho do Porto de 50 anos. Então, recostou-se na cadeira, plenamente satisfeito.

— Fale-me de Jacob Cromwell — pediu.

A comida e o vinho haviam feito seu trabalho. Marion estava embriagada demais para ver a armadilha na qual estava pisando.

— O que quer saber?

— De onde ele veio, como abriu seu banco, se é casado. Depois de conhecê-lo, achei-o muito interessante. Ouvi dizer que ele e sua irmã Margaret são os maiores filantropos da cidade.

— Eu trabalho para o senhor Cromwell há nove anos e posso dizer seguramente que ele é um homem muito inteligente e perceptivo e um solteirão convicto. Ele começou o banco em 1892, com poucos ativos, e resistiu à depressão dos anos 1890. Ele ganhou dinheiro durante a pior parte desse período. Quase todos os bancos da cidade chegaram perto de fechar as portas durante esse tempo economicamente difícil. Mas não o Banco Nacional Cromwell. Com uma administração inteligente e princípios bancários sólidos, ele construiu um império financeiro com ativos na faixa de milhões de dólares.

— Um homem cheio de recursos — disse Bell, admirado. — Obviamente, alguém que se fez sozinho.

Ela assentiu.

— O crescimento do Banco Nacional Cromwell não está longe de ser um milagre financeiro.

— Onde ele conseguiu dinheiro para abrir um banco?

— Isso é um mistério. Ele é muito reservado em relação a seus negócios anteriores à abertura de um pequeno banco na Rua Market. Segundo dizem, começou com não mais que 50 mil dólares. Quando eu vim trabalhar no banco, os ativos estavam bem acima de 1 milhão.

— Que tipo de investimento ele faz com sua fortuna?

Ela ergueu as mãos em um gesto desamparado.

— Honestamente, não sei. Ele nunca mencionou suas finanças pessoais a mim e nunca vi nenhum documento nem correspondência a respeito disso. Presumo que ele lance o lucro de volta ao banco.

— E quanto à família dele? De onde ele e a irmã vêm?

Novamente, Marion pareceu perdida.

— Ele nunca falou do passado. Uma vez, contou que ele e o pai de Margaret tiveram uma fazenda em Dakota do Norte, em uma cidadezinha chamada Buffalo. Tirando isso, os laços familiares dele estão enterrados no passado.

— Estou certo de que ele tem suas razões — disse Bell. Não queria pressionar demais Marion, então, levou a conversa para sua própria infância e ao fato de ter crescido na sociedade elitista de Boston. Contou de seu ingresso na Universidade Yale e do extremo desprazer de seu pai quando fora trabalhar na Agência de Detetives Van Dorn e não no banco da família. Tomou uma rota tortuosa até voltar a Cromwell.

— Cromwell me parece um homem instruído. Eu me pergunto se ele frequentou a faculdade.

— Margaret uma vez me disse que eles estudaram em Minnesota — disse Marion, limpando os lábios levemente com o guardanapo depois de terminar seu crepe.

— Margaret é uma linda mulher — ele disse, observando a reação dela.

Marion mal dissimulou seu desagrado em relação à irmã de Cromwell.

— Sei que ela está envolvida em um grande número de ações de caridade, mas não é alguém que eu teria como amiga íntima.

— Ela não é confiável? — Bell adivinhou.

— Ela nem sempre diz a verdade. E sempre há rumores de escândalos que o senhor Cromwell consegue encobrir. Estranhamente, ele não parece se incomodar com as palhaçadas dela. É quase como se gostasse delas.

— Ele viaja muito?

— Ah, sim, vai com frequência pescar no Oregon, relaxar no retiro do Clube Bohemian entre as sequoias ou caçar no Alaska. Ele também comparece a, pelo menos, três conferências bancárias por ano em várias partes do país. Uma vez por ano, ele e Margaret viajam juntos pela Europa.

— Então, ele não cuida dos negócios do banco dia a dia.

— Não, não. — Ela balançou a cabeça. — Quando está fora, o senhor Cromwell entra sempre em contato semanal com o banco. Ele também tem uma junta de diretores com as melhores mentes do ramo.

O garçom trouxe as taças de vinho do Porto em uma bandeja de prata. Eles bebericaram em silêncio por alguns instantes antes que Marion falasse.

— Por que está me fazendo todas essas perguntas sobre o senhor Cromwell?

— Sou um investigador. Sou naturalmente curioso.

Ela tirou um cacho da testa e alisou o cabelo.

— Sinto-me rejeitada — disse.

Ele olhou para ela cuidadosamente.

— Rejeitada? — ecoou.

— Sim, você faz todas essas perguntas sobre meu chefe, mas não pergunta sobre mim. A maioria dos homens que conheci perguntou sobre meu passado no primeiro encontro.

— Será que me atrevo a fazer isso? — disse ele, provocando.

— Não é nada de mais — ela disse, rindo. — Minha vida é bem tediosa, na verdade. Sou nativa da Califórnia, nasci do outro lado da baía, em Sausalito. Minha mãe morreu quando eu era muito jovem e meu pai, que era engenheiro da Ferrovia Western Pacific, contratou tutores para mim até eu ter idade para ir para a primeira escola de secretárias da cidade. Quando me formei, Jacob Cromwell me contratou e eu trabalho no banco dele desde então, indo de datilógrafa do escritório até secretária particular.

— Já foi casada?

Ela sorriu modestamente.

—Já recebi uma proposta ou duas, mas nunca fui para o altar.

Ele esticou a mão por cima da mesa e tomou a dela.

— Certamente, o Príncipe Encantado virá um dia para arrebatar seu coração.

Ela puxou a mão de volta, mais para manifestar a própria autoridade do que para rejeitá-lo.

— Príncipes Encantados são poucos e vivem longe. Ainda estou para ver um em São Francisco.

Bell decidiu não seguir esse caminho. Estava determinado a convidá-la para sair novamente e ver aonde aquela onda de mútua atração poderia levá-los.

— Gostei muito desta noite. Não é sempre que posso apreciar a companhia de uma mulher tão adorável e capaz de se sair bem em uma conversa.

— Você é muito bom em adular.

Ele baixou o olhar. Bell não queria abusar da sorte, no entanto, havia mais um enigma para o qual desejava uma resposta.

— Há outra coisa sobre Cromwell que me intriga.

Pôde ver, pela expressão, que ela estava desapontada e esperava que ele dissesse algo sobre os dois se verem outra vez. Sentiu que ela estava começando a duvidar dos próprios sentimentos em relação a ele.

— O que é? — O tom dela se tornou subitamente frio.

— Quando o vi pela primeira vez na sala de jantar do Clube Bohemian, e hoje no escritório, ele usava luvas. Ele sempre usa luvas quando está jantando ou trabalhando em sua mesa?

Ela dobrou o guardanapo e deitou-o sobre a mesa, sinalizando que para ela a noite estava encerrada.

— Quando era menino, ele esteve em um incêndio. As mãos dele ficaram muito queimadas, então ele usa luvas para cobrir as cicatrizes.

Bell sentiu-se culpado por usar Marion. Era uma mulher vivaz, linda e inteligente. Ele ficou de pé, contornou a mesa e puxou a cadeira para ela.

— Realmente lamento deixar minha natureza inquisitiva de detetive, tão imprópria, levar a melhor sobre mim. Espero que me perdoe. Você me daria uma chance de compensá-la?

Ela pôde perceber que ele era sincero e sentiu uma ponta de excitação, recuperando a esperança de que ele estivesse verdadeiramente interessado nela. Ele era muito mais estimulante do que ela poderia ter imaginado.

— Tudo bem, Isaac, sairei com você de novo. Mas sem perguntas.

— Sem perguntas — ele disse com uma pontada de prazer ao ouvi-la usar seu primeiro nome. — É uma promessa.

21

Dois dias depois, os quatro detetives se encontraram nos escritórios da Agência de Detetives Van Dorn no quinto andar do Edifício Call, na Rua Market. Sentaram-se em semicírculo a uma mesa redonda e compararam anotações. Usavam só calças e camisas, os casacos pendurados nas costas das cadeiras. Alguns usavam gravatas retas e conservadoras sob os colarinhos engomados. Só um usava gravata-borboleta. Três bebericavam café em xícaras com o logotipo da Van Dorn gravado na superfície de porcelana. O quarto bebia chá. Papéis soltos e relatórios encadernados cobriam toda a mesa.

— Escrevi uma história contando como um dos maiores carregamentos já feitos de cédulas recém-impressas da Casa da Moeda de São Francisco será despachado sob guarda pesada para a cidade mineradora de Telluride, Colorado, para pagar salários e bônus a 10 mil mineiros — Bell disse a eles. — Fiz apenas uma alusão à quantia exata, sugerindo que está na faixa dos 500 mil dólares.

— Usei meus contatos com o editor do jornal para publicar o artigo — contou Bronson. — Será impresso na edição de amanhã.

Irvine girou lentamente sua xícara sobre o pires.

— Se o bandido vive em São Francisco — disse —, isso deve provocá-lo a tentar um roubo.

— Se ele vive em São Francisco — repetiu Curtis. — Estamos seguindo um caminho bem pouco convencional neste caso. Podemos acabar dando de cara com um beco sem saída.

— Sabemos que o vagão de carga e várias das notas roubadas vieram parar aqui — disse Bell. — Creio que há boas chances de ele viver na região da baía.

— Ajudaria se tivéssemos certeza — Bronson disse, fatigado. Olhou para Irvine. — Você disse que sua pesquisa para rastrear as notas roubadas não deu em nada.

— Foi um fracasso — reconheceu Irvine. — A trilha já estava fria demais e não havia forma de rastrear as cédulas até antes de recomeçarem a circular.

— Os bancos não tinham registros de quem as depositou? — perguntou Bronson.

Irvine balançou a cabeça.

— Os caixas não têm como saber disso, pois não listam os números de série — respondeu. — Isso é feito mais tarde pelos guarda-livros dos bancos. Quando nós fizemos a conexão, era tarde demais. Quem quer que tenha trocado as notas já foi esquecido há muito tempo.

Bronson voltou-se para Curtis:

— E sua procura pelo vagão de carga?

Curtis estava como se tivesse acabado de perder o cachorro da família.

— Desapareceu — respondeu desamparado. — A procura no pátio de manobras não mostrou nem sinal dele.

— Talvez ele tenha sido levado por um trem de carga que saiu da cidade — Bell sugeriu.

— Os trens de carga da Southern Pacific que partiram nos horários planejados na semana passada não têm declarações que incluam um vagão de carga da Fábrica de Móveis O'Brian.

— Está dizendo que ele não saiu do pátio de manobras?

— Exatamente.

— Então, por que é impossível encontrá-lo? — inquiriu Bronson. — Não pode ter desaparecido em pleno ar.

— O que posso dizer? — Curtis atirou as mãos para o alto. — Dois de nossos agentes e eu procuramos pelo pátio de manobras de cima a baixo. O vagão não está lá.

— Os despachantes da Southern Pacific sabem onde o vagão foi colocado da última vez que entrou na cidade? — Bell perguntou.

— Foi colocado em um ramal perto da doca de cargas de um depósito em desuso. Nós verificamos. Não estava lá.

Irvine acendeu um charuto e soltou uma nuvem de fumaça.

— Ele poderia ter sido acoplado a um trem sem que os despachantes soubessem?

— Impossível — Curtis retrucou. — Eles saberiam se um vagão fosse acoplado ao trem deles às escondidas. Os brequistas usam um formulário para listar os números de série de um trem na sequência em que os carros são acoplados. Assim, quando os vagões de carga cobertos chegam ao destino designado, podem ser facilmente desacoplados da traseira do trem antes que ele continue seu caminho.

— Talvez o bandido tenha decidido que o vagão deixou de ser útil e tenha mandado desmontá-lo e destruí-lo — disse Bronson.

— Acho que não — Bell respondeu, pensativo. — Meu palpite é de que ele simplesmente mandou pintá-lo com um novo número de série e mudou o nome para o de alguma outra empresa fictícia.

— Não fará nenhuma diferença — disse Curtis. — Ele não poderia usá-lo mesmo assim.

— O que quer dizer? — Bell perguntou.

— Só a Ferrovia Southern Rio Grande vai até Telluride.

— Mas o que o impedirá de pintar a insígnia dessa ferrovia sobre a da Southern Pacific?

— Nada. Exceto o fato de que seria perda de tempo. Os trens da Southern Rio Grande correm em bitolas estreitas. Os da Southern Pacific correm na bitola padrão, uns 30 centímetros mais larga. Não há forma de os trilhos acomodarem o vagão de carga do bandido.

— Que estupidez a minha — resmungou Bell. — Esqueci que só ferrovias de bitola estreita passam pelas Montanhas Rochosas.

— Não se sinta mal — disse Bronson. — Eu também não tinha pensado nisso.

Irvine acertou, frustrado, a mesa com o punho.

— Ele nunca cairá nessa sabendo que não pode escapar em seu vagão particular.

Bell deu um sorriso apertado.

— Ele tem suas forças, mas também tem suas fraquezas. Estou contando com ganância e ego dele, e seu senso de invencibilidade. Tenho certeza de que morderá a isca e tentará roubar o banco em Telluride. O desafio é grande demais para ele ignorar.

— Desejo-lhe sorte — disse Bronson. — Se alguém pode pegar o Assassino, essa pessoa é você.

— E quanto a você, Horace? Teve alguma sorte na procura pela arma do bandido?

— Nada encorajador — Bronson respondeu sombrio. — As novas compras de armas de fogo não precisam ser registradas. Tudo o que um comprador precisa fazer é botar o dinheiro no balcão e sair com a arma. Não conseguimos nada com os negociantes de armas. Mesmo se lembrassem quem comprou uma Colt .38 automática, não nos diriam o nome.

Irvine olhou vagamente para a parede, sem vê-la de fato.

— Parece, cavalheiros, que todas as nossas pistas duramente conquistadas levam a becos sem saída.

— Um retrocesso, sim — Bell murmurou suavemente. — Mas o jogo não terminou, não ainda. Ainda temos uma chance de vencer!

22

Cromwell sentou-se à mesa, tomando o desjejum e lendo o jornal da manhã. Dobrou a primeira seção em um artigo da primeira página e passou-a por sobre a mesa para Margaret sem nenhum comentário.

Ela leu, seus olhos passeando até se depararem com a história. Então, olhou para ele com ar zombeteiro.

— Pretende ir atrás disso?

— Achei muito tentador — ele respondeu. — É como se tivessem jogado uma luva a meus pés.

— O que sabe a respeito de Telluride?

— Só o que li. A cidade fica em um desfiladeiro. Tem um grande bairro da luz vermelha e Butch Cassidy roubou o Banco do Vale de San Miguel em 1889.

— Ele foi bem-sucedido?

Cromwell balançou a cabeça positivamente.

— Ele e sua gangue escaparam com mais de 20 mil dólares.

— Suponho que esteja pensando que, se ele conseguiu, você também consegue.

— Cassidy e seus comparsas fizeram um assalto amador e fugiram montados em cavalos — Cromwell disse pomposamente. — Meus métodos são mais científicos.

— Se Telluride fica em um desfiladeiro, só há um caminho para entrar e um para sair. Um destacamento policial teria tempo de parar o trem e vasculhar os vagões.

— Não posso usar meu vagão de carga mesmo. Terei que deixá-lo para trás.

— Não entendo.

— A ferrovia que passa por Telluride é a Southern Rio Grande. Os trilhos são de bitola estreita, próximos demais um do outro para meu vagão da Southern Pacific. Terei que encontrar outra forma de sair da cidade sem a ameaça de captura.

Margaret examinou a história outra vez.

— Não tenho um bom pressentimento quanto a isso — disse.

— Não considero pressentimentos. Trabalho com fatos concretos e me mantenho seguro levando em conta qualquer contingência, não importa quão pequena.

Ela o fitou por cima da mesa enquanto ele servia outra xícara de café.

— Você precisará de ajuda nesse trabalho.

Ele ergueu os olhos da xícara.

— O que tem em mente?

— Irei com você.

— E quanto à sua viagenzinha para Juneau, Alaska?

— Posso simplesmente adiá-la.

Cromwell considerou a questão por alguns momentos.

— Não posso colocá-la em risco.

— Você ainda não falhou — Margaret advertiu-o. — Mas, desta vez, precisará de mim.

Ele ficou em silêncio por um tempo. Então, sorriu.

— Eu realmente acredito que você viria mesmo se eu ordenasse que não viesse.

Ela riu.

— Alguma vez já me curvei às suas ordens?

— Nem mesmo quando éramos crianças — ele disse, lembrando-se. — Embora você seja dois anos mais nova, nunca consegui prevalecer.

— Está combinado, então. — Ela tocou os lábios com um guardanapo, limpando-os. — Estamos juntos neste trabalho.

— Você venceu. — Ele suspirou. — Mas espero não me arrepender de não a ter colocado em um navio para o Alaska.

— O que quer que eu faça?

Ele baixou o olhar para a mesa, como se observasse uma imagem abstrata, enquanto girava o garfo sobre a toalha da mesa.

— Pegue um trem para Colorado amanhã e depois faça uma conexão até Telluride.

Ela o encarou.

— Quer que eu vá antes de você?

Ele assentiu.

— Vou desviar de minha rotina. Em vez de passar um tempo me misturando aos locais e estudando as operações bancárias, você é quem fará isso. Sendo mulher, poderá conduzir um escrutínio sem levantar suspeitas.

— Uma mulher em Telluride? — ela refletiu. — Terei que me passar por prostituta.

— Melhor ainda, diga que é uma esposa abandonada cujo marido partiu para explorar as minas e desapareceu. Assim, ninguém suspeitará de você fazendo perguntas e bisbilhotando por lá.

— Mas, para viver e ter o que comer, terei que encontrar trabalho em um bordel.

— Faça como quiser — ele disse, resignando-se aos caprichos da irmã, como sempre.

— E você?

— Chegarei alguns dias depois, após verificar esse carregamento e firmar meus planos para o assalto e a fuga. — Ele parou e olhou para ela com um ar de amor fraternal. — Devo estar maluco para envolver você em uma aventura tão arriscada.

— Sou maluca também. — Ela riu alegremente. — Louca de excitação e com um desejo crescente de aventura! — Ela atirou para ele o olhar feminino como um gato faz quando está prestes a pular sobre um rato. — É claro que a ideia de agir como uma prostituta é uma atração que considero deliciosa.

— Poupe-me dos detalhes.

Então, ela subitamente ficou séria.

— E quanto a Isaac Bell?

Ele deu de ombros.

— O que tem ele?

— Parece estar em toda parte, talvez até em Telluride.

— Esse pensamento me passou pela cabeça, mas, uma vez que eu tenha verificado o carregamento de dinheiro, acredito que isso o elimine. Ele estará ocupado demais caçando fantasmas por toda São Francisco para aparecer do nada em Telluride.

— Acho mais fácil levantar esta casa com as mãos do que confiar nele.

Ele riu.

— Anime-se, querida irmã! Será como um passeio no parque, exatamente como os outros assaltos. Você verá.

23

O DIA DE PRIMAVERA estava fresco e revigorante quando Bell saiu do trem na estação da cidade e caminhou até a esquina da Rua Aspen com a Avenida Colorado, onde encontrou um edifício de madeira com três andares e uma placa na frente onde se lia PENSÃO DE MAMIE TUBBS. Ele carregava uma valise gasta e vestia um velho casaco de lã com colete e camisa de flanela por baixo. Sua calça era de algodão pesado, quase com consistência de lona. Botas que pareciam ter sido usadas para caminhar por milhares de quilômetros protegiam seus pés e um chapéu amarrotado Stetson, tipicamente usado por caubóis, assentava-se com solidez em sua cabeça. O disfarce fora embelezado com um cachimbo curvo estilo Dublin preso entre seus dentes. Bell também caminhava mancando pronunciadamente, como se sua perna esquerda fosse rija.

Entrou na sala da pensão e foi recebido por Mamie Tubbs, uma mulher alegre e tão redonda quanto uma pera enorme. O cabelo grisalho descia-lhe pelas costas em duas tranças e o rosto parecia um grande prato com um nariz no centro.

— Saudações, estranho — disse ela em uma voz tão profunda quanto a de um homem. — Procura um lugar para ficar?

— Sim, senhora — respondeu Bell educadamente. — Sou novo na cidade.

— Sete dólares por semana, incluindo refeições, desde que você esteja à mesa quando eu servir a comida.

Ele enfiou a mão em um bolso e pegou algumas notas dobradas e separou sete dólares.

— Aqui está, pagamento adiantado. Não tenho muito dinheiro, mas é o bastante para me virar por um tempo.

Ela notara que ele mancava quando entrou na sala.

— Veio procurar trabalho nas minas?

Bell deu um tapinha na própria perna.

— Meus dias nas minas acabaram quando me machuquei por causa de uma banana de dinamite mal colocada.

Ela o avaliou, desconfiada, começando a imaginar de onde os aluguéis futuros sairiam.

— Onde espera encontrar trabalho?

— Um amigo me arranjou um emprego como faxineiro no Hotel New Sheridan.

Ela sorriu.

— Não conseguiram arranjar um quarto no porão para você?

— Todas as camas lá estão tomadas pelos mineiros — Bell mentiu. Não tinha a menor ideia se mineiros dormiam no porão do hotel.

A figura de um mineiro aleijado, ele sabia, seria o suficiente para que Mamie Tubbs não saísse fofocando pela cidade a respeito de seu novo pensionista. Ela o levou até seu quarto, onde ele desfez a mala. Removeu uma toalha enrolada em torno de uma pistola automática Colt Browning Modelo 1905 calibre .45 com uma câmara de 20 tiros e uma coronha que se encaixava em uma fissura atrás do gatilho. Colocou a arma debaixo da cama, no entanto, manteve sua pequena e confiável Remington dentro do chapéu. Reforçou a tira presa em torno de seu joelho para que obstruísse os movimentos normais.

Depois do jantar de Mamie com carne ensopada, ele conheceu as outras pessoas que estavam hospedadas na pensão. A maioria era de mineiros, mas também havia alguns balconistas de lojas e um casal que estava abrindo um restaurante. Depois do jantar, Bell passeou pela Avenida Pacific e estudou o desenho da cidade.

Telluride — o nome supostamente vinha da expressão "to hell you ride", ou "cavalgue até o inferno" — passara a existir depois que fora encontrado ouro no Rio San Miguel. O ouro, assim como o minério de prata encontrado no alto das Montanhas San Juan, rapidamente atraíra um exército de exploradores e mineiros pelos 50 anos seguintes. Em 1906, havia mais milionários *per capita* em Telluride do que na cidade de Nova York.

Os mineiros cavaram por fim mais de 550 quilômetros de túneis dentro das montanhas das cercanias, algumas tão altas quanto 3.657 metros acima do nível do mar. A população passava dos 5 mil habitantes, e a excitante cidade logo transbordava de um estilo de vida louco e desenfreado, misturado com uma generosa dose de corrupção. Havia 36 *saloons* e 180 prostitutas para manter o exército de mineiros de bom humor depois de turnos de 12 horas nas minas de Silver Bell, Smuggler-Union e Liberty Bell a três dólares por dia.

Quando o Sol despencou atrás das montanhas e a escuridão chegou, uma fogueira de luzes se acendeu de cima a baixo pelas ruas. Em 1892, o proprietário de minas L. L. Nunn contratara o mago da eletricidade Nikola Tesla para construir a primeira instalação elétrica de corrente alternada para movimentar cabos que traziam minérios da montanha para baixo e levavam mineiros da cidade para cima. Depois de levar as linhas da estação elétrica até a cidade, Telluride tornara-se a primeira na história a ter postes de luz elétrica.

Bell caminhou, passando pelos notórios "estábulos" onde as prostitutas exerciam seus negócios. As casas de alta classe eram conhecidas como Senade e Silver Belle. A música escapava pelas janelas e podia ser ouvida da rua enquanto um pianista tocava *Dill Pickes Rag* e outras canções de *ragtime*. A rua era chamada de Popcorn Alley, ou o Beco da Pipoca, por causa do constante abrir e fechar de portas durante toda a noite.

Ele continuou pela Avenida Colorado em direção à parte principal da cidade e olhou para as janelas do Primeiro Banco Nacional de Telluride. No dia seguinte, ele se encontraria com o xerife da cidade e o gerente do banco para planejar uma recepção para o Assaltante Açougueiro, caso ele engolisse a isca e fizesse uma tentativa de assaltar o banco. Passou pelo velho Banco do Vale de San Miguel que Butch Cassidy roubara 17 anos antes.

A noite se tornara fria depois que o sol levara seu calor para além dos picos das montanhas. Bell notou que a altitude de 2.667 metros o fazia respirar mais fundo. Ele ignorou os *saloons* da rua principal e dirigiu-se para o Hotel New Sheridan.

Entrou no saguão e disse ao recepcionista que queria falar com o gerente. Em um minuto, um homem baixo de rosto rosado e cabeça calva saiu do escritório a passos rápidos, apressados, como um rato escapando de um buraco na parede. Ele deu um sorriso comum, mas não caloroso demais, enquanto media a aparência desalinhada de Bell.

— Lamento, todos os nossos quartos estão ocupados. O Sheridan está lotado.

— Não quero um quarto — respondeu Bell. — É o senhor Marshall Buckman?

O sorriso se endireitou e os olhos se estreitaram.

— Sim, sou Buckman.

— Sou Isaac Bell, da Agência de Detetives Van Dorn.

Os olhos de Buckman se arregalaram novamente e ele se curvou.

— Senhor Bell. Recebi seu telegrama. Permita-me dizer que o Sheridan irá cooperar de todas as formas possíveis.

— O mais importante de tudo — explicou Bell — é confirmar a qualquer um que pergunte que eu trabalho aqui como zelador.

— Sim, é claro — disse Buckman de forma condescendente. — Pode contar comigo.

— Obrigado, senhor Buckman. Agora, se não se importa, creio que tomarei o melhor uísque de seu bar.

— Servimos somente uísque de alta qualidade das melhores destilarias. Nenhuma bebida ordinária é tolerada no Sheridan.

Bell meneou a cabeça, concordante. Então, deu as costas a Buckman e seguiu em direção ao bar. Parou para ler uma placa listando as regras para os clientes do hotel.

Não atire no pianista, ele está fazendo o melhor que pode.
Não são permitidos cavalos acima do primeiro andar.
Não são permitidas mais que 5 pessoas em uma cama.
Funerais por conta da casa.
Camas, 50 centavos. Com lençóis, 75 centavos.

À porta, ele ficou de lado para dar passagem a uma dama loura cujo rosto estava escondido sob um chapéu de aba larga. Tudo o que pôde ver é que ela tinha uma bela figura.

Ela, ao contrário, não prestou atenção ao homem manco que passou por ela enquanto se dirigia à escada acarpetada que levava a seu quarto.

Muito mais tarde, Bell amaldiçoou-se por não ter reconhecido a loura — tanto quanto Margaret culpou-se por não ter identificado o homem manco até que fosse tarde demais.

24

Bell explicou a situação ao xerife Henry Pardee e ao gerente do banco, Murray Oxnard. Os três homens sentaram-se em torno de uma mesa tomando o desjejum servido pela esposa do xerife. A casa de Pardee ficava logo atrás de seu escritório e da cadeia. Ele foi até a porta, certificou-se de que estava trancada e puxou as cortinas para que ninguém pudesse vê-los lá dentro.

Bell estava impressionado com o xerife. Uma parede da sala tinha prateleiras com livros do chão até o teto, apinhadas de livros de Shakespeare, Platão, Voltaire, Bacon e Emerson, bem como vários volumes em latim. Bell nunca conhecera um oficial da lei de cidade pequena com tamanho gosto pela leitura.

Pardee passou a mão por uma grossa mecha de cabelos grisalhos e puxou o bigode desgrenhado.

— O que está dizendo, senhor Bell, é que acredita que o Assaltante Açougueiro vá atacar o banco de nossa cidade.

— Não posso afirmar com certeza — Bell replicou. — Mas, se ele for fiel à sua forma de agir, será atraído pelo grande pagamento que está sendo despachado para cá a partir do Primeiro Banco Nacional de Denver.

— Não sei de nenhum pagamento vindo para cá — disse Murray Oxnard. Era um homem alto e silencioso, com ombros largos e quadril estreito. Raramente sorria e sua face estava sempre paralisada em uma expressão severa.

— Não há pagamento nenhum — explicou Bell. — É só um truque para fazer com que o bandido apareça.

Pardee tamborilou na mesa com os dedos de uma mão.

— Se ele for tão esperto quanto eu ouvi, vasculhará os fatos e descobrirá que é tudo uma farsa.

— Não, senhor. — Bell balançou a cabeça. — Os diretores do banco em Denver foram instruídos a confirmar a história.

— Se posso perguntar — disse Pardee —, por que escolheu Telluride?

— Porque vocês estão em um desfiladeiro cuja única entrada e saída fica a oeste. A situação ideal para bloquear a fuga dele se não o prendermos durante a tentativa de assalto.

— Não gosto disso — disse Oxnard. — O bandido é conhecido por matar sem nem piscar. Não posso colocar meus empregados em risco, nem quero ter o sangue deles em minhas mãos.

— Não pretendo ter o senhor ou seus empregados no banco quando o assalto acontecer. Eu mesmo e outro agente da Van Dorn ocuparemos o banco. Outro agente vigiará os trens que chegam e saem, já que o bandido é conhecido por fugir da cena do crime usando um vagão de carga.

— E quanto aos meus clientes? — Oxnard insistiu. — Quem cuidará das transações deles?

— Meu agente e eu temos plena experiência em tocar adiante os negócios diários de um banco. Se o bandido se dirigir a uma cabine do caixa, estaremos prontos para ele.

— Sabe como é a aparência dele? — perguntou Pardee.

— A não ser pelo fato de que lhe falta o dedo mindinho da mão esquerda e que tem cabelo vermelho, não temos uma descrição.

— Isso é porque ele mata todos que possam identificá-lo. O senhor não tem muito com que trabalhar.

— Ainda não consigo me convencer a prosseguir com isso — disse Oxnard. — Um de meus clientes poderia estar no lugar errado na hora errada e receber um tiro.

— Tomaremos todas as precauções — disse Bell sobriamente. — Pode haver algum risco, mas esse bandido precisa ser detido. Ele já matou mais de 30 pessoas. Não se pode saber quantas mais morrerão antes que possamos capturá-lo e parar os assassinatos.

— O que posso fazer para ajudar? — Pardee perguntou, lançando um olhar gelado a Oxnard.

— Não patrulhe o banco com seus delegados, para não afugentar o bandido — respondeu Bell. — Fique alerta, fora das vistas se possível, mas esteja pronto para agir caso ele apareça. Combinaremos um sinal para quando ele fizer isso.

Embora Oxnard tivesse suas objeções à armadilha, Pardee já estava imaginando a notoriedade que receberia se o bandido fosse pego no ato sob sua jurisdição. No que lhe dizia respeito, o debate fora decisivo e agora estava acabado. Ele só tinha mais uma pergunta.

— Quando é que o suposto carregamento de dinheiro chegará?

— Amanhã — Bell disse a ele.

Oxnard olhou para ele de modo inquiridor.

— E quanto ao carregamento que já está no cofre do banco para fazer o verdadeiro pagamento?

— Deixe-o no cofre. Eu garanto, o bandido não o levará.

Pardee torceu as pontas do bigode.

— Já esteve em uma cidade mineradora em dia de pagamento, senhor Bell?

— Não tive esse privilégio, mas ouvi dizer que a coisa pode ser bem louca.

— É verdade — disse Oxnard com um sorriso frouxo. — A cada dia de pagamento, o inferno toma conta da cidade de um canto a outro.

Pardee sorriu da mesma forma.

— Sim, os "estábulos" ficarão ocupados até os mineiros terem gastado com uísque e jogos todo o seu dinheiro arduamente ganhado. — Ele parou por um momento e olhou para Bell. — Onde o senhor está ficando, caso eu precise entrar em contato?

— Estou na Pensão de Mamie Tubbs.

— Um bom lugar para passar despercebido — disse Oxnard. — Mamie é boa gente e boa cozinheira.

— Posso atestar que sim pelo ensopado — Bell disse bem-humorado.

Depois do desjejum, a reunião se encerrou. Bell e Oxnard agradeceram à senhora Pardee pela ótima refeição. Então, os três homens saíram e caminharam em direção à cidade e Pardee os deixou quando chegou a seu escritório. Bell foi com Oxnard até o banco para estudar a disposição interior do lugar.

O andar térreo era como o de milhares de outros bancos. O escritório do gerente ficava atrás da cabine dos caixas, que era fechada com vidro, exceto na área da frente. Essa seção do caixa era aberta entre barras estreitas. O cofre era grande e ficava em uma alcova ao lado do saguão. Bell descobriu que ficava fechado durante o horário de funcionamento do banco e abria apenas para retiradas ou quando todas as notas e moedas eram devolvidas, após o fechamento.

— O senhor não tem uma caixa-forte? — Bell perguntou a Oxnard.

— Não precisamos de uma. O dinheiro do pagamento normalmente vai para os mineiros sob guarda pesada no segundo dia após o carregamento chegar.

— Por que no segundo dia?

— Precisamos desse tempo para fazer uma contagem e verificar a quantia enviada pelo banco em Denver.

— Então, o bandido tem uma janela de oportunidade limitada.

Oxnard assentiu.

— Se ele vai fazer o negócio, terá que ser amanhã.

— O senhor viu ou já teve contato com algum depositante ou pessoa que simplesmente entrou no banco e depois saiu sem ter feito nada?

— Um novo superintendente da mina Liberty Bell abriu uma conta. — Ele parou para olhar para o teto, pensativo. — Depois, houve uma mulher muito atraente que abriu uma conta. Uma conta bem pequena. Muito triste.

— Triste?

— O marido dela a deixou em Iowa para tentar a sorte no Colorado. Ela nunca mais teve notícias dele. A última coisa que ouviu veio de um amigo, um condutor da ferrovia. Ele disse a ela que seu marido avisara que estava vindo para Telluride para trabalhar nas minas. Ela veio para cá para tentar encontrá-lo. Pobre moça. Provavelmente, ele foi um dos muitos homens que morreram nas minas.

— Gostaria de saber o nome do superintendente da mina — disse Bell —, para poder investigá-lo.

— Eu o pego para você. — Oxnard entrou em seu escritório e voltou em menos de um minuto. — O nome é Oscar Reynolds.

— Obrigado.

Oxnard encarou Bell.

— Não vai investigar a mulher?

— O bandido nunca trabalhou com uma mulher, nem com qualquer outro homem, aliás. Ele sempre comete os crimes sozinho.

— Muito bem. — Oxnard suspirou. — Pobrezinha. Ela abriu uma conta de apenas dois dólares. Para poder comer, ela provavelmente terá que trabalhar em um bordel, já que empregos para mulheres são escassos em Telluride. E os que existem já foram preenchidos pelas esposas dos mineiros.

— Só por segurança, vou querer o nome dela também.

— Rachel Jordan.

Bell riu suavemente.

— Dela o senhor se lembra — disse.

Oxnard sorriu.

— É fácil lembrar um nome com um rosto bonito.

— Ela disse onde estava hospedada?

— Não, mas só posso presumir que seja em um estábulo. — Ele lançou a Bell um olhar astuto. — Vai procurar por ela?

— Não — respondeu Bell pensativo. — Não acredito que uma mulher seja o Assaltante Açougueiro.

25

Margaret não estava levando uma vida de prostituta em um estábulo da Avenida Pacific. Estava vivendo com estilo no Hotel New Sheridan. Após abrir uma pequena conta em um banco da cidade para examinar a planta do lugar, seu número de empregados e onde se localizavam, bem como o tipo do cofre, ela foi de empresa em empresa mineradora para perguntar sobre um marido perdido que nunca existira. O esforço deu consistência à sua história e logo ela se tornou assunto de fofoca na cidade.

Ela chegou até mesmo a levar sua história falsa ao xerife Pardee, para ver que tipo de homem ele era cara a cara. A senhora Alice Pardee entrou no escritório quando Margaret estava pedindo ao xerife ajuda para encontrar o marido. Alice imediatamente lamentou por aquela mulher de vestido de algodão barato e desbotado, que derramava sua história de esposa abandonada procurando desesperadamente o homem que a deixara. Alice presumiu que Rachel Jordan estivesse morta de fome e convidou-a para jantar em sua casa. Margaret aceitou e veio com o mesmo vestido barato, comprado em São Francisco em um bazar de roupas usadas para os pobres.

Naquela noite, Margaret exibiu-se ajudando Alice Pardee na cozinha, no entanto, ficou óbvio para a esposa do xerife que aquela mulher não ficava à vontade trabalhando no fogão. Alice serviu uma refeição caseira de carne de carneiro, batatas cozidas e vegetais ao vapor, coroada por uma sobremesa de torta de maçã. Depois do jantar, o chá foi servido e todos se acomodaram na sala, onde Alice tocou algumas melodias em um velho piano de armário.

— Diga-me, senhora Jordan — Alice pediu, parando para virar a página da partitura —, onde está hospedada?

— Uma boa mulher, a senhorita Billy Maguire, me contratou como garçonete na pensão para moças.

Pardee e sua esposa trocaram olhares dolorosos. Alice suspirou.

— Big Billy é a dona do bordel Silver Belle — disse. — A senhora não sabia disso?

Margaret fingiu estar encabulada.

— Eu não tinha ideia.

Alice engoliu a mentira de Margaret. Pardee, não. Ele sabia que não havia jeito de uma mulher falhar em reconhecer a diferença entre uma pensão e um bordel. O germe da suspeita começou a crescer em sua mente, no entanto, sua esposa estava tomada de compaixão.

— Pobrezinha — ela disse, colocando um braço em torno de Margaret. — Não ficará no Silver Belle nem mais um minuto. Ficará aqui conosco até encontrar seu marido.

— Mas ele pode não estar em Telluride — Margaret objetou, como se prestes a chorar. — Então, terei que ir embora. Não quero incomodá-los.

— Bobagem — disse Alice. — Vá agora mesmo falar com Big Billy e traga suas coisas para cá. Arrumarei a cama extra para você.

Margaret cumpriu seu papel, derramando algumas lágrimas.

— Como poderei lhes agradecer? Como poderei compensá-los?

— Nem pense nisso. Henry e eu ficamos felizes em ajudar uma pobre alma aflita. É a atitude cristã a tomar.

Enquanto bebericava seu café, Margaret levou a conversa para o trabalho de Pardee como xerife.

— Sua vida deve ser excitante — ela disse. — Telluride parece uma cidade desinibida. O senhor deve viver bem ocupado.

— Os mineiros podem ser muito brigões às vezes — Pardee concordou —, mas crimes sérios como assassinatos não acontecem senão a cada seis meses. Tudo tem estado em paz desde o fim das greves do sindicato dos mineiros, dois anos atrás, quando o governador mandou o exército conter os tumultos.

Margaret fora lenta e decidida em suas respostas às perguntas de Pardee sobre seu marido desaparecido. Por sua vez, fazia perguntas gerais sobre a cidade e as minas.

— Deve haver muito dinheiro passando pelo banco para as companhias mineradoras — ela disse casualmente.

— Os pagamentos podem chegar a somas consideráveis — Pardee assentiu.

— E o senhor não tem medo de assaltantes e ladrões? — ela perguntou inocentemente.

— Os mineiros são gente confiável que raramente se mete em crimes. Exceto pelas brigas ocasionais nos *saloons*, ou alguma morte quando uma rixa sai do controle, a cidade é bem tranquila.

— Quando eu estava no banco, vi que o cofre parecia muito forte e seguro.

— É forte, sim — respondeu Pardee, acendendo seu cachimbo. — Cinco bananas de dinamite não poderiam arrombá-lo.

— E o gerente do banco é o único que sabe a combinação?

Pardee estranhou que uma pergunta como aquela viesse de uma mulher, entretanto respondeu sem hesitar:

— Na verdade, as trancas são programadas para abrir às 10 horas toda manhã. Às 3 horas da tarde, o gerente fecha a porta e ajusta o relógio.

— Uma pessoa no Silver Belle me disse que Butch Cassidy roubou o banco local.

Pardee riu.

— Isso foi muito tempo atrás! Não temos nenhum assalto a banco desde então.

Margaret não queria pressioná-lo demais, mas havia informações de que precisava para que seu irmão fosse bem-sucedido no assalto.

— E o pagamento dos mineiros? É levado diretamente às companhias mineradoras quando chega?

Pardee balançou a cabeça e seguiu contando a história de Bell:

— O pagamento chegou hoje e foi diretamente para o banco. Amanhã ele será contado e enviado para as minas no dia seguinte.

— E há guardas extras no banco para proteger o dinheiro?

— Não há necessidade — respondeu Pardee. — Quem quer que tente roubar o banco não conseguirá ir muito longe. Com as linhas de telégrafo correndo ao lado dos trilhos da ferrovia, oficiais da lei por toda a região seriam alertados e destacamentos se formariam para esperar os assaltantes quando tentassem escapar.

— Então, seria impossível um crime como esse ser bem-sucedido.

— Creio que sim — Pardee respondeu, confiante. — Não há chance de sucesso.

Margaret deixou a casa dos Pardee e caminhou em direção ao Silver Belle. Assim que ficou fora das vistas, correu pelo beco até o Hotel New Sheridan para empacotar suas escassas roupas. Estava satisfeita consigo mesma. Não conseguia acreditar na sorte que tivera. Ficar com o xerife e a esposa dele lhe daria acesso à maior parte da cidade. Quando o irmão dela chegasse, ela teria informação suficiente para ele planejar um crime à prova de falhas.

O único problema era o paradeiro de Jacob. Até onde ela sabia, ele não tinha chegado à cidade e o dia seguinte seria o único dia em que os pagamentos poderiam ser roubados antes de irem para as minas para serem distribuídos aos mineiros.

Começou a se sentir extremamente apreensiva.

26

Na manhã seguinte, uma mulher de cabelos negros conduzia uma pequena e ágil carroça puxada por um cavalo cinzento e malhado pela estrada que levava a Telluride. A estrada saía da comunidade rural de Montrose, um terminal ferroviário da Ferrovia Southern Rio Grande. Ela chegara de Denver e alugara veículo e cavalo no estábulo local. Vestia uma longa saia de camurça sobre um par de botas de couro pontudas. A parte de cima de seu tronco estava coberta por um suéter verde de tricô sob um casaco de pele de lobo. Um chapéu de caubói de copa achatada de estilo feminino assentava-se sobre sua cabeça. Estava bem-vestida para o Oeste, entretanto sem ostentação.

Ela veio pela Avenida Colorado, passou pelo Tribunal do Condado de San Miguel e fez o cavalo parar em frente ao estábulo da cidade. Desceu da carroça e amarrou o cavalo a um poste. O proprietário do estábulo apareceu e ergueu o chapéu.

— Boa tarde, senhora. Posso ajudá-la?

— Sim, gostaria de saber se o senhor poderia, por favor, dar água e comida a meu cavalo. Preciso pegar a estrada de volta a Montrose esta tarde.

— Sim, senhora — respondeu educadamente o proprietário do estábulo, levemente surpreso pela voz que possuía uma gentil rouquidão. — Vou cuidar do animal. Aproveito para endireitar suas rodas da frente. Parecem meio soltas.

— É muita gentileza sua, obrigada. Ah, e a propósito, minha irmã virá pegar a carroça e pagar ao senhor.

— Sim, senhora.

A mulher deixou o estábulo e caminhou por um quarteirão até o Hotel New Sheridan. Aproximou-se do recepcionista e perguntou:

— Há uma senhorita Rachel Jordan registrada aqui?

O recepcionista balançou a cabeça, fitou a mulher, notando que era atraente, e respondeu:

— Não, senhora, ela foi embora noite passada. — Ele parou, virou-se e tirou um envelope de uma caixa de correspondências e chaves. — Mas ela pediu que, se alguém perguntasse por ela, eu entregasse isso.

A mulher agradeceu ao funcionário, saiu para a calçada, abriu o envelope e leu a nota. Enfiou-a na bolsa e começou a caminhar pela cidade. Depois de um rápido passeio, chegou ao Cemitério Lone Tree, em uma colina ao norte do Rio San Miguel. Passou pelo portão e caminhou entre as lápides, notando que a maioria dos falecidos morrera de acidentes em minas, quedas na neve e pneumoconiose das minas.

Uma bela mulher loura estava sentada em um banco ao lado de um túmulo, inclinada ao sol. Pelo canto do olho, ela percebeu a aproximação da outra mulher. Sentou-se ereta e encarou a intrusa, que parou e olhou para ela. Margaret começou a rir.

— Meu Deus, Jacob! — disse finalmente, arfando. — Esse é o disfarce mais engenhoso que você já criou!

Cromwell sorriu.

— Imaginei que você aprovaria.

— Que bom que você é baixo, magro e firme.

— Não sei por que nunca pensei nisso antes. — Ele juntou desajeitadamente a saia de camurça e sentou-se no banco ao lado de Margaret. — Diga-me, irmã querida, o que descobriu desde que chegou aqui?

Margaret contou a ele como se tornara amiga do xerife e de sua esposa. Entregou a ele um esboço que fizera do interior do Primeiro Banco Nacional de Telluride e uma descrição dos empregados. Seu relatório incluía a chegada do carregamento de dinheiro do banco em Denver e a contagem feita hoje, antes que fosse enviado às minas no dia seguinte.

Cromwell olhou para o relógio.

— Temos mais uma hora antes de o banco fechar. A melhor hora para retirar o dinheiro e deixar a cidade.

— Vi um homem parado à toa na estação de trem. Não sei dizer com certeza, mas suspeito que possa ser um agente da Van Dorn à sua procura.

Cromwell pareceu pensativo.

— Mesmo que a Van Dorn envie agentes para vigiar as chegadas e partidas dos trens durante o transporte do pagamento, estão apenas caçando um fantasma. Não há nenhuma forma de saberem onde atacarei a seguir.

— Se estiverem de olho no seu vagão de carga, foi bom você ter mandado pintá-lo. — Ela olhou para ele de forma zombeteira. — Como exatamente você espera fazer uma fuga perfeita depois que roubar o banco?

Cromwell sorriu vorazmente.

— Quem suspeitaria de duas damas distintas e atraentes saindo lentamente da cidade com um cavalo e uma carroça?

Ela colocou o braço ao redor dos ombros dele.

— O plano mais simples é o melhor. Você é brilhante, irmão. Nunca deixa de me impressionar.

— Aprecio o elogio — ele disse, ficando de pé. — Não temos muito tempo. O pagamento nos espera.

— O que gostaria que eu fizesse?

— Vá para o estábulo e pegue o cavalo e a carroça. Eu disse ao dono do estábulo que minha irmã passaria por lá para pegar o veículo e pagar. Então, espere na porta de trás do banco.

* *

ENQUANTO CURTIS OBSERVAVA a estação de trem e o pátio de manobras da cidade, Bell e Irvine ocupavam o Banco de Telluride. Sentado no escritório de Murray Oxnard, Bell começou a pensar que havia apostado no cavalo errado. Faltavam apenas dez minutos para a hora do fechamento e nem sinal do bandido. Fazendo o papel de funcionário do caixa, Irvine estava se preparando para fechar sua caixa registradora, antecipando a espera pelo último cliente.

Bell olhou para a Colt automática calibre .45 que mantinha em uma gaveta aberta da mesa e lamentou o fato de que não poderia usá-la no

Assaltante Açougueiro. Estourar a cabeça do desgraçado era bom demais para ele, Bell meditou. Bom demais para quem já havia matado tantas pessoas inocentes. A morte dele pouparia aos contribuintes as despesas de um julgamento. Agora, Bell era confrontado pela admissão da derrota e da ideia de ter que começar tudo de novo a partir das magras pistas que ele e seus agentes haviam desencavado.

Irvine foi até a porta do escritório e apoiou o ombro no batente.

— Não posso negar que foi uma bela tentativa — disse com a voz apertada.

— Parece que o bandido falhou em morder a isca — Bell disse lentamente.

— Talvez ele não tenha lido o artigo no jornal porque não vive em São Francisco.

— Está começando a parecer que sim.

Nesse exato momento, a porta se abriu e uma mulher trajando saia de camurça entrou no banco, o chapéu puxado para baixo, cobrindo-lhe os olhos. Bell olhou além de Irvine, mas relaxou ao ver o que parecia ser uma mulher bem-vestida. Ele balançou a cabeça para Irvine, que voltou à sua cabine e disse:

— Como posso ajudá-la, senhora?

Cromwell ergueu a cabeça levemente para poder olhar o rosto de Irvine. Então, com uma pontada de alarme, ele enrijeceu, lembrando-se instantaneamente do agente da Van Dorn como um dos homens que estavam sentados com Bell e Bronson na sala de jantar do Clube Bohemian poucos dias antes. Ele não respondeu a Irvine por medo de que sua voz o entregasse. Cromwell ficou carregado de tensão ao perceber que era uma armadilha. Houve uma pausa enquanto ele abaixava a cabeça, sua mente correndo entre alternativas. Sua vantagem era que o agente não o reconhecera vestido como mulher, e não estava alerta ao fato de que o bandido estava a menos de 1,50 metro dele, do outro lado do balcão.

Ele poderia balear o agente e levar o dinheiro que tivesse no cofre ou poderia simplesmente virar-se e sair do banco. Escolheu a última opção e estava prestes a bater em rápida retirada quando Bell saiu do escritório. Cromwell reconheceu Bell imediatamente. Pela primeira vez em sua carreira criminosa, ele sentiu uma ponta de pânico.

— Como posso ajudá-la, senhora? — Irvine repetiu, vagamente imaginando por que a mulher não lhe respondera da primeira vez.

Bell já estava olhando para ele com uma expressão questionadora no rosto, como se a cliente parecesse familiar. Ele era um mestre da identificação e tinha memória fotográfica. Seus olhos traíram o fato de que ele estava tentando lembrar de onde a conhecia. Então, seu olhar baixou para as mãos de Cromwell, que estavam cobertas por luvas de couro. Abruptamente, como se tivesse visto uma aparição, percebeu que estava olhando para o bandido. A ideia o acertou como um golpe de martelo na cabeça. Os olhos de Bell se arregalaram e ele arfou:

— Você!

Cromwell não desperdiçou nem mais um segundo. Enfiou a mão em sua grande bolsa e tirou sua Colt .38, que tinha um pesado tecido enrolado em torno do bocal. Sem a menor hesitação, ele apontou a Colt para o peito de Irvine e puxou o gatilho. Um baque alto reverberou no saguão do banco. Então, ele virou o cano e atirou em Bell antes que Irvine atingisse o chão como uma boneca de pano.

Se Bell não tivesse girado instintivamente e jogado o corpo por cima da mesa, caindo no chão atrás dela, a bala o teria acertado em cheio no estômago. O salto violento o salvou, entretanto a bala ainda passou raspando pela sua coxa. Ele mal sentiu o golpe lancinante. Em um só movimento, alcançou e agarrou sua Colt na gaveta da mesa. Sem hesitar, disparou contra Cromwell um tiro, mas errou o pescoço do bandido por menos de dois centímetros.

Então, mais rápidos que um relâmpago, ambos os homens dispararam novamente, os tiros saindo tão próximos que soaram como um.

A segunda bala de Cromwell cavou uma pequena trincheira na lateral da cabeça de Bell, mal ferindo a pele, mas atingindo o crânio. A visão de Bell tornou-se uma névoa borrada e ele caiu na fossa negra da inconsciência. O sangue rapidamente vazou da ferida e cobriu o lado de sua cabeça. Não fora uma ferida decisiva, mas para Cromwell, que estava de pé, parecia que ele havia destruído metade da cabeça de Bell.

O bandido não escapou à luta incólume. A bala de Bell pegara na cintura de Cromwell, entretanto atravessara o corpo sem atingir nenhum órgão interno. Ele oscilava; esticando o braço e apoiando-se na borda da cabine do caixa, ele evitou cair no chão. Ficou ali por alguns instantes, combatendo a dor. Então, virou-se e destrancou a porta dos fundos, dando passagem a Margaret, que entrou de supetão.

— Ouvi tiros lá de fora! — ela gritou, chocada. — O que deu errado?

— Era uma armadilha — ele murmurou enquanto a raiva substituía o medo. Pressionando o ferimento com uma mão, gesticulou com o cano da Colt em direção ao chão do escritório. — Eu matei Isaac Bell.

Margaret entrou no escritório e olhou para baixo, vendo o agente da Van Dorn ensanguentado. Um ar de horror tomou seus olhos quando ela reconheceu Bell, apesar de o sangue cobrir a maior parte do rosto dele.

— Ah, meu Deus! — Ela sentiu que estava ficando enjoada, mas a náusea logo passou quando se virou e viu que seu irmão também estava sangrando. — Você está ferido! — ela arfou.

— Não estou tão mal quanto pareço — ele retrucou por entre os dentes cerrados.

— Temos que sair daqui. Os tiros trarão o xerife e metade da cidade.

Margaret carregou, meio que arrastando, o irmão ferido pela porta dos fundos do banco. Do lado de fora, o cavalo e a carroça aguardavam. Ela usou toda a sua força para empurrá-lo para o assento do carro, desamarrou o cavalo do mourão da cerca e subiu a bordo.

Ergueu o chicote para colocar o cavalo a galope, mas o irmão agarrou seu pulso.

— Não — disse. — Vá devagar, como se fôssemos duas mulheres passeando por aí de carroça. Levantaremos suspeitas se sairmos correndo da cidade.

— O xerife é um homem esperto. Eu o conheço. Não se deixará enganar facilmente.

— Nem um homem esperto suspeitaria que uma mulher roubou um banco e matou dois homens — resmungou Cromwell.

No final do beco, Margaret virou a carroça para uma rua ao lado e seguiu para os limites da cidade a oeste. Cromwell tirou o casaco de pele de lobo e enrolou-o no colo para cobrir o sangue que ensopara seu suéter. Fez a Colt deslizar para dentro de uma de suas botas de caubói e encostou-se no assento, tentando manter a mente lúcida ao ignorar a dor palpitante ao seu lado.

**

Bell informara o xerife Pardee que dispararia um tiro como sinal de que o bandido fizera sua aparição. No entanto, Pardee soube que havia problemas quando ouviu cinco tiros, alguns deles abafados como uma distante carga de dinamite em uma mina da região. Saiu às pressas da loja de ferragens na qual estivera escondido, temendo que a mulher que ele vira entrar no banco tivesse sido baleada pelo bandido.

Ao vê-lo correr em direção ao banco, quatro de seus agentes saltaram de seus esconderijos e correram atrás dele, enquanto um quinto policial partia para a estação ferroviária para alertar Curtis. Com seu revólver Smith & Wesson de ação simples na mão e engatilhado, Pardee irrompeu pela porta do banco. Primeiro, não viu ninguém. Irvine estava deitado fora de sua vista, atrás da cabine do caixa, e Bell estava caído do outro lado da mesa. Então ele contornou a cabine e viu o agente da Van Dorn esparramado no chão em meio a uma poça de sangue. Verificou se Irvine estava realmente morto e depois entrou no escritório e encontrou Bell.

— Ele já era? — perguntou um dos policiais, um grande urso em forma de homem com um estômago imenso projetando-se por cima da calça com suspensórios esticados até o limite, que estava parado com uma escopeta de cano serrado a postos.

— A bala só arranhou o crânio dele — respondeu Pardee. — Ainda está vivo.

— E quanto à mulher?

Por um momento, a mente de Pardee não registrou a informação. Então, ela voltou a funcionar.

— A mulher que entrou no banco antes dos tiros?

— Essa mesma.

— Deve ter sido abduzida pelo bandido.

— Mas não vimos ninguém mais entrar no banco, nem antes nem depois dela.

Pardee ficou de pé, confuso e descrente. Precisava de toda a sua imaginação para acreditar que uma mulher era o Assaltante Açougueiro.

— O bandido deve ter entrado pela porta dos fundos.

— Não sei, não, xerife — disse o policial, coçando o queixo. — A porta deveria estar trancada pelo lado de dentro, como sempre está.

Pardee lançou-se em direção à porta dos fundos e encontrou-a destrancada. Abriu-a e olhou para um lado e para outro do beco, mas não viu ninguém.

— Fogo do inferno! — resmungou. — Ela escapou!

— Não irá muito longe — disse o policial.

— Reúna os homens! — disparou Pardee. Aproximou-se de outro policial, que estava parado na entrada do banco. — Chame o doutor Madison. Diga a ele que o agente da Van Dorn tem um ferimento na cabeça e que ele deve vir para o banco já. — Pardee ajoelhou-se e rapidamente examinou Bell outra vez. — Diga a ele também que parece haver uma bala na perna do agente.

O policial mal saíra e Pardee partiu também, correndo em direção a seu cavalo, que estava amarrado a um poste em frente a seu escritório. Parecia impossível, pensou, que tudo tivesse dado tão terrivelmente errado. Só então começou a lhe ocorrer que o bandido era um homem disfarçado de mulher e que a pobre viúva que ele e sua esposa haviam acolhido era uma cúmplice.

* *

Assim que deixaram os limites da cidade de Telluride e passaram pela estrada que levava às minas de Ophir no sul, Margaret chicoteou o cavalo e instou-o a correr pelo desfiladeiro e pela estrada, dirigindo-se para Montrose, a oeste. Durante os dez minutos após deixarem o banco, Cromwell tivera tempo para pensar. Apontou para um espaço entre as árvores que levava a uma ponte sobre o Rio San Miguel. Era uma estrada de acesso semicoberta pela vegetação, usada por equipes de manutenção da ferrovia que vinham reparar os trilhos.

— Saia da estrada — Jacob disse a Margaret. — Passe por cima da ponte e vá em direção aos trilhos.

Ela se virou e olhou para ele.

— Pensei que você havia dito que eles nunca suspeitariam de duas mulheres em uma carroça.

— Isso foi antes de me ocorrer que o xerife e seus agentes estavam vigiando o banco.

— Isso nem precisava ser dito. Mas o que isso tem a ver com nossa fuga?

— Você não vê, querida irmã? Fui a última pessoa a entrar no banco e não saí. Se o que você diz é verdade, Pardee não é nenhum tolo. A esta hora ele deve ter somado dois e dois e está procurando por nós dois. Mas nunca pensará em nos procurar nos trilhos do trem. Ele se certificará de vigiar a estrada.

— E, se ele não nos encontrar, o que acha que fará, então?

— Ele voltará, achando que nos escondemos entre as árvores enquanto ele e seu destacamento passavam por lá. Nessa hora, estaremos em um trem saindo de Montrose, vestidos como dois homens.

Como sempre, a astúcia de Cromwell estava quilômetros à frente de seus perseguidores. Embora estivesse desanimado porque Bell lhe passara a perna ao criar uma armadilha muito bem pensada, ganhara uma certa dose de satisfação por acreditar que matara o famoso agente da Van Dorn.

Exatamente como ele previra, o xerife e seu destacamento partiram pela estrada que não era visível dos trilhos entre as árvores e, sem encontrar nenhum sinal de sua presa, voltaram para Telluride. O caminho por cima dos trilhos era cheio de solavancos, entretanto valia o esforço por saber que Pardee fora enganado e terminaria de mãos vazias.

27

Bell foi levado ao Hospital de Telluride, onde foi tratado pelo médico da cidade. A primeira bala da arma de Cromwell entrara e saíra de sua coxa, causando pouco dano ao tecido. O médico disse que a ferida se curaria dentro de um mês. Fechou o ferimento no escalpo com pontos, costurando a fenda tão bem quanto um alfaiate remendando o bolso rasgado de um terno.

Depois de ignorar as exigências do médico para que ficasse no hospital por alguns dias, Bell mancou até a estação para tomar o primeiro trem para Denver. Usando um chapéu para cobrir a bandagem em torno da cabeça, ele e Curtis observaram com raiva e tristeza enquanto o caixão que continha Irvine era erguido até o vagão de bagagem pelos agentes do xerife Pardee. Então, Bell se virou e estendeu a mão para Pardee.

— Xerife, não sei como lhe agradecer por sua cooperação. Estou muito grato.

— Sinto muito por seu amigo — Pardee disse sinceramente, apertando a mão de Bell. — Ele tinha família?

— Felizmente, nem mulher nem filhos, mas vivia com a mãe idosa.

— Pobre alma. Suponho que irá para o asilo do condado.

— Ela será acolhida em uma boa casa de repouso.

— Uma boa casa de repouso não sai barato. Irvine tinha dinheiro?

— Não — respondeu Bell —, mas eu tenho.

Pardee conteve outras perguntas.

— Se ao menos as coisas tivessem saído do nosso jeito — disse.

— Nossos planos benfeitos de fato resultaram em um fiasco — admitiu Bell, vendo a porta do vagão bagageiro se fechar após a entrada do caixão. — O bandido me fez de tolo.

— Não foi culpa sua — disse Pardee. — Ele enganou a todos nós, e eu fui o maior dos tolos. Agora tenho certeza de que a viúva destituída que minha esposa e eu acolhemos agiu em parceria com ele. Eu deveria ter suspeitado quando ela ficou me pedindo informações sobre as operações do banco.

— Mas você não contou a ela que estávamos preparando uma armadilha. Cromwell nunca teria entrado no banco se suspeitasse disso.

Pardee meneou a cabeça.

— Eles engoliram nossa história. Se ao menos soubéssemos que ele se vestiria de mulher, não teríamos pensado duas vezes antes de atirar nele como o cachorro que é.

— De acordo com os relatórios dos outros assaltos, ele nunca se vestiu de mulher.

— Mesmo que a armadilha não tenha dado certo, eu e meu destacamento deveríamos tê-los capturado. Eu, estupidamente, pensei que ficariam na estrada. Não me passou pela cabeça que eles usariam os trilhos da ferrovia como rota de fuga até ser tarde demais. Na hora em que percebi como me passaram a perna, eles já estavam bem longe.

— As listas de passageiros do trem foram verificadas em Montrose?

— Telegrafei ao encarregado da estação, mas eles já tinham saído do trem em Grand Junction — respondeu Curtis. — Ele não se lembrava de ter visto duas mulheres embarcando, mas notou dois homens. Disse que um parecia estar doente.

— Havia sangue no encosto do banco — disse Pardee com um sorriso apertado. — Você deve ter metido uma bala nele.

— Não grave o suficiente para detê-lo — Bell resmungou em voz baixa.

— Telegrafei ao delegado do território. Ele mandou policiais vasculharem todos os trens indo para leste e oeste, mas não achou nenhum rastro de duas mulheres viajando juntas.

Bell se apoiou em uma bengala dada a ele por Pardee.

— Estou começando a entender como a mente do bandido trabalha. Ele voltou a usar roupas de homem e vestiu a irmã como um homem também. O delegado, procurando por duas mulheres, nem suspeitou deles.

— Um homem esperto, esse Cromwell.

— Sim — admitiu Bell —, isso ele é.

— Para onde vocês vão daqui? — perguntou Pardee.

— Para Denver. E começaremos tudo de novo.

— Mas agora vocês sabem o nome e os hábitos do bandido.

— Sim, mas será impossível incriminá-lo assim. Nenhum procurador perderia tempo fazendo uma acusação com evidências tão inconsistentes.

— Vocês o pegarão — Pardee disse confiante.

— Trabalharemos ainda mais duro agora que temos uma razão pessoal para enforcá-lo — disse Bell.

* *

Quando Bell e Curtis chegaram a Denver, tarde da noite, um carro funerário estava esperando para levar Irvine ao necrotério local.

— Ele era meu amigo mais próximo — disse Curtis. — Consolarei a mãe dele e arranjarei tudo para o funeral.

— Obrigado — Bell disse. — Eu cuidarei dos custos.

Bell tomou um táxi para o Hotel Brown Palace. Entrando em sua suíte, tirou a roupa e relaxou em uma banheira com água quente, apoiando a perna ferida na borda para evitar que a bandagem molhasse. Fechou os olhos e deixou sua mente vagar pelos eventos dos últimos dias. Agora sabia que a mulher pela qual passara no Hotel New Sheridan era Margaret Cromwell. Quando o irmão dela entrara no banco pela porta da frente, ela estava esperando na dos fundos com um cavalo e uma carroça. A imagem de Cromwell disfarçado de mulher o enojava, mas não conseguia deixar de respeitar a mente astuta e calculista do Assaltante Açougueiro. Evitar o destacamento do xerife Pardee simplesmente levando a carroça para os trilhos da ferrovia fora um golpe de gênio.

Primeiro, Bell pensara que Cromwell não abusaria da sorte tentando outro assalto. A possibilidade parecia extremamente remota, mas, como fizera com todos os criminosos que já capturara, ele começou a invadir a mente de Cromwell. Treinou-se para pensar como o bandido. Quanto mais pensava sobre isso, mais se convencia de que Cromwell acreditava ser invencível e imune a qualquer investigação feita por oficiais da lei, especialmente os agentes da Van Dorn.

O passo seguinte precisaria ser cuidadosamente planejado. Sua mente estava considerando alternativas para acumular evidências suficientes para prender Cromwell quando ele ouviu alguém bater na porta. Favorecendo a perna boa e lutando contra uma breve tontura causada pelo ferimento em sua cabeça quando ficou de pé, Bell saiu desajeitadamente da banheira, vestiu um robe e mancou até a porta. Depois de abri-la, ficou surpreso em ver Joseph Van Dorn parado no corredor.

Van Dorn olhou para a bandagem em torno da cabeça de Bell, que deixara vazar uma mancha vermelha, e deu um sorriso apertado.

— Você está de dar pena — disse.

— Entre, senhor, e fique à vontade.

Van Dorn avaliou seu agente ferido. Estava preocupado, mas se esforçou para parecer indiferente.

— Está doendo muito?

— Nada que aspirinas não resolvam.

Van Dorn entrou na suíte e olhou à sua volta.

— Gosto de um agente que viaja em grande estilo quando não sou eu quem paga.

— Posso chamar o serviço de quarto e pedir algo para o senhor comer ou beber?

— Não, obrigado. — Van Dorn dispensou com um aceno de mão. — Comi no trem vindo de Chicago antes de chegar a Denver. Mas uma taça de vinho do Porto cairia bem.

Bell telefonou para o serviço de quarto passando o pedido de Van Dorn e pendurou o fone no gancho.

— Não esperava que o diretor viajasse milhares de quilômetros só para me ver.

— Esta reunião não é apenas apropriada, mas vital para a investigação. — Van Dorn afundou em uma poltrona. — Prefiro um relatório detalhado do que poucas palavras em um telegrama. Agora, conte-me o que aconteceu em Telluride e não deixe nada de fora.

— A maior parte do que posso lhe contar deu errado — Bell disse amargamente.

— Não se culpe — Van Dorn o consolou. — Gostaria de ganhar um dólar por cada plano que concebi que deu errado.

Um garçom trouxe a taça de vinho do Porto e Bell passou os 40 minutos seguintes atualizando Van Dorn quanto ao esquema para pegar o Assaltante Açougueiro e como Cromwell virara o jogo com ele e o xerife Pardee. Falou do assassinato de Irvine e de seus próprios ferimentos, terminando com seu despertar no Hospital de Telluride.

Quando Bell acabou, Van Dorn perguntou:

— Tem certeza de que Jacob Cromwell é o Assaltante Açougueiro?

— O disfarce dele foi um trabalho de gênio e Irvine e eu fomos pegos desprevenidos. Mas não há dúvida em minha mente de que Cromwell era a pessoa que reconheci usando roupas de mulher no banco. Tanto Pardee como eu também identificamos a irmã dele, Margaret, que estava na cidade para ajudá-lo a roubar o banco.

Van Dorn apanhou um porta-charutos no bolso do colete, tirou um corona e acendeu-o com um palito de fósforo aceso com a unha de seu polegar.

— Não faz sentido — disse. — Se Cromwell é rico, possui um banco com ativos na faixa dos milhões e vive em Nob Hill, em São Francisco, o que é que ele ganha arriscando tudo para desfiar esse rosário de assaltos e mortes?

— Pelo que consegui entender, o dinheiro que ele roubou foi usado para compor os ativos do banco.

— Mas por que agora, quando ele está financeiramente seguro e o banco, bem estabelecido? Por que continuar com a farra criminosa?

Bell olhou pela janela o céu azul acima da cidade.

— A resposta simples é que o homem é louco. Criei um perfil dele em minha mente. Tenho certeza de que ele rouba e mata porque gosta. O dinheiro não é mais seu objetivo. Perdeu a importância. Como um homem viciado em uísque ou ópio, ele tem o impulso de causar confusão e morte.

Acredita que é intocável pela lei. Em sua mente, ele é invencível e considera cada ato criminoso um desafio para levar a melhor sobre a lei.

— Você tem que admitir — disse Van Dorn, soprando um grande anel de fumaça pelo recinto —, até o momento, ele tem se saído muito bem em fazer com que nós e cada oficial da justiça a oeste do Mississippi pareçamos um bando de amadores.

— Cromwell não é infalível. É humano e humanos cometem erros. Quando isso acontecer, eu pretendo estar lá.

— Para onde vai quando sair daqui?

Bell fez uma careta.

— Gostaria que todo mundo parasse de me perguntar isso.

— Então?

O olhar de Bell estava focado e calmo quando ele encarou Van Dorn.

— Voltarei a São Francisco para criar um caso contra Cromwell.

— Pelo que você me disse, não será fácil. Você tem pouca evidência para montar um caso. Um advogado de defesa o crucificaria no banco de testemunhas. Ele riria de sua descrição de um homem vestido de mulher, alegando que era impossível saber a diferença. E, sem outras testemunhas ou impressões digitais, tenho que dizer que você está lutando por uma causa perdida.

Bell fixou em Van Dorn um olhar gelado.

— Está sugerindo que eu me retire da investigação?

— Não estou sugerindo nada disso. — Van Dorn fez uma carranca. — Estou apenas apontando os fatos. Você sabe perfeitamente bem que esse caso é a prioridade número 1 da agência. Não descansaremos até que Cromwell esteja atrás das grades.

Bell tocou de leve o lado da cabeça, como se para sentir se o ferimento ainda estava lá.

— Assim que eu juntar algumas pontas soltas aqui em Denver, voltarei a São Francisco.

— Posso arranjar uma equipe de agentes para auxiliá-lo. Basta pedir.

— Não. — Bell balançou a cabeça. — Com Curtis como meu braço direito e apoiado por Bronson e os agentes do escritório dele, terei toda a força de que preciso. É melhor continuarmos a trabalhar secretamente, sem um exército de agentes para causar complicações.

— E quanto ao Coronel Danzler e o Departamento de Investigação Criminal em Washington? O governo pode ajudar de alguma forma?

— Sim, mas só no momento oportuno. Cromwell tem uma imensa influência sobre a elite política e financeira de São Francisco. Ele é o principal filantropo da cidade. Se obtivermos evidência suficiente para acusá-lo, os amigos deles o cercarão e o defenderão a cada passo do caminho. Nessa hora, precisaremos de toda a ajuda do governo federal que pudermos obter.

— Qual é seu plano?

— Neste momento, não tenho um plano fixo. Cromwell está feliz da vida e seguro, sem saber que estamos nos aproximando dele a cada dia que passa.

— Mas você não está mais próximo de pegá-lo agora do que há três semanas.

— Sim, mas agora tenho a vantagem.

As sobrancelhas de Van Dorn se ergueram de curiosidade e ele resmungou ceticamente:

— E que vantagem é essa?

— Cromwell ainda não sabe que estou vivo.

— Será um golpe contra o ego dele quando o vir ressuscitado.

Bell sorriu levemente.

— Estou contando com isso.

28

A FERIDA QUE A BALA DE BELL fizera em Cromwell não fora séria. Ele não recorreu a um médico até voltar com Margaret para São Francisco, onde a entrada e a saída da bala foram limpas com antisséptico, costuradas e enfaixadas. O médico, um velho amigo, não fez perguntas, mas Cromwell, de todo jeito, contou a ele uma mentira sobre ter acidentalmente atirado em si mesmo enquanto limpava uma arma. Como a esposa do médico recebera uma generosa doação de Cromwell para seu projeto pessoal, a companhia de balé de São Francisco, ele não preencheu nenhum relatório policial e concordou em nunca mencionar o incidente.

Cromwell voltou a seu escritório no banco e rapidamente acomodou-se à velha rotina de administrar seu império financeiro. Seu primeiro projeto nesse dia foi escrever um discurso para declamar na abertura de um sanatório para idosos, fundado e construído por meio de sua generosidade. A modéstia não era uma de suas virtudes e ele dera ao hospital o nome de Sanatório Jacob Cromwell. Chamou Marion Morgan para transcrever suas notas no discurso.

Ela se sentou em uma cadeira ao lado da mesa dele e olhou para ele.

— Perdoe-me por perguntar, senhor Cromwell, mas está se sentindo bem? O senhor parece um pouco pálido.

Ele forçou um sorriso enquanto tocava instintivamente, de leve, o lado do corpo.

— Peguei um resfriado por ficar pescando à noite — disse. — Já está quase no fim. — Entregou a ela suas notas, girou na cadeira de couro e olhou para a cidade através da janela. — Edite meu discurso do sanatório e, por favor, sinta-se livre para fazer quaisquer sugestões que considere pertinentes.

— Sim, senhor. — Marion levantou-se para deixar o escritório de Cromwell, no entanto, hesitou à porta. — Desculpe-me, mas estava imaginando: o senhor recebeu mais alguma notícia do detetive da Agência Van Dorn?

Cromwell girou novamente, dando as costas à janela, e olhou para ela com curiosidade.

— Isaac Bell? — perguntou.

— Acho que era esse o nome dele.

Ele não pôde evitar um sorriso quando disse:

— Ele morreu. Ouvi dizer que foi morto durante um assalto a banco no Colorado.

Marion sentiu como se seu coração tivesse sido esmagado entre dois blocos de gelo. Não podia acreditar nas palavras de Cromwell. Seus lábios tremeram e ela deu as costas a ele, para que não pudesse ver o choque estampado em seu rosto adorável. Mal mantendo a compostura, ela não disse nada; saiu do escritório e fechou a porta.

Ela sentou-se à mesa como se estivesse em transe. Não conseguia entender a sensação de pesar por alguém que mal conhecera, um homem com quem tivera apenas um jantar. Entretanto, podia ver o rosto dele em sua mente como se estivesse de pé diante dela. O vínculo efêmero entre eles fora cruelmente cortado. Ela não conseguia explicar seu sentimento de dor e não tentou. Sentia como se tivesse perdido um amigo querido.

Com mãos trêmulas, inseriu uma folha de papel em sua máquina de escrever e começou a transcrever as notas de Cromwell para seu discurso.

**

Às 17 horas em ponto, Cromwell estava nos degraus de um edifício de três andares, feito de tijolos vermelhos, entre as ruas Geary e Fillmore, ouvindo uma longa e floreada apresentação feita pelo prefeito da cidade, Eugene

Schmitz, um amigo íntimo de Cromwell que se beneficiara de grandes contribuições transferidas secretamente para sua conta pessoal no Banco Cromwell. Uma multidão de 500 pessoas comparecera à inauguração, bem como membros do corpo de bombeiros e do departamento de polícia da cidade, líderes políticos e mais de 50 pacientes idosos sentados em suas cadeiras de rodas, indiferentes.

Os comentários do próprio Cromwell foram curtos e objetivos. Ele modestamente referiu-se a si mesmo como um "humilde mensageiro de Deus" que escolhera ajudar àqueles que não podiam ajudar a si mesmos. Quando terminou, os aplausos foram educados e brandos, apropriados à ocasião formal. Uma fita foi cortada na entrada principal e Cromwell foi parabenizado com entusiasmo. Apertou cada mão que era estendida para ele. Exibiu-se abraçando os pacientes que esperavam para entrar no edifício. O Prefeito Schmitz deu a ele uma placa de bronze por seus esforços filantrópicos e anunciou que, dali em diante, o dia 12 de abril seria conhecido como Dia de Jacob Cromwell.

Abrindo caminho em meio a um tropel de admiradores e simpatizantes, Cromwell alcançou o estacionamento onde deixou o Mercedes Simplex. Margaret já estava sentada ao volante, parecendo adorável em seu vestido de lã verde com capuz.

— Muito bem, irmão. Outra boa ação sob a bandeira Cromwell.

— Nunca faz mal ter amigos influentes, assim como a adoração da plebe malcheirosa.

— Como somos humanitários, não? — ela disse sarcasticamente.

— E quanto a seus projetos benevolentes pessoais, que de alguma forma acabam noticiados nas colunas sociais dos jornais? — ele retorquiu.

— *Touché*.

Cromwell foi até a frente do carro e moveu a manivela, dando a partida no motor. Margaret retardou a fagulha e ajustou o comando manual. O motor pegou e tossiu, rugindo. Cromwell sentou-se no banco enquanto Margaret atiçava a fagulha, mudava a marcha e empurrava a alavanca. O Mercedes Simplex saltou para a rua entre um bonde elétrico e um caminhão de cerveja.

A essa altura, Cromwell estava acostumado ao jeito louco como sua irmã dirigia e relaxou no banco, entretanto estava preparado para pular caso algum desastre ocorresse à sua frente.

— Siga até Pacific Heights e pare no Parque Lafayette.

— Alguma razão especial para isso?

— Podemos passear por lá enquanto conversamos.

Ela não o questionou mais. O Mercedes Simplex subiu facilmente a colina até Pacific Heights. Ela virou na Rua Fillmore e pegou a Rua Sacramento até chegar ao parque, então, parou ao pé de uma trilha que passava entre as árvores. Uma caminhada de cinco minutos levou-os até o ponto mais alto do parque, que os agraciou com uma bela vista panorâmica da cidade.

— Sobre o que você quer conversar? — Margaret perguntou.

— Decidi empreender outro assalto.

Ela parou no meio de um passo e olhou para ele, aflita.

— Você só pode estar brincando.

— Falo muito sério.

— Mas por quê? — ela exigiu saber. — O que tem a ganhar? Você quase foi pego em Telluride. Por que arriscar a sorte de novo por nada?

— Porque eu gosto de desafios. Além disso, adoro ser uma lenda em minha própria época.

— Isso é idiotice. — Ela se virou e olhou para longe, atordoada.

— Você não entende — ele disse, colocando um braço em torno da cintura dela.

— Entendo que isso é loucura e que algum dia sua sorte acabará e você será enforcado.

— Não por um bom tempo, com certeza — ele volveu. — Não enquanto o melhor agente deles estiver morto e enterrado.

Margaret lembrou-se dos incríveis olhos azul-violeta e do braço de Bell em torno dela enquanto dançavam no Brown Palace. Pareceu-lhe ouvir sua própria voz de longe.

— Bell está morto. É difícil acreditar.

Ele olhou curiosamente para ela.

— Parece que você tinha uma queda por ele.

— Ah, ele era bonito de um jeito estranho. — Ela encolheu os ombros, tentando parecer desinteressada. — Imagino que outras mulheres o achassem atraente.

— Não importa. Isaac Bell é passado. — Cromwell parou e começou a conduzir sua irmã de volta ao automóvel. — Enganarei Van Dorn e todos aqueles outros oficiais da lei estúpidos que querem me enforcar. Nunca suspeitariam que eu cometeria outro crime tão rapidamente, em um banco de uma cidade que nem poderiam imaginar. Mais uma vez, serão pegos de surpresa.

Uma lágrima aflorou no olho de Margaret, que levou um lenço a ele, sem saber se suas emoções eram afetadas pela morte de Bell ou pela loucura de seu irmão.

— Onde, desta vez?

— Não será um pagamento de cidade mineradora — ele respondeu, sorrindo. — Eu os confundirei atacando uma cidade que não me espera e os deixarei frustrados outra vez.

— Que cidade?

— San Diego, aqui na Califórnia.

— É praticamente em nosso quintal.

— Melhor ainda — disse Cromwell. — Minha fuga será muito mais fácil.

— O que torna San Diego tão especial?

— O Banco Wells Fargo daquela cidade está cheio de depósitos feitos por comerciantes e navios que trazem mercadorias para o porto. E eu adoraria abrir um buraco no bolso de meu maior concorrente.

— Você é louco!

— Não me chame de louco! — ele disse asperamente.

— E do que você se chamaria? Tudo pelo que trabalhamos pode desmoronar à nossa volta se você for pego.

— Não enquanto eles estiverem lidando com uma mente superior — Cromwell retorquiu confiante.

— Quando é que você irá parar? — Margaret exigiu saber.

— Quando o Banco Cromwell for tão grande quanto o Wells Fargo e eu for coroado rei de São Francisco — respondeu com um lampejo perverso no olhar.

Ela sabia que não adiantava discutir com o irmão. Sem que ele soubesse, ela deslocara alguns ativos, pouco a pouco, ao longo dos anos, para o Banco Wells Fargo, onde ele jamais pensaria em rastreá-los. As joias caras que ela comprara foram colocadas em um cofre particular. Se o pior acontecesse e o irmão fosse pego e enforcado, ela deixaria São Francisco, iria para a Europa e viveria uma vida de luxo antes de achar um marido rico e ilustre.

Eles chegaram ao automóvel e Jacob ajudou a irmã a sentar-se no banco do motorista. Enquanto virava a manivela para ligar o motor, a autoconfiança de Cromwell era esmagadora. Como um navio em mar aberto com todas as velas armadas, o perigo se tornara um desafio que beirava o vício. A ideia de suplantar a inteligência de cada oficial da lei do Oeste novamente fazia seu rosto reluzir como o de um fanático religioso que acabara de testemunhar um milagre.

Nenhum dos dois prestou atenção a um homem sentado em um banco perto do carro, vestido como um trabalhador, com uma caixa de ferramentas pousada no colo, fumando casualmente um cachimbo.

29

O TREM DE BELL CHEGOU A SÃO FRANCISCO às 8 horas em ponto. Às 9 horas, ele estava se reunindo com Curtis, Bronson e cinco agentes dele. Todos estavam sentados em torno de uma grande mesa de conferências que era duas vezes maior do que aquela do escritório em Denver. Bell estava morto de cansaço e suas feridas ainda o incomodavam, mas ele ignorou a dor, como fizera com ferimentos anteriores, e continuou a trabalhar.

— Cavalheiros — começou —, agora que nosso suspeito número 1 de ser o Assaltante Açougueiro é Jacob Cromwell, vamos colocar sua irmã, Margaret, e ele sob vigilância 24 horas.

— Isso significa registrar cada movimento deles fora do palácio em Nob Hill — acrescentou Bronson.

Um agente levantou a mão.

— Senhor — disse —, precisaremos de fotos para identificação, já que a maioria de nós não tem ideia da aparência deles.

Bronson apanhou um arquivo volumoso na mesa.

— Fotografias deles foram tiradas enquanto estavam passeando pela cidade.

— Quem as tirou? — perguntou Bell.

Bronson sorriu e indicou com a cabeça um de seus agentes, do outro lado da mesa.

— Dick Crawford aqui é um mestre da fotografia.

— Os Cromwell não ficarão desconfiados de um fotógrafo seguindo-os por aí, tirando fotos? — perguntou Carter.

— Dick — disse Bronson, voltando-se para Crawford —, conte a todos como conseguiu fazer isso sem que eles percebessem.

Crawford tinha um rosto fino e melancólico, com mandíbula pequena e sobrancelhas espessas sob a cabeça calva. Um homem sério, ele não demonstrava um temperamento bem-humorado.

— Usei disfarces e carreguei uma caixa de ferramentas com um buraco pequeno aberto em um dos lados para a lente da câmera passar. Tudo o que precisei fazer foi colocar a mão dentro da caixa para ajustar o foco e fazer a foto. Eles não desconfiaram nem um pouco. Nem sequer olharam para mim. — Então, colocou uma pequena câmera sobre a mesa e explicou seu uso. — O que estão vendo é uma Kodak Quick Focus que faz fotos do tamanho de cartões-postais.

Enquanto Crawford falava, Bronson distribuía as fotos de Jacob e Margaret Cromwell.

— Vocês perceberão que as fotos são notavelmente nítidas e distintas — Crawford continuou. — A característica única dessa câmera é que, diferente de outras com foco ajustável, eu posso ajustar a distância usando a pequena roda que vocês veem do lado. Então, tudo o que preciso fazer é apertar um botão e a frente das lentes se projeta na distância correta para a exposição.

Todos estudaram as fotos. Elas mostravam os Cromwell, individualmente ou juntos, andando pelas ruas, saindo de lojas e restaurantes. Várias fotos eram de Jacob entrando e saindo de seu banco. Duas mostravam-no falando na cerimônia de abertura de seu sanatório para idosos. Crawford então os seguira até o Parque Lafayette e fotografara-os caminhando por uma trilha. Bell ficou especialmente interessado nas imagens que mostravam Margaret atrás do volante de um carro de aspecto exótico.

— Um Mercedes Simplex — disse admirado. — Os Cromwell têm bom gosto para automóveis.

— Parece caro — comentou Bronson, examinando as fotos que mostravam o carro. — Que velocidade ele alcança?

— Pelo menos 115, talvez até 130 quilômetros por hora — respondeu Bell.

— Duvido que haja um carro em São Francisco que possa alcançá-lo em uma perseguição — disse um agente de cabelo hirsuto no outro extremo da mesa.

— Agora há — Bell respondeu, os lábios abrindo-se em um sorriso. — Foi descarregado de um vagão de carga esta manhã. — Ele olhou para Curtis. — Estou certo, Arthur?

Curtis meneou a cabeça, concordando.

— Seu automóvel está estacionado no depósito de cargas da Southern Pacific. Contratei um rapaz que trabalha na ferrovia para limpá-lo.

— Você mandou vir um carro de...

— Chicago — Bell finalizou.

— Estou curioso — disse Bronson. — Que automóvel é tão especial para você mandar trazê-lo lá de Chicago?

— Um carro motorizado e rápido pode ser útil. Além disso, no final das contas, é mais do que páreo para o Mercedes Simplex de Cromwell, caso tenhamos uma perseguição.

— Qual é o modelo? — perguntou Crawford.

— Um Locomobile — respondeu Bell. — Foi dirigido por Joe Tracy, que ficou em terceiro lugar com esse carro na corrida da Copa Vanderbilt em 1905, em Long Island.

— Que velocidade ele alcança? — inquiriu Bronson.

— Pode chegar a 170 quilômetros por hora em linha reta.

Um silêncio pesado se instalou. Todos em torno da mesa estavam surpresos e incrédulos. Nunca tinham visto ou ouvido falar em nada que pudesse ser tão rápido. Corridas profissionais de automóveis com carros feitos para competir ainda não haviam chegado à Costa Oeste.

— Incrível — disse Bronson, admirado. — Nem consigo imaginar uma coisa rodando a 170 quilômetros por hora.

— Você pode dirigi-lo na rua? — perguntou Curtis.

Bell meneou a cabeça.

— Mandei instalar para-lamas e faróis e modificar a transmissão para usá-lo no tráfego urbano.

— Você tem que me deixar dirigir essa beleza — disse Bronson.

— Acho que isso pode ser arranjado — disse Bell, rindo.

Bronson voltou sua atenção às fotos dos Cromwell.

— Alguma ideia do que o bandido fará a seguir?

— Depois de Telluride — disse Curtis —, eu apostaria que seus dias de roubos e mortes acabaram.

— Parece lógico, se ele sabe que nós o estamos caçando — concordou Bronson.

— Não podemos ter certeza disso se ele acredita que todas as testemunhas do fiasco em Telluride estão mortas, inclusive eu — disse Bell. — Esse homem é louco, tem o impulso de roubar e matar. Não creio que vá parar de uma vez. Cromwell acredita que seus atos criminosos nunca serão rastreados. Ele simplesmente não se encaixa no molde de Black Bart, da Gangue James, dos Daltons ou de Butch Cassidy. Comparados a Cromwell, esses eram brutos, amadores e caipiras.

Um dos agentes olhou com crescente admiração para Bell.

— Então, você acha que ele atacará de novo? — disse.

— Acho.

— Você pode tê-lo feito de trouxa com sua história sobre Telluride — disse Bronson. — Mas, se Cromwell for tão esperto quando você diz que é, não cometerá o mesmo erro duas vezes. Não cairá em outra armadilha.

— Há pouca esperança disso, eu receio — disse Bell, balançando a cabeça. — No momento, tudo o que podemos fazer é tentar sermos mais espertos que ele e, se falharmos nisso, continuaremos juntando evidências até podermos condená-lo.

— Pelo menos, sabemos que ele não é infalível.

— Ele está tão perto disso quanto qualquer um — Bronson grunhiu.

Bell serviu-se de mais uma xícara de café de um bule colocado sobre a mesa de reuniões.

— Nossa vantagem é que ele não sabe que cada um de seus movimentos está sendo vigiado — disse. — Vocês precisarão ser muito cuidadosos para não alertar a ele ou à irmã. Se pudermos ficar no rastro dele da próxima vez que sair da cidade para cometer um roubo, temos uma chance de deter essa onda de crimes.

Bronson olhou à sua volta para os agentes em torno da mesa.

— Parece que já temos nosso trabalho definido, cavalheiros — anunciou. — Deixarei que decidam seus turnos de vigilância entre vocês. Recebi um telegrama do senhor Van Dorn. Ele mandou que nos esforçássemos ao máximo. Quer o Assaltante Açougueiro capturado, custe o que custar.

— Estou pensando se você me faria um favor — Bell disse a ele.

— Basta dizer.

— Ligue para o escritório de Cromwell e peça para falar com Marion Morgan. Diga a ela que a conversa é estritamente sigilosa e que ela não deve dizer nada a ninguém, inclusive ao chefe dela. Diga para encontrá-lo na esquina noroeste entre as ruas Montgomery e Sutter, a um quarteirão do Banco Cromwell, durante o horário do almoço.

— E se ela me perguntar qual é a razão?

Bell deu um sorriso ardiloso.

— Seja vago. Diga apenas que é urgente.

Bronson riu.

— Farei o melhor para parecer oficial.

**

Depois da reunião, Bell e Curtis pegaram um táxi até o depósito de cargas da Southern Pacific. Registraram-se com o superintendente, verificaram se o carro sofrera algum dano e, não encontrando nenhum, assinaram os documentos de transporte necessários.

— Que beleza! — disse Curtis, admirado, olhando para o automóvel pintado de um vermelho vivo, com seu radiador de latão brilhante coroado por uma escultura personalizada em bronze na forma de uma águia de asas abertas, com um mostrador de temperatura no peito. Atrás do radiador estava o capô em forma de telhado pontudo. Um grande tanque cilíndrico de gasolina ficava atrás dos dois bancos. Os pneus estreitos eram encaixados em imensas rodas de madeira com traves, que haviam passado ligeiras pelas estradas retorcidas de Long Island durante a corrida da Copa Vanderbilt.

Bell tomou o assento atrás do grande volante no topo de um cabo longo, girou a chave da ignição no painel de madeira, virou a alavanca do acelerador no volante e ajustou a alavanca da fagulha para retardá-la. Depois, pegou uma bomba de mão e pressurizou o tanque de combustível, mandando a gasolina para o carburador. Só então caminhou até a frente do carro, agarrou a grande manivela com a mão direita e moveu-a vigorosamente. O motor tossiu e pegou na segunda tentativa, com um rugido trovejante do escapamento.

Então, Bell, acompanhado de Curtis, sentou-se no banco do motorista forrado de couro vermelho e fez a fagulha avançar enquanto punha a alavanca em posição neutra. Depois de soltar o freio de mão feito de latão, ele empurrou a embreagem e puxou o câmbio até a primeira marcha. Em seguida, moveu a alavanca do acelerador e soltou a embreagem, tendo atraído uma multidão de trabalhadores dos depósitos, que aplaudiu quando o carro arrojado lançou-se para a frente.

Assim que o Locomobile partiu por uma estrada ao longo dos trilhos, Curtis perguntou em voz alta:

— Estamos voltando para o escritório?

Bell balançou a cabeça negativamente.

— Mostre-me o caminho para o depósito onde o vagão de carga da Móveis O'Brian estava estacionado.

— Então, vire à direita no próximo cruzamento dos trilhos — indicou Curtis.

Alguns minutos depois, Bell estacionava o Locomobile atrás de um depósito abandonado e desligava o grande motor. Com Curtis mostrando o caminho, eles subiram uma rampa até as docas de carga. Um único vagão de carga estava no ramal.

— Foi aqui que você encontrou o vagão de mobília falso de Cromwell? — perguntou Bell.

— Sim, de acordo com a tabela de movimentação de cargas da Southern Pacific — respondeu Curtis. — Fiz uma verificação da movimentação dos vagões de carga da empresa. O carro 16173 não está mais listado nos registros de carga da Southern Pacific. Ninguém sabe o que aconteceu com ele. É como se tivesse desaparecido da noite para o dia.

Bell estudou as laterais do vagão parado ao longo da doca de carga.

— Ele poderia ter sido repintado e recebido um novo número de série — disse.

— É totalmente possível. — Curtis olhou para o número e balançou a cabeça. — Carro 16455. Vou verificar.

— Este carro recebeu mesmo uma pintura nova recentemente — disse Bell devagar. — Não há um só arranhão nele.

— Tem razão — Curtis murmurou pensativo. — Está tão limpo como no dia em que saiu da fábrica.

Bell caminhou até a porta de carga do vagão fechado e tocou com os dedos uma tranca de bronze que impedia a entrada.

— Por que um vagão vazio em um ramal estaria trancado?

— Talvez tenha recebido alguma carga e esteja esperando ser acoplado a um trem.

— Gostaria de saber o que há aí dentro — Bell refletiu.

— Vamos arrombá-lo? — Curtis inquiriu com um sentimento crescente de antecipação.

Bell balançou a cabeça levemente.

— É melhor deixarmos tudo como está por enquanto. Até verificarmos o número de série, não saberemos a história desse vagão. E, caso ele pertença a Cromwell, ele saberá que adulteramos a tranca.

— Se provarmos que este é o vagão de carga que ele usou para escapar dos crimes, podemos apreendê-lo!

— Nada é tão simples assim. Pode ser apenas um vagão vazio que foi desviado para esse ramal temporariamente. Cromwell não é tolo. Ele não deixaria evidências espalhadas por aí, só esperando para serem encontradas. Há chances de que não encontremos nada aí dentro que possa incriminá-lo, certamente não o bastante para levá-lo à forca.

Curtis encolheu os ombros, compreendendo.

— Vamos ficar de olho nesse vagão, mas duvido que Cromwell vá usá-lo tão cedo. Se é que um dia o usará, considerando que esteve a um passo de ser pego em Telluride.

— E, mais cedo ou mais tarde, ele descobrirá que estou vivo e que o identifiquei — Bell disse com um sorriso largo. — Aí, sim, as coisas ficarão interessantes.

**

Marion colocou o telefone no gancho e olhou para a porta do escritório de Cromwell. Como de costume, estava fechada. Ele quase sempre trabalhava sozinho, cuidando de seus negócios diários ao telefone ou usando um sistema novo de som que mandara instalar por todo o banco.

Ela ergueu os olhos para um grande relógio de parede, com seu pêndulo balançando para um lado e para o outro. Os ponteiros indicavam numerais arábicos que informavam faltar três minutos para o meio-dia. Quando ela pusera o telefone no gancho, após ouvir as instruções de Bronson, ficara dividida entre sua lealdade a Cromwell — pensando se deveria contar a ele sobre a ligação — e o sentimento crescente de excitação que cruzava seu corpo só de pensar em cometer um ato secreto. Porque uma distinta brecha se abrira entre ela e Cromwell durante o último ano, especialmente depois daquela noite em Barbary Coast, quando ele e Margaret tinham agido tão estranhamente, ela nutria menos lealdade e respeito por ele agora. Não era o mesmo homem em quem ela passara a confiar por tantos anos. Tornara-se distante e desinteressado, frio e rude para com ela na maior parte do tempo.

O ponteiro dos minutos fez um clique, movendo-se em direção ao das horas, ambos apontando para o 12. Ela pegou a bolsa, colocou o chapéu e saiu do escritório, mantendo-se de olho na porta fechada do escritório de Cromwell o tempo todo. Passou pelo elevador e fugiu pela escadaria até o saguão. Atravessando as grandes portas da entrada, virou-se e seguiu com pressa para o ponto entre as ruas Sutter e Montgomery. As ruas e calçadas estavam cheias durante o horário do almoço e ela levou uns dez minutos para cruzar a multidão. Chegando à esquina, ficou parada, olhando em volta, entretanto não encontrou ninguém olhando ou vindo em sua direção. Nunca se encontrara com Bronson e não tinha ideia de como ele era.

Depois de um minuto, sua atenção — e a de muitas pessoas que por ali passavam — foi atraída para um grande carro vermelho que se movia sem esforço em meio ao tráfego. Havia uma força bruta em sua aparência que passava a impressão de que ele seria arremessado contra a calçada, embora não estivesse se movendo a mais que 30 quilômetros por hora. Sua pintura vermelha brilhante fora polida à mão até resplandecer. Tudo naquele automóvel retratava uma elegância poderosa.

Com sua atenção focada no carro, ela não notou o homem atrás do volante até que o veículo parou diante dela e ele disse:

— Por favor, entre, Marion.

Ela empalideceu, sua mão subindo até a garganta, surpresa por vir-se olhando dentro dos olhos violeta de Isaac Bell, que pareciam levá-la até a alma dele.

— Isaac — ela murmurou, chocada. — Jacob me disse que você estava morto.

Ele estendeu a mão, segurou a dela e puxou-a para o banco do passageiro com uma facilidade e força que a impressionaram.

— Isso serve para provar que você não deve acreditar em tudo o que ouve.

Indiferente à multidão que se formara ao redor do carro, Bell passou o braço em torno da cintura de Marion. Então, ele a tomou nos braços e a beijou.

— Isaac! — ela arfou quando ele a soltou. Seu protesto foi mais divertido que embaraçado. — Não na frente de toda essa gente.

Nessa hora, a multidão que se formara para olhar para o carro viu-se entretida pelo homem e pela mulher nos bancos da frente. Começaram a aplaudir e dar vivas a eles.

Bell recostou-se no banco e sorriu maliciosamente.

— Nunca fui capaz de resistir a uma bela dama.

Marion quase fora arrebatada pelo momento — quase, mas não completamente.

— Podemos, por favor, ir embora? — insistiu.

Bell riu, tocou o chapéu cumprimentando as pessoas que o aplaudiam e colocou o Locomobile em primeira marcha. Pisou de leve no pedal de gasolina e voltou para a rua, em meio ao tráfego. Seguiu para o norte pela Montgomery antes de virar à esquerda para Chinatown. Fez uma curva para um beco e parou atrás de um grande restaurante em estilo mandarim, pintado de vermelho e dourado e com um teto de templo. Um atendente que ali esperava curvou-se.

— Cuidarei de seu carro, senhor.

— Conto com você — disse Bell, dando ao atendente uma gorjeta que fez os olhos dele saltarem. Então, ajudou Marion a sair do carro.

— A Imperatriz de Xangai! — ela disse, olhando para a entrada ornamentada. — Sempre quis comer aqui.

— O lugar foi muito bem recomendado.

— Eu me pergunto como você sabia sobre o estacionamento nos fundos.

Depois de entrarem por um longo corredor, foram recebidos por uma linda mulher com cabelos longos, negros e brilhantes, usando um vestido chinês de seda com longas fendas dos lados. Ela os conduziu para o andar de cima e depois a uma pequena sala de jantar particular, onde acomodou-os. Enquanto examinavam o cardápio, um bule de chá chegou e foi servido.

— Você estava mancando — ela disse.

— Uma pequena lembrança de Telluride, Colorado.

Pela primeira vez, ela notou a bandagem na cabeça dele, quando ele removeu o chapéu. Franziu o cenho e ergueu as sobrancelhas.

— Outra lembrança?

Ele meneou a cabeça, fazendo que sim e sorrindo corajosamente.

Marion olhou nos olhos de Bell e seus próprios olhos ficaram enevoados.

— Não sabe como estou feliz por você não ter morrido.

— Seu chefe certamente tentou.

— O senhor Cromwell! — ela exclamou, enquanto seu humor passava da compaixão para o alarme. — Não entendo.

— Ele é o homem que atirou em mim e matou um agente da Van Dorn que era meu amigo.

— Não pode estar falando sério.

— Goste ou não, Jacob Cromwell é o Assaltante Açougueiro que atacou mais de vinte bancos nos últimos doze anos e matou quase quarenta pessoas inocentes.

— Isso é loucura! — Marion mordeu o lábio inferior. Ela parecia estar perdida e não saber para onde ir. — Ele não poderia ter feito o que você diz.

— O que eu digo é verdade — Bell afirmou com uma gentileza súbita. — Temos evidências. Talvez não o suficiente para condená-lo, mas tudo leva a Cromwell.

— Mas ele já ajudou tantas pessoas necessitadas — ela protestou.

— Uma fachada — Bell disse, friamente. — Ele construiu uma muralha em torno de seu império, guardada por um exército de bons cidadãos que acreditam que ele e Margaret são pessoas generosas que querem ajudar os pobres só pela bondade de seus corações. É fingimento. Cromwell não poderia se importar menos com aqueles que são destituídos. Ele os usa para promover seus propósitos. Aos olhos dos políticos corruptos da cidade, ele não está fazendo nada de errado enquanto os apoia com doações secretas.

Confusa, Marion bebericou o chá, sua mão tremendo perceptivelmente.

— Eu simplesmente me recuso a acreditar — murmurou.

— Acredite em mim, Marion, é verdade — disse Bell, esticando as mãos por cima da mesa e tomando as dela nas suas. — Olhei nos olhos dele e o reconheci no instante em que ele atirou em mim no banco em Telluride.

Ela retirou as mãos e entrelaçou os dedos com força.

— Ah, Isaac, é absurdo demais! Por que Jacob roubaria bancos quando já é dono do segundo maior banco em São Francisco? A ideia é absurda demais para ser real.

— Não tenho uma resposta para lhe dar, Marion. No começo, ele usou o dinheiro para construir seu próprio banco. Mas, quando ficou rico, os assaltos e assassinatos se tornaram uma obsessão. Já vi muitos casos como o de Cromwell. Os roubos e as mortes são como narcótico para ele. Ele não consegue parar. E continuará matando até que eu o detenha.

Ela ergueu o olhar para os olhos sensíveis e violeta do outro lado da mesa. Eles haviam se tornado escuros e frios.

— Você, Isaac? Tem que ser você?

— Não posso deixar que ele continue matando pessoas — Bell disse as palavras em uma voz monótona, como se estivesse lendo uma acusação em um tribunal. — Não deixarei que ele ridicularize a lei e continue por aí livre, vivendo a vida de um Papai Noel rico. — Então, acrescentou: — E isso inclui a irmã dele, Margaret. Ela está enterrada até o pescoço no trabalho perverso dele.

Marion baixou a cabeça em total confusão, o chapéu cobrindo seus olhos.

— Conheço Jacob e Margaret há anos e ainda assim não os conhecia.

— É difícil — Bell disse suavemente —, mas você terá que aceitar isso.

Ela inclinou a cabeça para trás e a aba frontal de seu chapéu largo e florido se elevou até que ele pudesse olhar diretamente para seus olhos verdes.

— O que posso fazer? — ela perguntou em voz baixa.

— Para começar, você deve agir como se não soubesse de nada. Continue a cumprir suas tarefas como leal secretária dele. Nossos agentes manterão tanto o irmão como a irmã sob constante vigilância. Tudo o que você precisa fazer é relatar qualquer ato suspeito ou incomum de Cromwell.

— Você quer dizer, é claro, relatar a você.

— Sim. — Ele balançou a cabeça.

De repente, ela teve a sensação de que estava sendo usada — de que Bell estava interessado nela puramente como uma informante. Ela se virou para que ele não pudesse ver as lágrimas aflorando em seus olhos.

Bell imediatamente percebeu o que estava se revirando na mente de Marion. Moveu sua cadeira em torno da mesa até estar perto o suficiente dela para colocar-lhe um braço por cima dos ombros.

— Sei o que está pensando, Marion, e não é verdade. Sei que estou lhe pedindo para cometer um ato desonesto, mas há vidas em jogo. E ainda há mais. Isso vai mais longe do que um simples pedido de ajuda. — Ele parou para juntar toda a sua coragem. — Estou apaixonado por você, Marion. Não sei explicar por que isso aconteceu tão de repente, mas aconteceu. Tem que acreditar em mim.

Marion olhou para o rosto dele e viu somente afeição e ternura. Seus medos desapareceram instantaneamente enquanto ela se inclinava e o beijava solidamente nos lábios. Quando se afastou, ela sorriu maliciosamente.

— Você deve achar que eu sou uma sem-vergonha.

Ele riu ao vê-la corar.

— De jeito nenhum. Eu gostei.

Então, os olhos dela se suavizaram.

— Tenho que admitir que senti algo diferente quando olhei e vi você parado lá no escritório.

Dessa vez, ele a beijou.

Depois de um longo momento, afastou-se, sorriu e disse:

— Talvez devamos pedir os pratos antes que alguém nos expulse daqui por comportamento inadequado!

30

Assim que Marion voltou de seu almoço com Bell e estava datilografando uma carta, Cromwell a chamou até seu escritório. Ela escondeu seu nervosismo, tentando não olhar para o rosto dele enquanto falava.

— Marion, vou comparecer à Conferência Nacional dos Bancos de Comunidade. Este ano ela acontecerá em Los Angeles, de 28 a 30 de março. Você poderia, por favor, fazer os arranjos necessários para a viagem e reservar um quarto para mim no Hotel Fremont, no centro da cidade?

— Para estar em Los Angeles no dia 28, o senhor terá que partir amanhã — disse Marion. — O prazo está terrivelmente curto.

— Eu sei — Cromwell disse, encolhendo os ombros com negligência. — Eu não pretendia comparecer, mas mudei de ideia.

— Quer que eu providencie um vagão particular?

— Não. Deixarei os vagões particulares para os presidentes dos bancos Crocker e Wells Fargo. Quando viajo a negócios, prefiro ficar em simples vagões de passageiros, para que meus correntistas saibam que levo os interesses deles em meu coração e não estou esbanjando o dinheiro deles.

— Cuidarei disso — disse Marion, ficando de pé com um farfalhar de saias.

Assim que ela voltou à sua mesa, apanhou o telefone e, em voz baixa, quase em um sussurro, pediu à telefonista que a ligasse com a Agência de Detetives Van Dorn. Quando Marion informou seu nome à recepcionista, foi imediatamente passada para Bell.

— Isaac?

— Marion? Eu ia ligar para você agora mesmo para convidá-la para um jantar e uma peça.

Sentiu-se satisfeita por ele ficar feliz em ouvir a voz dela.

— Tenho informações para você — disse seriamente. — Jacob vai sair da cidade.

— Sabe para onde ele vai?

— Los Angeles — ela respondeu. — Ele vai comparecer à Conferência Nacional dos Bancos de Comunidade. É um fórum para banqueiros compartilharem as últimas inovações em operações bancárias.

— Quando acontece?

— De 28 a 30 deste mês.

Bell pensou por um momento.

— Ele precisaria estar em um trem amanhã se quisesse chegar a Los Angeles no dia 28.

— Sim, isso mesmo — disse Marion. — Assim que desligar, tenho que fazer as reservas dele. Ele vai viajar em um vagão comum, como um passageiro qualquer.

— Não é do feitio de seu chefe poupar trocados.

— Ele alega que isso impressionaria os correntistas do Cromwell por não desperdiçar os ativos do banco.

— O que acha, Marion? Essa é uma viagem legítima?

Ela não hesitou em responder:

— Sei que realmente há uma Conferência Nacional dos Bancos de Comunidade nessa data na Cidade dos Anjos.

— Cuidarei para que um de nossos agentes o acompanhe o tempo todo.

— Sinto-me suja por fazer isso às costas dele — ela disse, cheia de remorso.

— Não se arrependa, querida — Bell replicou ternamente. — Jacob Cromwell é um homem mau.

— E a que horas devo esperar por você? — Marion perguntou, feliz por deixar de lado o assunto de Cromwell.

— Eu a pegarei às 18 horas, para que possamos jantar cedo antes de ir à peça.

— Vamos em seu carro vermelho de corrida?

— Você se incomoda?

— Não, a velocidade me dá sensação de liberdade.

Ele riu.

— Eu sabia que havia algo em você que me atraía.

Marion colocou o telefone no gancho, surpresa ao notar que seu coração estava batendo depressa.

**

POR PURO INSTINTO, e por saber que Bell e seu agente Irvine haviam xeretado seus negócios antes que ele os matasse, Cromwell fez planos elaborados para cobrir seu rastro ainda mais perfeitamente. Tinha certeza de que, com a perda de dois de seus agentes, Van Dorn daria fôlego à sua investigação examinando mais profundamente cada pista. Podia esperar mais agentes rondando-o, fazendo mais perguntas sobre o dinheiro roubado que fora dispersado por meio de comerciantes e outros bancos em toda a cidade.

Só por segurança, Cromwell chamou o principal despachante da Southern Pacific e informou-o de que mandaria um pedido por escrito para que seu vagão disfarçado, agora sob o número serial 16455 e parado em um depósito abandonado, fosse levado a um local do outro lado da baía, em Oakland. Em minutos, a ordem foi recebida pelo chefe, que mandou uma locomotiva de manobra para acoplar-se ao vagão e levá-lo até uma balsa de carga.

Cromwell também pediu um trem especial, um vagão particular Pullman puxado por motor e vagão-reboque, com destino a San Diego. O pedido foi feito por meio da Fábrica de Móveis O'Brian de Denver, que era um cliente respeitado e de longa data da Companhia Ferroviária Southern Pacific.

Só então ele se recostou na cadeira, acendeu um charuto caro e relaxou, totalmente seguro de que, mais uma vez, estava dez passos à frente de qualquer remota suspeita que pudesse ocorrer à Van Dorn ou a qualquer outra agência mantenedora da lei.

Estaria ainda mais presunçoso se soubesse que o vagão de carga fora levado para a balsa e transportado para um ramal do pátio de manobras da Southern Pacific em Oakland pouco antes de Bronson mandar um agente ficar de olho em qualquer pessoa que se aproximasse dele.

31

Bem cedo, na manhã seguinte, Cromwell despediu-se de Margaret e entrou em sua limusine Rolls-Royce. Abner conduziu o carro calmamente pelo trânsito urbano até a estação de embarque de passageiros da Southern Pacific para trens que iam diretamente para o norte ou para o sul, sem cruzar a baía. Parando na entrada da estação, o motorista abriu a porta do carro e entregou uma valise a Cromwell.

Enquanto o carro se afastava da calçada, Cromwell entrou casualmente na estação, mostrou sua passagem ao guarda da cancela e juntou-se aos outros passageiros que se moviam pela plataforma. Subiu os degraus do terceiro vagão e entrou no trem.

Um agente da Van Dorn observou-o embarcar e então esperou até o trem começar a se mover, certificando-se de que Cromwell não voltara à plataforma. Só então o agente embarcou no último vagão e começou a andar pelos carros de passageiros até chegar àquele onde Cromwell entrara. Para sua surpresa, o banqueiro não estava em parte alguma. Alarmado, o agente lançou-se pelos vagões restantes, procurando-o, até chegar ao carro de bagagens. Nada de Cromwell. Então, ele correu para a parte de trás do trem, avaliando a possibilidade de simplesmente não ter visto o banqueiro. Ainda assim, não havia nenhum sinal dele.

Sem ser visto, Cromwell saíra do carro de passageiros pela porta do lado oposto, descera os degraus e cruzara os trilhos até outra plataforma, onde o trem especial que ele fretara estava à sua espera. Subiu para seu vagão particular, onde relaxou no luxo e no glamour do que era um verdadeiro iate sobre rodas. Tirou o casaco, sentou-se casualmente em uma poltrona de veludo estofada com exagero e abriu o jornal da manhã. Um camareiro serviu-lhe o desjejum preparado especialmente pelo chef particular do vagão. Estava lendo confortavelmente as *Crônicas de São Francisco* quando o trem deixou a estação em direção aos trilhos principais para a viagem até Los Angeles, apenas 15 minutos depois do trem comum de passageiros no qual Marion reservara um assento para ele.

**

— Nenhuma notícia de meu agente, então podemos supor com segurança que Cromwell está a caminho de Los Angeles — disse Bronson.

Bell ergueu os olhos do mapa que mostrava São Francisco e os municípios vizinhos ao sul.

— O trem dele está marcado para chegar a Los Angeles às 16h30. Fui informado de que ele ficará no Hotel Fremont.

— Tive sorte. Consegui telegrafar para Bob Harrington, que chefia o escritório da Van Dorn no sul da Califórnia, antes que uma enchente relâmpago em algum lugar interrompesse a comunicação. Ele mandará um homem disfarçado como taxista apanhar Cromwell e levá-lo ao hotel. Meu agente no trem o apontará. De lá, os agentes de Harrington podem ficar de olho nele.

— Essa viagem parece bastante inocente — Bell disse lentamente. — Mas não confio nele. O homem está tramando alguma coisa. Sinto isso em meus ossos.

— Ele não irá muito longe se tentar alguma coisa — Bronson respondeu, confiante. — Caso ele faça o menor movimento em falso, uma dúzia de agentes cairá sobre ele feito uma tonelada de tijolos.

Bell foi até um escritório vazio e telefonou para Marion no banco.

— Sobreviveu à noite passada? — perguntou amavelmente.

— Foi maravilhoso, obrigada! O jantar estava excelente e a peça, encantadora.

— Agora que o gato saiu, que tal o rato sair para brincar... quero dizer, para almoçar?

— Estou dentro!

— Pegarei você na frente do banco.

— Não, encontrarei você no mesmo lugar de antes — ela disse sem hesitar. — Não quero que nosso relacionamento fique evidente. Se algum dos empregados do banco me vir entrar naquele seu carro vermelho vistoso, podem acabar falando e Jacob saberá.

— Mesma hora, mesmo lugar — ele disse antes de desligar.

Mais tarde, naquela manhã, um mensageiro da Western Union entrou correndo no escritório.

— Tenho uma mensagem urgente para o senhor Horace Bronson — disse à recepcionista, arfando por ter vindo como uma flecha do escritório da Western Union.

— Sou eu — disse Bronson, que estava voltando do banheiro no fim do corredor. — Pode me entregar. — Ele deu uma moeda ao entregador e rasgou o envelope. Enquanto lia a mensagem, seus lábios se apertaram e sua testa se franziu duramente. Ele correu pelo escritório até chegar a Bell.

— Estamos encrencados — anunciou.

— Encrencados? — Bell olhou para ele intrigado.

— Meu homem perdeu Cromwell.

Bell hesitou completamente abalado.

— Como é que ele conseguiu perdê-lo em um trem?

— Cromwell deve ter entrado no trem e imediatamente saltado pelo lado oposto sem ser visto.

— Seu agente deveria ter nos alertado antes — Bell disparou sua raiva evidente.

— O trem tinha deixado a estação e ele não pôde sair até parar em San Jose — Bronson explicou. — Ele mandou um telegrama de lá.

— Poderia ter nos poupado 30 minutos se usasse o telefone.

Bronson encolheu os ombros, desamparado.

— As linhas telefônicas não são confiáveis e estão sob constante reparo — disse.

Bell se afundou em uma cadeira, atordoado e furioso por terem puxado o tapete por baixo de seus pés.

— Ele vai roubar e matar novamente — disse com o rosto vermelho de frustração. — O desgraçado está esfregando isso na nossa cara!

— Se ao menos soubéssemos onde — disse Bronson, dominado pela derrota.

Bell caminhou até a janela e olhou para os telhados dos edifícios da cidade. Olhou sem enxergar, perdido em pensamentos. Por fim, voltou-se.

— Cromwell está nos provocando — afirmou lentamente. — Ele espera que fiquemos correndo feito baratas tontas, imaginando para onde ele foi.

— Obviamente, ele está indo na direção oposta à que informou a secretária dele. — Bronson olhou duramente para Bell. — A não ser que ela esteja mentindo.

Bell não cruzou o olhar dele. A possibilidade também lhe passara pela mente. Ele apenas balançou a cabeça.

— Não, tenho certeza de que Marion disse a verdade.

Bronson caminhou até o mapa dos Estados Unidos pendurado na parede. Olhou para ele, perplexo.

— Duvido que ele tenha ido para o norte, em direção a Oregon ou Washington. Ele provavelmente voltou, entrou no Edifício Ferry, cruzou a baía e pegou um trem para o leste.

Um sorriso começou a se formar lentamente e se espalhou pelo rosto de Bell.

— Aposto meu Locomobile que Cromwell ainda está indo para o sul.

Bronson olhou para ele.

— Por que ele continuaria indo para o sul se literalmente nos tirou de seu rastro?

— Sei como ele pensa — disse Bell em uma voz que inibia contra-argumentos. — Embora ele não saiba que cada um de seus movimentos está sendo vigiado, ele nunca corre riscos. Toda possibilidade é cuidadosamente calculada.

— O próximo trem não sai antes do meio-dia — disse Bronson, olhando para seu relógio de bolso.

— Tarde demais — Bell discordou. — Ele já tem uma grande dianteira.

— Mas como podemos saber disso, se ele pulou do trem?

— Ele passou a Marion uma conversa fiada sobre viajar como um passageiro comum para que seus correntistas pensem que ele é um sujeito pé no chão. Aposto que ele fretou um trem particular.

A apreensão de Bronson pareceu ceder um pouco.

— Harrington ainda pode mandar seus agentes seguirem Cromwell quando ele chegar a Los Angeles — disse.

Bell balançou a cabeça.

— Os agentes não conseguirão identificá-lo — lembrou. — Seu agente saiu do trem em San Jose para nos avisar que Cromwell não estava a bordo. Ele provavelmente está esperando o próximo de volta a São Francisco.

— Isso é um problema — Bronson concordou. — Mas ainda podem pegá-lo se ele se registrar no Hotel Fremont.

— Se Cromwell for para o Fremont — Bell disse, perspicaz. — Já que ele saiu do trem de passageiros, é improvável que o resto da história que contou à senhorita Morgan seja verdade.

— Se não para Los Angeles, então para onde ele está indo?

— Cromwell poderia parar o trem particular em qualquer ponto entre aqui e lá, mas meu palpite é que ele passará por Los Angeles.

— Passará? — perguntou Bronson. — Indo para onde?

— O último lugar onde esperaríamos que ele atacasse, o destino menos provável.

— Que seria...?

— San Diego.

Bronson pensou em silêncio por um longo momento. Finalmente, disse:

— É um tiro no escuro.

— Talvez. Mas é tudo que temos — respondeu Bell. — Ele já demonstrou que nem sempre rouba cidades mineradoras. Por que não uma cidade com um banco transbordando lucros dos bens importados por comerciantes ricos e dos proprietários de grandes fazendas no sul da Califórnia?

— Um tiro no escuro ou não, não podemos deixar de tentar. Se ao menos eu pudesse pedir a Harrington que mandasse seus agentes para o terminal ferroviário de San Diego para ficar de olho em um trem particular... Mas as linhas de telefone e telégrafo de San Jose até Los Angeles ainda estão paradas devido à inundação.

Bell balançou a cabeça.

— Cromwell é esperto demais para levar seu trem diretamente para dentro da cidade. Ele o estacionará em algum ramal remoto e usará outro meio de transporte para chegar à cidade, provavelmente a motocicleta que usou em outros assaltos.

— Se ao menos Harrington tivesse uma descrição dele! — disse Bronson.

— Não poderia identificá-lo mesmo assim; ele provavelmente estará disfarçado.

O otimismo de Bronson pareceu evaporar de repente.

— Então, o que nos resta?

— Terei que ir a San Diego e confrontá-lo pessoalmente. — Bell sorriu.

— Impossível — retrucou Bronson. — Na hora em que conseguirmos contratar um trem expresso especial, colocá-lo nos trilhos e sair da cidade, ele terá concluído seus negócios sujos e já estará no meio do caminho de volta a São Francisco.

— Sim, é verdade — admitiu Bell. — Mas, com um pouco de sorte, posso chegar a Los Angeles antes do trem de Cromwell e ficar lá esperando por ele.

— E como é que você pretende chegar antes dele? Vai voando em um pássaro gigante? — Bronson disse sarcasticamente.

— Não preciso de um pássaro gigante. — Bell lançou a Bronson um olhar engenhoso. — Tenho algo igualmente rápido. — Então, sorriu desanimado. — Mas, antes, tenho que desmarcar um encontro.

32

O grande Locomobile vermelho passou por São Francisco como um touro correndo pelas ruas de Pamplona, na Espanha, durante a Fiesta de San Fermin. Bell recostou-se no banco de couro vermelho, suas mãos segurando firmemente a parte de baixo do grande volante raiado, fazendo o carro virar com a palma das mãos voltada para cima, usando os bíceps para torcer o rígido mecanismo ao passar por curvas e esquinas.

Faltavam 15 minutos para as 10 horas.

A seu lado, no banco do passageiro, estava Bronson, cuja tarefa era manter a bomba do combustível sob a pressão certa. De poucos em poucos minutos, ele puxava a bomba manual que ficava sobre o painel superior de madeira logo acima do assoalho inclinado e a empurrava para a frente, mandando gasolina para o carburador. Além de alimentar o grande motor, ele tinha o trabalho de navegador, já que Bell não tinha nenhum conhecimento dos campos californianos. Enquanto Bell dirigia, Bronson retesava os pés contra o assoalho e pressionava as costas contra o banco de couro para evitar ser jogado no pavimento, sentindo como se tivesse sido atirado pelo cano de um canhão.

Sem querer tirar nenhuma das mãos do volante, Bell também dera a Bronson a tarefa de acionar a grande buzina. O agente parecia divertir-se apertando-a e soltando grasnidos agudos para as pessoas e veículos, especialmente nos cruzamentos. Não demorou muito e sua mão começou a doer.

Bronson trajava um longo casaco de couro, os pés e as panturrilhas fechados em botas de cano alto. Sua cabeça estava coberta por um capacete de couro com grandes óculos de proteção que o faziam parecer uma coruja em busca de um roedor. Os óculos eram necessários, já que o Locomobile não tinha um para-brisa.

O carro não chegara a percorrer 90 metros quando Bronson teve um terrível pressentimento quanto àquilo em que se metera ao insistir em acompanhar Bell nessa louca corrida até San Diego em um carro aberto, passando por estradas que não eram muito melhores do que trilhas de gado.

— Como estão os freios desta maravilha mecânica da engenharia? — Bronson perguntou causticamente.

— Não muito bons — Bell respondeu. — Os únicos freios são os do cabo que leva as correntes até as rodas traseiras.

— Você precisa ir assim tão depressa pela cidade? — Bronson protestou.

— O trem particular de Cromwell tem vantagem de uma hora sobre nós — gritou Bell por cima do som do escapamento. — Precisamos de cada minuto que possamos ganhar!

Pedestres, que ouviram o rugido gutural do escapamento vindo pela rua, seguido pelo estranho som da buzina, ficavam atordoados quando viam o Locomobile vermelho vindo em sua direção. Olhando incredulamente, saíam com rapidez do meio da rua até a máquina passar por eles, veloz. Os canos do escapamento, pouco salientes do lado esquerdo do capô, fumegavam como canhões.

Dois trabalhadores, carregando uma grande vidraça ao lado da rua, ficaram paralisados, em choque total, quando o carro passou trovejando, e o rugido explosivo do escapamento do Locomobile estilhaçou o vidro nas mãos deles. Nem Bell nem Bronson olharam para trás, mantendo o foco totalmente no tráfego que seguia denso ou diluído à sua frente, forçando Bell a girar o volante violentamente para um lado e para outro, como se fosse um piloto em uma corrida de obstáculos. Sua grande satisfação vinha ao apontar o carro na direção que desejava e notar que a máquina respondia como se antecipasse seus pensamentos.

Bell tirou o pé do acelerador para o freio e depois colocou-o de volta, enquanto rasgava as ruas, martelando as curvas dos cruzamentos até a rua principal que levava para fora da cidade, desejando ser um feiticeiro capaz de fazer com que o trânsito desaparecesse por mágica. Por pouco ele não acertou uma caminhonete de lavanderia, fazendo as quatro rodas derraparem para evitar o acidente. Girou a grossa borda de madeira do volante ferozmente enquanto mergulhava entre os veículos espalhados pelas ruas. Motoristas de outros carros motorizados olhavam pasmos para a velocidade do carro enquanto ele surgia atrás deles como um relâmpago e rapidamente desaparecia à frente. Cavalos atrelados a carruagens e carroças empinavam ao ouvir o ruído do que seus condutores imaginavam ser um coro infernal.

Enquanto se aproximavam do limite sul da cidade, o tráfego começou a rarear. Bell desacelerou o Locomobile para fazer uma curva fechada que levava à estrada principal para o sul, paralela aos trilhos do trem. Soltou um suspiro de alívio ao ver os automóveis e as carroças ficarem mais esparsos. Também sentiu-se grato por ter, agora, amplo espaço para desviar de qualquer veículo que bloqueasse seu caminho. O imenso automóvel era extremamente responsivo. Bell pisou no acelerador, empurrando-o alguns centímetros em direção ao chão, e o carro começou a voar por uma estrada que seguia reta, com poucas curvas. Quanto mais rápido o Locomobile ia, mais sólida era a sensação de estabilidade que proporcionava, enquanto as correntes de seus eixos emitiam um zunido metálico e agudo.

Logo a estrada tornou-se reta e rural. Comunidades agrícolas pitorescas surgiam no horizonte e rapidamente ficavam para trás da trilha de pó do automóvel. San Carlos, Menlo Park e então San Jose, cidades que eram ligadas por El Camino Real, a velha estrada usada no final do século 18 pelos frades franciscanos que construíram 21 missões na região, cada uma a um dia de viagem da outra.

Apreciando a estrada reta e aberta, com pouco tráfego, Bell pisou no acelerador até encostá-lo no chão e impulsionou o automóvel com tanta força quanto podia. O Locomobile estava em seu ambiente agora, correndo tanto quanto correra na competição da Copa Vanderbilt, o primeiro carro americano a participar de um evento internacional de velocidade. Como um cavalo de corrida que fora aposentado e então trazido de volta ao páreo, o

Locomobile rugiu estrada afora como um elefante enlouquecido, os cilindros cavernosos do poderoso motor virando a cambota sem o menor esforço.

Bell amava a máquina. Tinha um senso excepcional do temperamento e das idiossincrasias dela. Jactava-se em sua força e simplicidade, sentia-se intoxicado pela velocidade produzida pelo grande motor pulsante e dirigia como se possuído por um demônio, deleitando-se na nuvem de poeira vasta e rodopiante que o Locomobile lançava em seu rastro.

Bronson olhou para Bell, que vestia uma jaqueta curta de couro e calça para equitação com botas. Usava óculos de proteção, mas não capacete, preferindo ouvir o som do motor. Havia nele um ar de concentração insondável. Parecia implacavelmente determinado a vencer Cromwell no jogo dele. Bronson nunca vira ninguém com uma resolução tão feroz. Ele se virou e estudou o mapa. Então, cutucou Bell no ombro.

— Há uma bifurcação na estrada, logo adiante. Vire à esquerda. A estrada mais afastada do mar é melhor do que a da costa. Neste ritmo, passaremos por Salinas na próxima hora. Depois disso, Soledad.

— Como está nosso tempo? — Bell perguntou, tirando as mãos do volante e sacando o relógio de bolso.

— São 11h10 — Bronson respondeu por sobre o som do escapamento. — Desconhecendo a que velocidade estamos indo, não tenho como saber que vantagem ganhamos sobre o trem de Cromwell, se é que ganhamos algo.

Bell balançou a cabeça, compreendendo.

— O carro não tem um velocímetro nem um tacômetro, mas creio que devamos estar acima de 140 quilômetros por hora.

Bronson lentamente foi se acostumando à brisa que passava por seu rosto, os postes de telégrafo riscando a paisagem com a rapidez do relâmpago. Entretanto, um trecho da estrada tornou-se violentamente acidentado e esburacado, e Bronson logo percebeu que seria como estar dentro do chocalho de uma cascavel ensandecida. Com uma mão ele agarrou o braço de seu banco com toda a força e, com a outra, corajosamente operou a bomba de combustível.

Eles se arremessaram pela estreita e ondulada estrada de terra e a seguiram até o Condado de Monterey antes de chegar à comunidade agrícola de Salinas. A área rural dos dois lados da estrada era de uma beleza arrebatadora, esverdeando ao sol da primavera. Felizmente, a estrada principal que atravessava a cidade era tranquila, com apenas um ou dois automóveis e poucas carroças puxadas por cavalos paradas junto das calçadas. As pessoas ouviram o berro explosivo do escapamento do Locomobile enquanto ele cruzava os limites da cidade. Viraram a cabeça e olharam atônitas quando a grande máquina vermelho-fogo disparou pela área comercial da cidade. Não tiveram tempo de satisfazer sua curiosidade antes que a máquina vigorosa seguisse para o campo aberto ao sul.

— Qual é a próxima cidade? — perguntou Bell.

— Soledad — respondeu Bronson após consultar o mapa.

— Qual é a distância?

— Cerca de 40 quilômetros. É melhor enchermos o tanque lá, pois depois serão mais de 300 quilômetros até a próxima cidade grande. — Ele se virou e olhou para o grande tanque cilíndrico, feito de latão e apoiado atrás dos bancos. — Quanto ele aguenta?

— 170 litros.

— Deve haver uma oficina em Soledad que atenda automóveis e máquinas de fazenda.

As palavras mal saíram da boca de Bronson e o pneu traseiro esquerdo foi furado por uma rocha afiada na estrada. O Locomobile patinou e oscilou por uns cem metros até que Bell retomasse o controle e pisasse no freio.

— Era só uma questão de tempo — disse Bell, resignado. — É um dos problemas de se correr na estrada.

Em três minutos ele saiu do automóvel e estava enfiando um macaco debaixo do eixo traseiro enquanto Bronson removia um dos dois estepes de trás do carro. Bell tirou a roda e a substituiu em dez minutos. Ele já trocara pneus que se partiram em velocidades arriscadas muitas vezes desde que adquirira o Locomobile. Então, separou o pneu da roda e jogou-o para Bronson.

— Há um kit de conserto debaixo do seu banco. Remende o buraco enquanto eu dirijo. Vou recolocá-lo na roda depois que chegarmos a Salinas.

Pouco depois de retomarem o caminho em uma estrada razoavelmente lisa, uma carroça de feno atrelada a uma parelha de cavalos apareceu. O fazendeiro, acreditando ser o único a usar aquele trecho, estava conduzindo a carroça bem no meio do caminho, com pouquíssimo espaço restando entre as folhas e galhos ao longo da beira da estrada de terra e as cercas que envolviam plantações de alcachofra, pimenta, cogumelo e alface.

Bell começou a desacelerar, no entanto, não teve escolha senão tirar metade do Locomobile da estrada e ultrapassar a carroça de feno com cerca de poucos centímetros separando um veículo do outro. Entretanto, o espaço não era suficiente para uma ultrapassagem perfeita. Ele arrancou uns nove metros da frágil cerca de madeira, por sorte não causando danos sérios ao carro. Só o para-lama frontal direito ficou inclinado e retorcido, arranhando a roda quando ela acertou uma saliência na estrada. Bell não olhou para trás para ver o fazendeiro sacudindo o punho no ar e xingando-o enquanto os cavalos empinavam, quase derrubando a carroça de lado. O homem também não ficou feliz por ver-se inundado pela tempestade de poeira expelida pelas rodas do Locomobile.

— Eis aí um lavrador bem zangado — disse Bronson, virando-se no banco e olhando para trás.

— Provavelmente, é o dono da cerca que acabamos de destruir — Bell disse com um sorriso astuto.

Depois de 16 quilômetros, Soledad surgiu diante deles. Nomeada em razão da Missão Nuestra Señora de la Soledad, que fora fundada mais de 100 anos atrás, a cidade era uma grande parada ferroviária no vale, usada para transportar para o mercado, tão rapidamente quanto possível, a produção agrícola da região. Bell desacelerou de uma vez quando entrou na cidade e logo encontrou uma oficina onde pôde comprar gasolina para o Locomobile. Enquanto Bronson e o dono do posto esvaziavam latas de combustível do grande tanque, Bell se engalfinhava com o para-lama frontal direito, amassado, dobrando-o para longe do pneu. Então, pegou a câmara que Bronson remendara, inseriu-a de volta dentro do pneu e recolocou-o na roda antes de reencaixá-la na traseira do Locomobile.

— Vocês são o primeiro carro de alguma corrida? — perguntou o dono da oficina, vestido em um macacão engordurado.

— Não, estamos sozinhos — respondeu Bell, rindo.

O dono da oficina olhou para o automóvel empoeirado e danificado e balançou a cabeça.

— Vocês devem estar com uma pressa dos diabos!

— Estamos mesmo! — disse Bell, enfiando na mão do homem notas de dinheiro que cobriam mais do que o preço da gasolina.

Ele ficou lá, coçando a cabeça, enquanto o Locomobile partia rugindo e rapidamente se tornava uma mancha vermelha seguindo pela rua principal em direção ao campo.

— Esses caras devem ser doidos — resmungou. — Espero que saibam que a ponte sobre o Riacho Solvang caiu.

Quinze minutos e 30 quilômetros de estrada depois de Soledad, uma descida com uma curva aguda à esquerda surgiu diante deles. Uma placa ao lado da estrada passou voando.

— O que dizia a placa? — perguntou Bell.

— Algo sobre uma ponte, foi só o que vi — respondeu Bronson.

Uma barricada de rodas de trem bloqueava o centro da estrada e Bell pôde ver a parte de cima de uma ponte que parecia ter se quebrado ao meio. Uma equipe de homens estava trabalhando para consertar o trecho central enquanto outra equipe instalava postes e recolocava os fios de telégrafo e telefone que foram arrancados por uma inundação relâmpago.

Bell tirou o pé do acelerador, torcendo com força o volante. Enfiou ambos os pés no freio, travando as rodas traseiras, fazendo-as patinar e oscilar pela estrada e desacelerando o Locomobile, que parou derrapando. Ele endireitou a frente do automóvel por um segundo e então saiu voando por cima do declive, mergulhando no baixio íngreme de uma ravina larga que já fora o leito de um rio. Aterrissaram em uma explosão de pó a menos de 7 metros do largo riacho, com 60 centímetros de profundidade, que corria para o mar.

O pesado chassis de aço e o imenso motor, no impulso, chocaram-se contra a água com uma enorme erupção lodosa e marrom, que passou por cima do Locomobile como uma onda gigante. O baque violento sacudiu cada uma das juntas dos corpos de Bell e de Bronson. A água jorrou por cima do radiador e do capô antes de se abater sobre os homens, encharcando-os em um dilúvio de lama. Recebendo todo o impacto da onda, sentiram-se como se estivessem mergulhando em um oceano.

Então, o grande automóvel emergiu para o ar na margem oposta, estremecendo e livrando-se do riacho. Bell instantaneamente pisou no acelerador até encostá-lo no chão, esperando contra todas as chances que o poderoso motor não tivesse se afogado e morrido. Milagrosamente, os plugues de faísca, magneto e carburador sobreviveram para continuar seu trabalho e manter a grande câmara de combustão de quatro cilindros funcionando sem nenhuma falha. Como um fiel cavalo de batalha, o Locomobile lançou-se ladeira acima até o topo e Bell ganhou novamente a estrada.

Com grande alívio após terem chegado tão perto de um desastre, Bell e Bronson tiraram os óculos para limpar a lama e o lodo esparramados sobre as lentes.

— Teria sido bom se o cara da oficina tivesse nos avisado — disse Bronson, ensopado após tal provação.

— Talvez eles não sejam de falar muito aqui por estes lados — Bell brincou.

— Foi ali que a inundação relâmpago varreu as linhas de telefone e telégrafo.

— Vamos contatar sua contraparte no escritório de Los Angeles quando pararmos novamente para abastecer.

A estrada se nivelou e pareceu bem cuidada pelos 145 quilômetros seguintes. Bell, com os ouvidos atentos a qualquer falha nos cilindros do poderoso motor, deixou o Locomobile correr tão rápido quanto possível pela estrada de areia e cascalho, grato por não haver curvas fechadas e especialmente feliz porque os pneus estavam aguentando a viagem sem novos furos.

Finalmente, sua sorte acabou quando alcançou um trecho da estrada que era infestado de rochas, entretanto tornara-se liso após tempos de chuva. Ele desacelerou para poupar os pneus, no entanto, um deles acabou incrustado por uma pedra afiada e chiou, esvaziando-se dentro de menos de 100 metros. Um dos estepes foi rapidamente colocado em seu lugar, com Bronson remendando a câmara mais uma vez, e Bell prosseguiu em sua corrida louca em direção a Los Angeles.

San Luis Obispo e Santa Maria chegaram e ficaram para trás. Então, a altitude foi baixando enquanto a estrada corria ao longo da Costa do Pacífico. O oceano brilhou azul sob o céu, ficando branco quando as ondas se quebravam na costa de areia pálida, sarapintada de rochas negras.

Perto de Santa Bárbara, levantaram voo por sobre uma grande corcova na estrada, chocando-se no chão do outro lado com um impacto que tirou o fôlego de Bronson, que ficou impressionado porque o robusto veículo aguentou o tranco sem se partir em pedaços.

Eles entraram em Santa Bárbara, onde reabasteceram o tanque, encheram o radiador com água e instalaram o estepe. Fizeram uma rápida parada na estação ferroviária, onde Bronson telegrafou a seu colega, agente Bob Harrington, pedindo-lhe que os encontrasse no terminal ferroviário de Los Angeles.

Em vez de pegarem a estrada sinuosa e traiçoeira conhecida como Grapevine sobre o Passo Tejon antes de mergulhar para Los Angeles, Bronson indicou a Bell que levasse o Locomobile ao longo dos trilhos de trem, assentados com curvas muito mais suaves. O duro trajeto forçou o chassis do automóvel enquanto rodava pela estreita passagem sob uma colina de 1.275 metros, mas o veículo aguentou até alcançar o longo declive que levava ao Vale de San Fernando.

Pelo menos, o pior ficara para trás. Agora, estavam chegando ao fim da viagem e o Locomobile estava trabalhando duro, alcançando o trem particular de Cromwell a cada quilômetro. De acordo com a estimativa de Bronson, eles estavam apenas 15 minutos atrás dele. Com sorte, poderiam até chegar ao terminal ferroviário de Los Angeles antes do Assaltante Açougueiro.

A visão dos altos edifícios ao longe foi gratificante. Enquanto se aproximavam dos limites da cidade, o tráfego começou a crescer. Bronson estava maravilhado com a resistência física de Bell. Seus olhos azuis, duros e sem piscar, nunca deixavam a estrada. Esse homem nasceu para segurar o volante de um carro veloz, pensou Bronson. Olhou para o relógio. Os ponteiros no mostrador indicavam 16h12. Tinham feito uma média de 96 quilômetros por hora naquela corrida de 644 quilômetros.

O tráfego ficava mais denso à medida que se aproximavam da área principal da cidade e Bell retomou o que agora já era uma rotina, desviando-se de carroças, diligências e automóveis. Ficara imensamente aliviado quando a estrada de terra finalmente se tornara pavimentada com paralelepípedos. Acelerava, contornando grandes bondes vermelhos que corriam por trilhos para o centro da cidade. Estava surpreso com o número de automóveis pelo qual passara, sem saber que havia mais de 2 mil deles pelas ruas daquela cidade crescente, com 120 mil habitantes.

Bell considerou as vias públicas da Cidade dos Anjos muito mais largas do que as de São Francisco e conseguiu mover-se rapidamente com espaço extra para driblar o trânsito. Cruzaram o centro da cidade, cabeças virando-se de espanto pela velocidade do Locomobile vermelho. Um oficial de polícia assou seu apito e se enfureceu quando Bell o ignorou e continuou na mesma velocidade. O policial montou em sua bicicleta e iniciou uma perseguição, mas logo foi deixado para trás, até que o automóvel saiu completamente de sua vista.

A grande estação de trem surgiu diante deles quando Bell dobrou uma esquina sobre duas rodas. Um homem de terno marrom e chapéu de aba larga estava parado na calçada diante da entrada, sacudindo freneticamente os braços. Bell freou bem na frente de Bob Harrington, o agente da Van Dorn encarregado das operações no sul da Califórnia. De início, Harrington não reconheceu Bronson. O homem de capacete e casaco de couro coberto de lama parecia um fantasma até levantar os óculos.

— Meu Deus, Horace, não o reconheci! — disse o homem de rosto bronzeado e feições agudas. Com mais de 1,90 metro de altura, Harrington elevava-se sobre Bell e Bronson.

Bronson desceu do carro, sentindo-se duro, e esticou os músculos doloridos.

— Duvido que até minha mãe me reconhecesse. — Ele se virou e apontou para Bell, ainda sentado, exausto, atrás do volante. — Bob, este é Isaac Bell. Isaac, Bob Harrington.

— É um prazer conhecê-lo, Bob — disse Bell, tirando sua luva de piloto e apertando a mão de Harrington.

— Ouvi um bocado sobre suas façanhas, Isaac. É uma honra conhecer você.

Bell não perdeu mais tempo com amabilidades.

— Qual é o *status* do trem particular de Cromwell? Chegamos a tempo de detê-lo?

Harrington balançou a cabeça lentamente.

— Lamento ter que lhe dizer, mas o trem comum de passageiros saiu para um ramal em Ventura e deixou o trem de Cromwell passar na frente. Quando chegou a Los Angeles, ele passou direto pela estação e pegou a linha expressa para o sul, até San Diego. Fazendo isso, ganhou quase meia hora.

— Quanto tempo isso faz? — perguntou Bell, suas esperanças malogradas.

— Cerca de 20 minutos atrás.

— Nós teríamos chegado 10 minutos antes — Bronson observou melancolicamente.

Bell olhou para o Locomobile cansado, imaginando se o carro aguentaria o trajeto final. Sabia, sem olhar para um espelho, que estava mais exausto do que o automóvel.

Harrington avaliou os homens exauridos.

— Posso pedir a meus agentes em San Diego que apreendam Cromwell quando o trem especial dele parar na estação da cidade.

— Ele é esperto demais para descer na estação — disse Bell. — Ele vai parar o trem fora da cidade e entrar nela usando um de seus muitos disfarces.

— Aonde você acha que ele vai?

— A um dos bancos locais.

— Qual deles? — inquiriu Harrington. — Há pelo menos dez.

— O que tiver mais dinheiro.

— Você sinceramente acredita que um único bandido vai tentar roubar o Banco Wells Fargo de San Diego? — Harrington perguntou ceticamente. — É o banco mais seguro do sul da Califórnia.

— Mais uma razão para ele tentar — respondeu Bell. — Cromwell adora um desafio.

— Vou telefonar e mandar meus agentes ficarem na entrada.

Bell balançou a cabeça, em dúvida.

— Ele vai vê-los e desistir do roubo. A não ser que possamos pegá-lo no ato, ainda não temos evidência suficiente para condená-lo. E seus agentes não têm ideia de como ele é. Ainda que tivessem, não conseguiriam percebê-lo por baixo do disfarce. Ele é bom mesmo.

— Não podemos ficar parados e deixá-lo entrar no banco tranquilamente — protestou Bronson. — Ele vai matar todo mundo lá dentro.

Bell voltou-se para Harrington.

— Diga a seus agentes para fecharem o banco até Horace e eu chegarmos lá.

— Vocês não vão continuar até San Diego, vão? — perguntou Harrington, incrédulo.

— Vamos — Bell respondeu simplesmente, cansado, mas subindo para o banco do motorista do Locomobile. — Qual é o caminho mais rápido para sair da cidade para o sul?

— É só ficar na estrada que segue paralela aos trilhos do trem. Ela vai levá-los direto para San Diego.

— Qual é a condição da estrada?

— É totalmente bem cuidada — respondeu Harrington. Olhou em dúvida para a máquina cansada. — Vocês devem conseguir chegar rápido se seu automóvel aguentar.

— Ele nos trouxe até aqui — disse Bell com um sorriso apertado. — Vai nos levar até o fim.

— Diga a seus agentes que estamos a caminho — Bronson pediu com voz cansada. Parecia um homem a caminho da forca.

Harrington ficou ali por um tempo olhando o Locomobile disparar pela estrada. Então, balançou lentamente a cabeça e caminhou até o telefone mais próximo.

Dez minutos mais tarde, Bell alcançou os limites da cidade e mirou a estrada aberta até San Diego com o ornamento em forma de águia sobre o grande radiador de latão. Mesmo depois da louca corrida de São Francisco, Bronson ainda se maravilhava com a perícia e o domínio do tempo das rotações por minuto do motor e da percepção do momento certo para pisar na embreagem e agarrar a alavanca alta de latão que controlava as marchas.

A mente esgotada de Bell estava dividida entre sua direção na estrada à frente e a imagem de Jacob Cromwelll roubando outro banco e matando todos dentro dele. Enquanto se aproximavam de seu destino, seus nervos se retesavam e seu sangue pulsava com adrenalina, enquanto o fiel motor latejava com a estabilidade de um pulso vital.

33

O TEMPO PASSOU VELOZ enquanto o Locomobile devorava os quase 200 quilômetros entres as duas cidades em pouco menos de duas horas. A última luz do dia brilhava sobre o oceano no Oeste quando eles desceram do Monte Soledad em direção ao coração da cidade que se abria diante deles como um tapete de prédios tingidos de ouro aos últimos raios do sol poente. Embora o Locomobile tivesse grandes faróis de acetileno, Bell não queria perder tempo parando o carro para acendê-los.

— Como está a gasolina? — Bell perguntou em uma voz áspera, a boca coberta de poeira.

Bronson virou-se no banco, rosqueou a tampa do tanque de gasolina e introduziu um graveto dentro dele, até o fundo. Retirou o graveto e olhou para o líquido bem na ponta.

— Digamos que só temos o suficiente para terminar a corrida.

Bell balançou a cabeça sem responder.

O esforço excessivo cobrara dele seu preço. Depois de horas torcendo o volante em milhares de giros para manobrar as rodas dianteiras, seus braços estavam dormentes, como se não mais fizessem parte de seu corpo. Tornozelos e joelhos também doíam de tanto pressionar a embreagem, o acelerador e o freio. E ambas as mãos tinham bolhas debaixo das luvas de piloto feitas de couro. Ainda assim, Bell dirigia a toda velocidade naqueles últimos quilômetros, forçando o Locomobile a saltar em direção ao destino final como um urso perseguindo um alce.

O Locomobile também estava exausto. As superfícies nodosas dos pneus Michelin estavam quase rasgadas em fatias, as rodas estavam oscilando por causa do açoitamento que haviam suportado, o fiel motor estava começando a emitir sons estranhos e um vapor subia em ondas da tampa do radiador. Ainda assim, a magnífica máquina prosseguia.

— Eu me pergunto o que se passa na cabeça de Cromwell — disse Bell. — Está tarde demais para ele cometer um roubo hoje. O banco ficará fechado até amanhã de manhã.

— Hoje é sexta-feira — respondeu Bronson. — Os bancos em San Diego ficam abertos até as 21 horas.

Seguiam rapidamente pela Rua Índia, paralela aos trilhos do trem, com a estação a menos de dois quilômetros adiante, quando Bell tirou os olhos da estrada por um instante e olhou na direção de um trem com apenas um vagão que estava desacelerando para parar.

A locomotiva que puxava o vagão particular Pullman parou em um ramal a quatro pares de trilhos de distância da estrada. A fumaça se erguia preguiçosamente de sua chaminé enquanto o maquinista dava vazão aos vapores dos escapamentos. O foguista subiu no topo do vagão-reboque, preparando-se para tirar água de um grande tanque de madeira. Com a crescente escuridão, luzes piscavam no vagão Pullman, que agora estava estacionado a menos de dois quilômetros da estação e do centro da cidade.

Bell soube imediatamente que aquele só poderia ser o trem particular de Cromwell.

Não hesitou. Girou o volante com força para a esquerda e fez o Locomobile saltar loucamente por cima dos trilhos da ferrovia. Depois de cruzar três pares de trilhos, ele estourou todos os quatro pneus muito gastos e rodou o resto do caminho até o trem com os aros das rodas, fazendo chover faíscas que caíam como meteoros contra os trilhos de aço.

Bronson não disse nada. Estivera congelado, confuso e em choque, até ver o trem e perceber o que Bell pretendia fazer. Sua excitação cresceu até virar alegria quando entendeu que, depois daquela intrépida jornada de mais de 800 quilômetros, eles finalmente estavam a poucos passos de seu alvo.

Bell parou o Locomobile de uma vez por cima dos trilhos, em frente à locomotiva. Com o impulso finalmente exaurido, o esgotado automóvel ficou ali abandonado com o motor superaquecido estalando, o radiador sibilando e soltando vapor e o cheiro de pneus em frangalhos. Sua caçada louca e selvagem havia chegado a um clímax apropriado diante da presa que perseguira pelos sertões do inferno.

— Podemos acabar colocando o carro na frente dos bois — disse Bronson. — Ele ainda não tentou roubar o banco. Não podemos prendê-lo sem um crime.

— Talvez. Mas vindo de São Francisco até aqui tive muito tempo para pensar. É melhor pegarmos Cromwell agora, antes que ele tenha tempo para agir. Se ele perceber nossa armadilha novamente, estamos perdidos. Mais tarde eu me preocupo em juntar evidências suficientes para condená-lo. Além disso, ele não está em terreno familiar. Não pode chamar advogados caros para colocá-lo em liberdade.

Bell estava plenamente consciente de que ninguém tivera tempo de sair do trem durante os poucos minutos desde que ele parara. Saiu do automóvel e cambaleou até o vagão Pullman. As dores, as aflições e o cansaço lentamente foram desaparecendo. Parou abruptamente e deslizou por entre o vagão Pullman e o vagão-reboque de carvão, enquanto dois camareiros retiravam uma motocicleta do trem para o chão ao lado dos trilhos.

Esperou pacientemente por alguns minutos, até um homem vestindo o uniforme de um chefe de ferrovia sair do vagão Pullman e jogar uma perna por cima do selim da moto, que Bell reconheceu como uma Harley-Davidson. O homem ficou de costas para Bell enquanto o detetive caminhava em silêncio ao lado do vagão, parando apenas quando não estava mais que 1,50 metro atrás do homem, que agora se abaixava para abrir a válvula de combustível para o carburador, preparando-se para dar a partida no motor da moto.

— A Harley é uma bela máquina — Bell disse calmamente —, mas eu prefiro a Indian.

O homem na motocicleta congelou ao som da voz familiar. Virou-se lentamente e viu uma aparição de pé atrás de si. A luminosidade sinistra caía sobre ele, vindo das lâmpadas elétricas ao longo do ramal ferroviário. A figura vestia uma jaqueta curta de couro sobre calças de equitação e botas que pareciam ter sido arrastadas por um pântano. O par de óculos de proteção foi puxado para cima de sua cabeça, revelando mechas de cabelo louro coberto de lama seca. No entanto, não havia como confundir aquele rosto, os olhos penetrantes e o bigode sujo que cobria seu lábio superior.

— Você!

— Não foi muito original — Bell disse cinicamente. — Mas, já que usei a mesma expressão no banco em Telluride, não vou criticá-lo.

Um silêncio caiu sobre os dois homens, parecendo durar toda uma vida. Entretanto, Cromwell levou somente alguns segundos para perceber que a aparição realmente era Isaac Bell. Cromwell apenas ficou parado ali, descrente, o rosto subitamente pálido.

— Você morreu! — ele arfou. — Eu atirei em você!

— Duas vezes, na verdade — disse Bell em um tom severo. Sua mão direita agarrou a Colt .45 automática de 1905, apontando o cano diretamente para o meio dos olhos de Cromwell e segurando-a com a firmeza de uma barra de ferro presa no concreto.

Pela primeira vez em sua vida, Jacob Cromwell viu-se completamente indefeso. Sua mente ágil, tomada de excessiva autoconfiança, nunca considerara como ele agiria se chegasse o dia em que fosse preso. O impensável nunca habitara em sua mente. Sempre pensara em si mesmo como intocável. Agora, estava cara a cara com seu arqui-inimigo, que deveria estar morto. Sentia-se como um capitão cujo navio invencível chocara-se contra as rochas.

O Colt .38 de Cromwell estava no bolso de seu casaco, no entanto, ele sabia que Bell lhe estouraria os miolos antes que pudesse pegar a arma. Lentamente, ele ergueu as mãos em um desprezível gesto de derrota.

— O que acontece agora? — perguntou.

— Pegarei seu trem especial emprestado para levá-lo de volta a São Francisco. Lá, entregarei você à polícia para que você seja julgado por assassinato e enforcado.

— Você planejou tudo.

— O dia tinha que chegar, Cromwell. Você deveria ter parado quando estava em vantagem.

— Você não pode me prender. Eu não cometi nenhum crime.

— Então, por que está disfarçado como chefe de ferrovia?

— Por que não atira em mim e acaba com isso de uma vez? — Cromwell perguntou, sua decidida arrogância voltando a predominar.

— Seria como lhe dar um simples tapa na mão por seus crimes — Bell respondeu causticamente. — Prefiro dar-lhe tempo suficiente para pensar no nó da forca apertando seu pescoço de assassino.

Bronson surgiu de trás do vagão Pullman, seu revólver Smith & Wesson .44 de ação dupla engatilhado e apontado para o peito de Cromwell.

— Muito bem, Isaac. Você apanhou nosso amigo aqui em flagrante antes que ele pudesse cometer outro crime.

Bell entregou a Bronson um par de algemas Tower niqueladas com trava dupla. O agente as fechou prontamente nos pulsos de Cromwell. Então, revistou o bandido e encontrou a Colt .38 automática.

— A arma que você usou para cometer três dúzias de assassinatos — Bronson disse friamente.

— De onde você saiu? — Cromwell exigiu saber ao ver Bronson, sabendo com certeza que esses homens não hesitariam em atirar nele se desse a menor indicação de que tentaria escapar.

— Isaac me trouxe de São Francisco no automóvel dele — Bronson respondeu como se aquele fosse um evento corriqueiro.

— Impossível! — bufou Cromwell.

— Eu também pensava que fosse — disse Bronson, conduzindo Cromwell pelos degraus até o vagão Pullman, onde apanhou suas próprias algemas, fechou-as ao redor dos tornozelos do bandido e empurrou-o rudemente para um sofá.

Bell caminhou de volta para os trilhos e olhou tristemente para o Locomobile maltratado. Um homem com peito em forma de barril, carregando uma lata de óleo no macacão e usando o chapéu de brim listrado de maquinista apareceu atrás dele e olhou estupidamente para o automóvel.

— Como, em nome de Deus, esse calhambeque veio parar nos trilhos, na frente da minha locomotiva?

— É uma longa história — respondeu Bell, cansado.

— O que vai acontecer com ele?

Bell falou em um tom de voz calmo, quase reverente:

— Ele vai ser despachado de volta para a fábrica em Bridgeport, Connecticut, onde será reconstruído até ficar como novo.

— Consertar esse traste? — disse o maquinista, balançando a cabeça. — Para quê?

Bell olhou para o Locomobile com uma expressão amorosa e respondeu:

— Porque ele merece!

34

— **Vocês são idiotas se acham que podem** me raptar sem punição — Cromwell disse com desprezo. — Não têm autoridade para me prender sem um mandado. Assim que chegarmos a São Francisco, meus advogados exigirão minha soltura. Depois de fazer a Agência de Detetives Van Dorn de boba, escaparei livre como um pássaro. Eles realizarão tantos processos legais contra vocês que a agência há de falir e se afogar em um mar de escândalo.

Cromwell jazia acorrentado a um grande sofá no centro do vagão particular. Seus pulsos, pernas e até seu pescoço estavam atados com grandes faixas de aço, acorrentadas a argolas presas ao chão da seção de bagagens dianteira do vagão. Nenhum risco era aceitável. Quatro agentes da Van Dorn de Los Angeles, fortemente armados, estavam sentados a menos de três metros do bandido, com escopetas carregadas nas mãos, apoiadas sobre os joelhos.

— Talvez você tenha uma chance de exibir seu ego com seus colegas da prefeitura, amigo — disse Bell. — Mas você vai sair dessa exatamente como um porco sai do rancho para o açougue.

— Sou um homem inocente — disse Cromwell em tom muito tranquilo. — Posso provar que não estava nem mesmo por perto quando aconteceram os assaltos dos quais vocês me acusam. Onde está sua evidência? Onde estão suas testemunhas?

— Sou uma delas — Bell respondeu. — Eu o reconheci com aquele disfarce de mulher que usou em Telluride antes de atirar em mim.

— Você, senhor Bell? Que júri em São Francisco aceitaria seu testemunho? O julgamento será uma farsa. Você não tem o suficiente nem para me acusar, quanto mais para me condenar.

Bell lançou a Cromwell um sorriso ardiloso.

— Não sou a única testemunha. Há outras pessoas nas cidades onde você cometeu seus crimes que podem identificá-lo.

— Por favor. — Cromwell recostou-se no sofá como se não tivesse a menor preocupação. — Pelo que li sobre o Assaltante Açougueiro, ele sempre usa disfarces durante seus crimes. Como poderia ser identificado?

— Espere e verá.

— Tenho muita influência em São Francisco — o banqueiro disse com total convicção. — Contribuí imensamente para a eleição de cada um dos juízes das cortes federal e superior. Eles têm uma dívida para comigo. Vale o mesmo para os bons cidadãos de São Francisco. Mesmo que você pudesse me levar a julgamento, nenhum júri formado por gente minha me condenará. Não quando levarem em conta os muitos milhares de dólares que gastei em favor deles.

— Está apostando sem olhar suas próprias cartas — respondeu o detetive. — Um juiz federal virá de Washington para ouvir seu caso e o julgamento será realizado em outro lugar, onde você não seja o queridinho da cidade.

— Posso pagar os melhores advogados do país — Cromwell continuou, altivamente. — Nenhum júri, independentemente de quem seja o juiz, jamais me sentenciará por crimes com tão pouca evidência, por certo não um homem da minha reputação, amado pelos pobres e sem-teto de São Francisco.

A face de Bronson estava tomada de asco. Precisou de toda a sua força de vontade para não enfiar um murro no rosto de Cromwell.

— Diga isso às famílias das vítimas que você matou a sangue frio. Diga a elas como o dinheiro que você roubou serviu para lhe dar o estilo de vida luxuoso de um banqueiro em uma mansão em Nob Hill.

Cromwell sorriu descaradamente, nada dizendo.

O trem começou a desacelerar. Bronson foi até uma janela e olhou para fora.

— Estamos chegando a Santa Bárbara. O maquinista provavelmente vai parar para repor a água.

— Eu gostaria de descer na estação — disse Bell. — Há uma pequena questão da qual preciso tratar.

Assim que o trem parou, Bell saltou para a plataforma e rapidamente desapareceu na estação. Dez minutos depois, enquanto o maquinista soava o apito, avisando que acionaria as rodas motrizes, Bell surgiu correndo e subiu a bordo do vagão Pullman.

— O que foi isso? — perguntou Bronson.

Cromwell imediatamente suspeitou de que algo não estava correndo como ele gostaria. Remexeu-se na poltrona e inclinou-se para a frente para ouvir.

— As linhas telefônicas foram consertadas na ravina pela qual a inundação passou — Bell respondeu a Bronson. Então, olhou para Cromwell com um sorriso sarcástico. — Então, telefonei para o escritório da Van Dorn e instruí nossos agentes a colocar sua irmã sob custódia como cúmplice.

— Você é louco! — Cromwell gritou.

— Acho que podemos provar que ela está envolvida nos assassinatos cometidos pelo Assaltante Açougueiro.

Cromwell ergueu-se do sofá como uma onda, seu rosto expressava ódio e aversão, no entanto, foi detido pelas correntes.

— Seu porco imundo — sibilou. — Margaret não teve nada a ver com isso. Ela não sabe nada de meus... — Ele hesitou e parou antes que se incriminasse. Lentamente, sentou-se no sofá, a compostura e conduta presunçosa retomando o controle. — Vocês pagarão caro por envolver uma mulher inocente em suas acusações ridículas. Margaret estará de volta em casa em apenas uma hora depois de ser acusada de crimes dos quais nada sabe.

Bell olhou nos olhos de Cromwell com a autoconfiança de uma pantera prestes a morder um antílope.

— Margaret contará tudo — disse com firmeza. — Contará o que sabe para tentar salvar o irmão. Ela mentirá, é claro, mas tropeçará em uma série de detalhes para os quais não terá resposta. Margaret será a testemunha que, sem saber, levará você à força.

— Mesmo que eu fosse culpado, Margaret jamais proferiria uma única palavra contra mim — Cromwell retorquiu convicto.

— Ela dirá, sim, se souber que irá para a cadeia pelo resto de sua vida. Por isso e pela perda do estilo de vida luxuoso. Entregar evidências para a promotoria será bem simples se houver um preço caro a pagar por não fazê-lo.

— Você subestima Margaret imensamente.

— Creio que não — volveu Bell, com tranquilidade.

— Você nunca conseguirá ligar Margaret com os crimes — disse Cromwell com um sorriso apertado —, assim como não conseguirá convencer um júri de que sou culpado.

Bell encarou o banqueiro:

— Você é culpado?

Cromwell riu e apontou com a cabeça para o vagão a seu redor.

— Quer que eu admita ser o Assaltante Açougueiro diante de testemunhas? Ah, por favor, Bell. — Não houve um "senhor" desta vez. — Está patinando sobre gelo fino e sabe disso.

Então, Bell puxou a luva da mão esquerda de Cromwell, tirando-a, e revelou um tubo de metal no lugar onde antes estivera o dedo dele.

— Veremos — Bell refletiu em voz alta. — Veremos mesmo.

**

Bell não aceitaria correr riscos. Quando chegaram a São Francisco, ele mandou que o maquinista passasse direto pela estação principal e se dirigisse ao ramal do pátio de manobras. Bronson tinha um pequeno exército de agentes à mão para escoltar Jacob Cromwell a uma ambulância, onde ele foi amarrado a uma maca para fazer o trajeto pela cidade.

— Não podemos nos arriscar colocando Cromwell na cadeia da cidade — disse Bell. — Ele está certo quando diz que os amigos dele virão correndo dentro de uma hora. Cruze a baía, levando-o à prisão estadual de San Quentin. Nós o manteremos lá até estarmos prontos para fazer a acusação legal.

— Cada repórter de cada jornal da cidade estará a postos para noticiar o evento — disse Bronson.

— Eles espalharão a história por todo o país, mandando-a via telégrafo para cada jornal daqui até Bangor, no Maine — Bell acrescentou com um sorriso. — Agora, tudo o que temos a fazer é impedir que ele escape por entre nossos dedos. Cromwell tentará subornar qualquer guarda que se aproxime dele.

— Conheço o diretor da prisão em San Quentin — disse Bronson. — Ele é reto como uma flecha. Cromwell desperdiçará fôlego se pensar em suborná-lo para que o ajude a escapar.

— Não pense que ele não tentará. — Bell olhou para Cromwell enquanto ele era levado bruscamente para dentro da ambulância. — Coloque um capuz na cabeça dele para que ninguém o reconheça. Faça com que o diretor do presídio jure segredo e tranque Cromwell na solitária, longe de qualquer outro prisioneiro. Daremos a papelada necessária para o diretor amanhã.

— E quanto a Margaret? Duvido que um desses juízes da folha de pagamento de Cromwell preenchesse os papéis para prendê-la.

— Aja como se isso não fosse um problema — Bell instruiu. — Pressione-a. Quando ela souber que o irmão está sob custódia e que ela também pode acabar sendo presa, aposto que Margaret juntará todo o dinheiro que puder e tentará fugir. Então, ela cairá diretamente em nossas mãos.

Antes de seguir para o escritório de Bronson, Bell parou em uma agência de telégrafo e mandou uma longa mensagem para Van Dorn, relatando a captura do notório Assaltante Açougueiro. Ele também pediu toda a ajuda que o Coronel Danzler e o governo federal pudessem oferecer.

**

Cromwell estava certo quanto a uma questão. Margaret saiu da delegacia menos de 30 minutos depois de ter sido escoltada até lá por dois agentes da Van Dorn. Os advogados de Cromwell já estavam combinando a fiança quando ela chegara. Até seu chofer estava pronto para levá-la para casa, esperando dentro do Rolls-Royce do lado de fora, estacionado em uma zona onde veículos eram proibidos. Um magistrado do tribunal aparecera miraculosamente para assinar os documentos de soltura. A um repórter, que por acaso estava presente cobrindo um caso de roubo, pareceu que a prisão de Margaret e sua quase imediata soltura foram uma formalidade ensaiada.

Enquanto isso, Bronson e seus agentes haviam levado a ambulância que carregava Cromwell para a balsa na qual cruzaram a baía até o Condado de Marin. Como Bronson previra, o diretor foi muito cooperativo, ficando até mesmo orgulhoso de ter o famoso Assaltante Açougueiro em sua prisão até que Bell e Bronson pudessem orquestrar a acusação.

Depois que Bell deixou a agência de telégrafo, foi até o banco de Cromwell. Tomou o elevador até o escritório principal e aproximou-se da mesa de Marion.

— Pegue o chapéu — disse sem preâmbulo, em um tom prático. — Você vai tirar o resto do dia de folga.

Ela titubeou, totalmente abalada pela aparição súbita de Bell depois de três dias. Seu sentimento carnal por ele voltou transbordando. Podia ver que seria impossível argumentar com ele, mas, ainda assim, disse:

— Não posso simplesmente sair quando quero. Poderia perder meu emprego.

— Seu emprego já está perdido. Seu chefe está atrás das grades.

Ele contornou a mesa e empurrou a cadeira dela para que se levantasse. Ela o fez, lentamente, e olhou para ele, estupefata.

— O que está dizendo?

— O show acabou. Manterei Cromwell preso até obter as garantias necessárias para a detenção formal e os documentos para a acusação.

Sentindo como se estivesse caminhando em meio a um nevoeiro, ela pegou o chapéu e a bolsa de um gabinete atrás da mesa e então ficou ali, parada, incerta quanto ao que fazer. Seus olhos se desviaram e ela olhou para o chão, hesitante e incrédula. Nunca imaginara que Jacob Cromwell, independentemente de seus crimes, fosse vulnerável.

Bell já vira as bochechas de Marion corarem antes e sempre ficava tocado com a reação modesta. Tomou o chapéu das mãos dela e colocou-o na cabeça dela em um ângulo garboso.

— Gostei — disse ele, rindo.

— Bom, eu não — respondeu ela com irritação na voz, endireitando o chapéu e deixando-o na posição apropriada sobre sua adorável cabeça. — Aonde você vai me levar?

— Para a praia, onde possamos caminhar na areia e conversar longamente sobre os eventos recentes.

— Vai levar seu automóvel extravagante?

Ela ficou surpresa com o olhar dolorido que cruzou o rosto dele.

— Temo que não possamos levá-lo a parte alguma por um bom tempo.

35

A construção da Prisão de San Quentin começou auspiciosamente no Dia da Queda da Bastilha, 14 de julho, em 1852. Por que mais tarde ganhara o nome de um de seus notórios habitantes, que cumprira pena por assassinato e cujo nome era Miguel Quentin, ninguém sabia. O termo espanhol *San* é usado para santos do sexo masculino. Quentin não era nenhum santo, mas o nome pegou e a prisão tornou-se conhecida como San Quentin.

A mais antiga prisão estadual da Califórnia realizara sua primeira execução em 1893 ao enforcar Jose Gabriel pela morte de um casal idoso para o qual trabalhava. Mulheres também eram confinadas ali, em um edifício separado. Em 1906, mais de cem prisioneiros haviam morrido atrás das paredes da prisão, havendo desde assassinatos e suicídios até morte por causas naturais. Estavam enterrados no cemitério fora das muralhas da prisão.

Richard Weber, o diretor, era um homem grande, ágil como um ginasta e vigoroso, um maníaco por trabalho e totalmente dedicado a seu emprego. Pesado, mas sólido como uma rocha, exibia um sorriso perpétuo que sempre curvava muito levemente os cantos de seus lábios. Um rigoroso disciplinador bastante inclinado à reforma, ele colocava os prisioneiros para trabalhar na manufatura de produtos, manutenção de jardins e participação em um grande número de estudos educacionais. Seu programa de pequenas recompensas aos detentos, além de premiá-los com redução de suas sentenças, realçara sua reputação como o "Diretor Durão, Mas Justo".

Bronson quase acertara ao dizer que Weber não poderia ser subornado. Era conhecido como um homem muito acima das nódoas da corrupção e da politicagem. Católico devoto, Weber e sua esposa haviam formado uma família com oito filhos. Seu salário como chefe da maior prisão estadual era alto, no entanto sobrava-lhe pouco para gastar em amenidades. Seu sonho de se aposentar algum dia e viver em um rancho no Vale de San Joaquin era apenas isto: um sonho.

Embora se diga com frequência que todo homem tem um preço, todos que conheciam o Diretor Weber o consideravam intocável. No entanto, acontece que, debaixo de todo aquele verniz de integridade, ele era apenas humano.

Logo depois que Cromwell foi trancado na solitária, Weber visitou o bandido/banqueiro em sua pequena cela, dois andares abaixo do edifício principal da prisão. Depois de pedir ao guarda que destrancasse a porta de aço, Weber entrou na cela e sentou-se em uma pequena cadeira dobrável que trouxera consigo.

— Senhor Cromwell — ele disse educadamente —, bem-vindo a San Quentin.

Cromwell ergueu-se de seu catre e balançou a cabeça.

— Talvez eu deva dizer que estou grato por sua hospitalidade, mas isso seria uma mentira.

— Fui informado de que o senhor só ficará conosco por um curto período.

— Até eu ser acusado no tribunal federal — disse Cromwell. — Foi isso o que Bronson, da Agência de Detetives Van Dorn, disse ao senhor?

Weber assentiu.

— Ele disse que estava esperando instruções do Departamento de Investigação Criminal em Washington.

— O senhor sabe por que fui preso?

— Me disseram que o senhor é o notório Assaltante Açougueiro.

— Está familiarizado com meu *status* na comunidade? — perguntou Cromwell.

— Estou — respondeu Weber. — O senhor é proprietário do Banco Cromwell e um admirado filantropo.

— Acha que um homem como eu roubaria bancos e mataria dezenas de pessoas?

— Devo admitir que considero a ideia um pouco forçada — disse Weber, remexendo-se no assento.

Cromwell preparou o bote.

— Se eu lhe desse minha palavra de que não cometi nenhum crime e de que essas são acusações falsas feitas pelo governo dos Estados Unidos para confiscar meu banco, o senhor me soltaria?

Weber pensou por um momento; então, balançou a cabeça.

— Lamento, senhor Cromwell. Não estou autorizado a libertá-lo.

— Ainda que não tenha sido feita nenhuma acusação formal?

— Recebi garantias de que as acusações estão sendo registradas agora mesmo.

— Se eu lhe assegurasse de que não pretendo fugir, mas que preciso ir diretamente a meus advogados na cidade e obter os papéis necessários para minha soltura de um magistrado do tribunal, então, o senhor me permitiria deixar a prisão?

— Talvez, se eu pudesse — respondeu Weber. — Mas, como diretor, não posso permitir que deixe o terreno da prisão antes que os papéis de soltura estejam em minhas mãos. Além disso, há agentes da Van Dorn fazendo patrulha ao redor de nossas muralhas para evitar que o senhor fuja.

Cromwell olhou para a cela de concreto a seu redor, sem janelas e com uma porta de aço.

— Algum detento já escapou da solitária?

— Não na história de San Quentin.

Cromwell fez uma pausa, preparando a armadilha.

— Suponha, apenas suponha, diretor, que o senhor me levasse pessoalmente até São Francisco?

Weber olhou para ele com interesse.

— O que tem em mente?

— Leve-me ao escritório do promotor Horvarth e, precisamente uma hora depois, 50 mil dólares em dinheiro serão entregues em sua casa no terreno da prisão por um mensageiro particular.

O diretor ponderou sobre a proposta de Cromwell por vários instantes. Sabia que a oferta não era feita à toa. O banqueiro valia muitos milhões de dólares e oferecia dinheiro vivo, o que não deixaria rastros caso investigadores viessem bisbilhotar sua vida. Cinquenta mil dólares era uma quantia enorme. Ele poderia manter o dinheiro escondido até sua aposentadoria. Weber também sabia fazer contas e reconhecia que o valor era mais do que suficiente para comprar o melhor rancho do estado. Era uma oferta que nem mesmo um homem honesto e íntegro poderia recusar.

Finalmente, Weber levantou-se da cadeira, dirigiu-se à porta de aço e bateu três vezes. A porta se abriu e um guarda uniformizado entrou.

— Coloque um capuz sobre o rosto do prisioneiro e leve-o ao escritório atrás de minha casa. Estarei esperando lá. — Então, virou-se e saiu da cela.

Dez minutos depois, o guarda empurrou Cromwell para dentro do escritório de Weber.

— Remova o capuz e as algemas — Weber instruiu-o. Assim que o capuz foi erguido e as algemas foram retiradas dos pés e mãos de Cromwell, o guarda foi dispensado.

— Acredito que eu possa confiar em sua palavra de cavalheiro de que minha recompensa chegará uma hora depois que eu o deixar a salvo diante do tribunal da cidade.

Cromwell assentiu, balançando a cabeça solenemente.

— O senhor pode ter certeza de que o dinheiro estará em suas mãos esta tarde.

— Está bem, então. — Weber levantou-se e andou até um armário. Voltou segurando um vestido, um chapéu, uma bolsa e um xale feminino. — Vista isto. O senhor é um homem pequeno, mais ou menos do tamanho de minha esposa. Estará disfarçado como ela quando passarmos pelos portões internos e pelo portão principal. Mantenha a cabeça baixa e os guardas não notarão nada. Ela e eu frequentemente passeamos no campo ou na cidade.

— E quanto aos agentes da Van Dorn patrulhando as muralhas externas?

Weber sorriu levemente.

— Sou o último homem que eles imaginariam metido em uma infração.

Cromwell olhou para as roupas e riu.

— Algo engraçado? — perguntou o diretor.

— Não — replicou o banqueiro. — É só que já fiz isso antes.

Quando Cromwell terminou de vestir as roupas da esposa do diretor, enrolou o xale em torno do pescoço e puxou o chapéu para baixo de forma a cobrir a barba que estava começando a crescer em seu queixo.

— Estou tão pronto quanto possível — anunciou.

Weber levou-o para fora do escritório, cruzando o pátio até a garagem que abrigava o automóvel Ford Modelo T do diretor. Ligou o motor sem o menor esforço e colocou-se atrás do volante. O carro começou a rodar pela estrada de cascalho em direção aos portões internos e teve permissão para passar após um aceno do diretor. O portão principal foi outra história. Ali, dois guardas se aproximaram de Weber solicitando sua autorização pessoal para abrir o portão.

— Shari e eu vamos à cidade comprar um presente para o aniversário da irmã dela — ele disse placidamente.

O guarda do lado esquerdo do carro saudou dedicadamente o diretor e permitiu sua passagem. O guarda da esquerda olhou para Cromwell, que fingiu procurar algo dentro da bolsa. O guarda abaixou-se para olhar sob o chapéu da mulher, mas Weber percebeu o movimento e disparou:

— Pare de encarar minha esposa e abra o portão!

O guarda endireitou-se e acenou para o técnico da torre que controlava o mecanismo de abertura das imensas portas de aço. Assim que elas se escancararam o suficiente para permitir que o Ford passasse, Weber empurrou a alavanca do câmbio para baixo e tirou o pé do pedal de embreagem. O automóvel saltou para a frente e logo estava roncando pela estrada em direção ao cais para subir em uma balsa para São Francisco.

36

— Ele fez o quê? — Bell rugiu ao telefone.

— O que foi? — perguntou Bronson, entrando no escritório quando Bell desligou o telefone.

Bell ergueu os olhos para ele, a face retorcida de fúria.

— Seu amigo, o correto e incorruptível diretor de San Quentin, libertou Cromwell.

— Não acredito — Bronson disse totalmente descrente.

— Pode acreditar, sim! — disparou Bell. — Quem me ligou foi Marion Morgan, a secretária particular de Cromwell. Ela disse que ele entrou no escritório cinco minutos atrás.

— Deve estar enganada.

— Ela está absolutamente certa — disse Curtis, surgindo à porta. Ele olhou para Bronson. — Um dos agentes que estava seguindo a irmã dele, Margaret, viu Cromwell descer os degraus do tribunal da cidade e entrar no carro dela.

— O Diretor Weber aceitando suborno — Bronson murmurou. — Eu jamais imaginaria.

— Cromwell provavelmente ofereceu a ele o resgate de um rei — disse Bell.

— Meus agentes na prisão informaram que Weber saiu em seu automóvel com a esposa para fazer compras na cidade.

— Não é a primeira vez que Cromwell se disfarça como mulher — Bell resmungou raivosamente. — Sem dúvida ele tirou o vestido assim que se afastaram de San Quentin e antes de chegar à balsa.

— O que nos resta agora? — inquiriu Curtis.

— Telegrafei ao Coronel Danzler, chefe do Departamento de Investigação Criminal dos Estados Unidos. Ele está cuidando para que um juiz federal assine um mandado de prisão para Cromwell que não possa ser anulado pelo sistema judicial da cidade ou do estado. Assim que esse documento estiver em nossas mãos, poderemos tirar Cromwell de circulação para sempre.

— Se vier pela ferrovia, levará pelo menos quatro dias para chegar — disse Bronson. — E se ele tentar fugir do país? Não temos meios legais de detê-lo.

— Também não tínhamos meios legais para capturá-lo em San Diego — retorquiu Bell. — Vamos agarrá-lo novamente e mantê-lo trancado em um local secreto até a papelada chegar.

Bronson pareceu em dúvida.

— Antes que possamos pôr nossas mãos em Cromwell de novo — começou ele —, os amigos dele, prefeito, chefe de polícia e xerife do condado, o protegerão com um exército de policiais e delegados armados até os dentes. Meus sete agentes serão superados se tentarem apanhá-lo.

— Cromwell tem esse tipo de influência? — perguntou Curtis.

— O nível de corrupção em São Francisco faz com que a máquina política de Tammany Hall[6] de Nova York pareça um convento — respondeu Bronson. — Cromwell fez tudo o que pôde para manter as autoridades desta cidade gordas e ricas.

Bell deu um sorriso duro e sagaz.

— Teremos nosso próprio exército — disse tranquilamente. — O Coronel Danzler chamará o regimento militar que está posicionado na base de Presídio, se eu pedir.

[6] Tammany Hall, também conhecida como Sociedade de St. Tammany, Filhos de St. Tammany ou Ordem Columbiana, foi um clube político operante em Nova York. Influenciou a política da cidade de 1790 até 1960 e ajudou pobres e imigrantes, mas seus líderes se envolveram em práticas corruptas para enriquecimento próprio (N. T.).

— Podemos precisar deles mais cedo do que você imagina — disse Bronson. — Se Cromwell tirar todo o dinheiro do banco e fretar outro trem, ele atravessará a fronteira com o México livre como um pássaro antes que possamos erguer um só dedo.

— Tem razão — concordou Curtis. — Dessa forma, ficamos impotentes. Não podemos tocá-lo. Na hora em que Danzler conseguir contatar o comandante de Presídio e pedir que tropas marchem para dentro da cidade, será tarde demais. A politicagem de Cromwell já o terá tirado da cidade.

Bell recostou-se na cadeira e olhou para o teto.

— Não será necessário — disse lentamente.

— O que está se passando nessa sua mente tortuosa? — perguntou Curtis.

— Suponha que o presidente dos Estados Unidos peça ao presidente da Ferrovia Southern Pacific para não fornecer um trem para Cromwell?

— Isso é possível? — Bronson olhou para ele.

Bell balançou a cabeça afirmativamente.

— O Coronel Danzler tem grande influência em Washington. Van Dorn me disse que ele e o Presidente Roosevelt são muito amigos. Lutaram lado a lado na Colina San Juan durante a guerra. Creio que ele possa persuadir o presidente a fazer isso.

— E se Cromwell fretar um navio? — propôs Bronson.

— Então, uma belonave dos Estados Unidos será enviada para deter esse navio por mar, remover Cromwell e trazê-lo de volta a São Francisco. A essa hora, já teremos o necessário para prendê-lo e julgá-lo.

— Parece que você cobriu todas as bases — Bronson disse, admirado.

— Cromwell é um sujeito escorregadio — lembrou Bell. — Se houver uma forma de escapar à nossa rede, ele a encontrará. — Parou e olhou para um relógio na parede. — São 16h35. Tenho um encontro marcado às 18 em ponto.

— Marion Morgan? — Curtis perguntou com um sorriso astuto. — Parece que, além de ela ficar de olho em Cromwell, também há algo acontecendo entre vocês.

— Ela é uma mulher extraordinária! — admitiu Bell. Ficou de pé e vestiu o casaco. — Está preparando o jantar na casa dela.

Bronson piscou para Curtis.

— Nosso amigo é um homem de sorte — disse.

— Perdi a noção do tempo — comentou Bell. — Que dia é hoje?

— Terça-feira, 17 de abril — respondeu Curtis. Então, acrescentou com bom humor: — O ano é 1906.

— Sei qual é o ano — Bell respondeu, passando pela porta. — Vejo vocês de manhã.

Infelizmente, um dos homens no recinto jamais veria o amanhã.

* *

MARGARET PAROU O MERCEDES sob a entrada coberta que abrigava os veículos diante da porta principal da mansão antes que eles passassem para o pátio. Depois de apanhar o irmão na frente da prefeitura, ela o levou ao banco, onde ele passou duas horas trancado em seu escritório. Quando saiu, os dois seguiram para Nob Hill em silêncio. Seu chofer surgiu da garagem e manobrou o carro para dentro. No instante em que pisaram no vestíbulo, Margaret arrancou o chapéu e atirou-o no chão, encarando o irmão com fogo nos olhos.

— Espero que esteja satisfeito agora que fez nossa sorte desmoronar ao nosso redor!

Cromwell caminhou como um velho para a sala de estar e mergulhou em uma poltrona, exausto.

— Cometi o erro de subestimar Bell — disse. — Ele me apanhou antes que eu pudesse chegar ao banco em San Diego.

O chão sob os pés de Margaret pareceu tremer sob sua mudança completa de humor.

— Isaac vivo? Você o viu?

— Você parece ter um interesse incomum por ele — disse Jacob, olhando atentamente para ela. — Está feliz por nosso nêmesis ainda caminhar pela terra?

— Você disse que o tinha matado em Telluride.

— Pensei que o tivesse matado, mas aparentemente ele sobreviveu. — Cromwell disse, como se estivesse descrevendo um carregamento de carvão. — Meu único erro em 20 anos.

— Então, foi ele quem o trouxe de San Diego e o colocou em San Quentin?

Cromwell assentiu.

— Ele não tinha esse direito! Passou por cima da lei. Agora, Bell moverá céus e terras para proclamar que sou o Assaltante Açougueiro e me mandar para a forca.

— Não será tarefa simples escapar da cidade. Os agentes da Van Dorn estão observando cada um de nossos movimentos.

— Não tenho intenção de fugir feito um ladrão na noite. É hora de aqueles que se beneficiaram de nossos favores e fundos pagarem suas dívidas mantendo-nos fora do alcance da Van Dorn até que estejamos prontos para seguir tranquilamente até pastagens mais verdes.

Ela olhou para ele resolutamente, sua mente em constante ação.

— Contrataremos os melhores advogados de Nova York. Será impossível condenar você. Faremos de Isaac Bell e da Agência de Detetives Van Dorn motivo de piada da nação.

— Não duvido que vençamos no tribunal — ele disse calmamente, olhando para a irmã com uma expressão séria. — Mas a admiração das pessoas de São Francisco por nós acabará. O banco sofrerá um desastre financeiro quando nossos correntistas, com medo de escândalos, forem para os bancos concorrentes. O Banco Nacional Cromwell terá que fechar as portas. — Ele fez uma pausa de efeito. — A não ser...

— A não ser o quê? — ela perguntou, encarando os olhos inflexíveis dele.

— A não ser que movamos nossos ativos secretamente e sem alarde para outra cidade, em outro país, onde possamos iniciar um novo império financeiro sob outro nome.

Margaret relaxou visivelmente agora que começava a perceber que nem tudo estava perdido. Seu estilo de vida poderia não cair pelo penhasco, afinal.

— Que cidade e que país você tem em mente? México? Brasil, talvez?

Cromwell sorriu perversamente.

— Minha querida irmã, posso apenas esperar que o senhor Bell pense como você.

Sentiu-se orgulhoso de si mesmo, acreditando que tudo de que precisava eram apenas três horas da manhã seguinte para combinar o envio das reservas financeiras de seu banco. Seus ativos em papel já tinham sido mandados para fora do país por telégrafo quando ele esteve no banco. Agora, tudo o que ele e Margaret tinham a fazer era empacotar alguns pertences e trancar a casa, deixando-a para ser vendida por um corretor de imóveis. O resto, então, seria fácil, uma vez que cruzassem a fronteira e deixassem os Estados Unidos para trás.

**

BELL ESTAVA SENTADO, olhando pensativamente para a lareira do apartamento de Marion enquanto ela estava ocupada na cozinha. Ele trouxera uma garrafa de Cabernet Sauvignon California Beringer, 1900, e estava com a taça pela metade quando Marion entrou na sala de jantar e começou a arrumar a mesa. Ele ergueu o olhar e sentiu um grande desejo de caminhar até lá e beijá-la.

Ela estava impressionantemente bela, com sua elegante silhueta em forma de ampulheta, amplas curvas e seios fartos. Usava um corpete de cetim rosa e rendas em cascata que chegava até o queixo, alongando o pescoço alto e gracioso. A saia também era rosa, longa e fluída como um lírio aberto para baixo. Mesmo com o torso coberto por um grande avental, ela parecia elegante.

Seu cabelo louro-palha brilhava à luz das velas na mesa. Estava amarrado atrás em um coque sedoso de várias voltas atrás das orelhas delicadas. Bell suprimiu o desejo de beijá-la e simplesmente deleitou-se com a visão.

— Não é nada sofisticado — ela disse, aproximando-se e sentando no braço da poltrona dele. — Espero que goste de carne de panela.

— Sou apaixonado por carne de panela — ele respondeu, perdendo o controle e puxando-a para seu colo, onde a beijou longa e ardentemente. Ela ficou tensa, depois tremeu, e seus olhos verde-mar ficaram enormes, brilhando profundamente. Quando se separaram, a conduta dela mudou. Os olhos tornaram-se atrevidos e a expressão, picante. A respiração ficou mais rápida e ela apreciou a sensação de profunda sensualidade, uma sensação que nunca experimentara com outro homem. Com lenta deliberação, ela se levantou do colo dele e ficou de pé tremulamente, ajeitando uma mecha de cabelo que caíra sobre sua têmpora.

— Chega disso, a não ser que você queira carne de panela queimada.

— Por quanto tempo mais devo sofrer de estômago vazio?

Ela riu.

— Mais dez minutos. Estou esperando as batatas cozinharem.

Ele observou-a voltar à cozinha, seu caminhar fluido como o de uma gazela.

Enquanto ela colocava os pratos na mesa, ele voltou a encher as taças e os dois se sentaram. Comeram em silêncio por alguns instantes. Então, Bell disse:

— Tudo está delicioso! Um dia, você dará uma esposa maravilhosa para um homem de muita sorte.

As palavras sopraram como uma brisa cálida pela nuca dela e um fluxo sanguíneo se espalhou por seus seios, endurecendo os mamilos. Lá no fundo, ela esperava que os sentimentos dele seguissem aquela direção, no entanto, também temia que a afeição dele esfriasse e ele partisse na escuridão da noite para jamais retornar.

Bell notou a confusão de Marion e teve medo de tocar no assunto. Então, mudou o rumo da conversa.

— Quanto tempo Cromwell ficou no banco hoje?

A emoção dela rapidamente tornou-se ira. Ficou furiosa consigo mesma por responder com as palavras apropriadas em vez de calmamente expressar seus sentimentos por ele.

— Ele passou a maior parte do tempo no escritório, parecendo muito reservado. Também desceu três vezes até o cofre.

— Tem alguma ideia do que ele está tramando?

Ela balançou a cabeça.

— Ele anda muito misterioso. — Então, ergueu a cabeça e um pequeno sorriso separou-lhe os lábios. — Mas, quando ele estava no cofre, eu entrei no escritório e dei uma olhada nos papéis que ele tinha espalhado na mesa.

Ele esperou, cheio de expectativa, enquanto ela deixou que se contorcesse de curiosidade por um momento, como se estivesse se vingando dele por ignorar os sentimentos dela.

— Ele estava tratando de retiradas e transferências de dinheiro.

— Faz sentido. Nosso palpite é que ele e Margaret planejam fugir do país e levar os fundos do banco consigo. Não há a menor chance de Cromwell ficar na cidade e nos enfrentar em um tribunal federal.

— Parece que é sim — disse Marion calmamente, desejando que pudessem fazer de seus momentos juntos algo mais íntimo e pessoal.

— Sabe dizer para onde ele está enviando os fundos do banco?

Ela balançou a cabeça.

— Só os valores estavam anotados, não os bancos que devem recebê-los.

— O que você acha que ele foi fazer no cofre?

— Meu palpite é que estava guardando as reservas de dinheiro do banco em caixas, preparando-as para serem enviadas para um banco onde eles pretendem ir.

— Você é uma moça muito esperta — ele disse, sorrindo. — E se você fosse Jacob e Margaret, para onde iria?

— Eles não estariam seguros em nenhum lugar da Europa — Marion respondeu sem hesitação. — Os bancos do continente trabalham em conjunto com o governo dos Estados Unidos para congelar fundos ilegais. Mas há muitos outros países onde eles poderiam esconder o dinheiro e recomeçar a construir seu império.

— Que tal o México? — Bell perguntou, impressionado com a intuição de Marion.

Marion balançou a cabeça.

— Margaret nunca poderia viver no México. O lugar é muito primitivo para o gosto dela. Buenos Aires, na Argentina, é uma possibilidade. A cidade é muito cosmopolita, mas nenhum dos dois fala uma palavra em espanhol.

— Cingapura, Hong Kong, Xangai — sugeriu Bell. — Alguma dessas cidades seria interessante?

— Austrália ou Nova Zelândia, talvez — ela disse, pensativa. — Mas aprendi, ao longo dos anos em que trabalhei para ele, que Jacob não pensa como a maioria das pessoas.

— Minha experiência com esse homem me levou à mesma conclusão — disse Bell.

Marion ficou quieta enquanto servia uma nova porção de carne de panela para ele, com batatas e legumes.

— Por que não dá um descanso a seu cérebro e aprecia o fruto do meu trabalho? — ela propôs, sorrindo.

— Perdoe-me — ele disse honestamente. — Estou sendo uma péssima companhia para jantar.

— Espero que goste de torta de limão com merengue como sobremesa.

Ele riu.

— Adoro torta de merengue com limão.

— É melhor que adore mesmo. Fiz torta suficiente para um pequeno exército.

Terminaram o prato principal e Isaac levantou-se para ajudar a limpar a mesa. Ela o empurrou, fazendo-o sentar-se de novo na cadeira.

— Aonde pensa que vai? — exigiu saber.

Ele parecia um garotinho surpreendido pela mãe.

— Queria ajudar — disse.

— Sente-se e termine seu vinho — Marion disse astutamente. — Convidados não trabalham em minha casa, especialmente convidados do sexo masculino.

Ele olhou para ela com malícia.

— E se eu não fosse um convidado?

Ela deu as costas para ele, temendo que suas emoções mais íntimas aflorassem.

— Então eu o faria consertar um vazamento, uma porta que range e uma perna de mesa quebrada.

— Eu poderia fazer isso — ele retorquiu firme. — Acontece que sou muito bom em consertos domésticos.

Ela olhou para ele, incrédula.

— Um filho de banqueiro que é bom em consertos domésticos?

— Nem sempre trabalhei no banco de meu pai — disse ele, fingindo um olhar magoado. — Fugi de casa quando tinha 14 anos e me juntei ao Circo Barnum e Bailey. Ajudei a armar e desarmar as tendas, alimentei os elefantes e fiz reparos no trem do circo. — Ele parou e uma expressão triste tomou seu rosto. — Depois de oito meses, meu pai me encontrou, me arrastou para casa e me mandou de volta para a escola.

— Então você é formado.

— Economia em Harvard. Fui da fraternidade Phi Beta Kappa[7].

— E inteligente — ela acrescentou, adequadamente impressionada.

[7] Presente em várias universidades dos Estados Unidos, a Phi Beta Kappa é a mais antiga sociedade de honra do país, fundada em 1776 e dedicada às ciências e às artes liberais. De acordo com o site da instituição, o membro ideal "demonstra integridade intelectual, tolerância a outras opiniões e ampla gama de interesses acadêmicos". (N. T.).

— E você? — ele inquiriu. — Que universidade frequentou?

— Estive na primeira turma a se graduar pela Universidade de Stanford. Formei-me em direito, mas logo descobri que os escritórios de advocacia não tinham o hábito de contratar mulheres, então fui trabalhar no banco.

— Agora é minha vez de ficar impressionado — disse Bell honestamente. — Parece que encontrei meu par.

De repente, Marion ficou em silêncio e uma expressão estranha tomou sua face. Bell pensou que houvesse algo errado. Ele correu para o lado dela e amparou-a com o braço.

— Está se sentindo mal?

Ela ergueu para ele os olhos verde-mar. Pareciam escuros, mergulhados em pensamentos. Então, arfou:

— Montreal.

— O que disse? — Ele se inclinou para ela.

— Montreal... Jacob e Margaret vão cruzar a fronteira canadense até Montreal, onde ele pode abrir outro banco.

— E como sabe disso? — perguntou Bell, desnorteado pela estranha atitude de Marion.

— Acabei de lembrar que vi o nome Montreal rabiscado em um bloco de notas ao lado do telefone dele — ela explicou. — Não achei que fosse algo importante e tirei isso da cabeça. Agora, tudo faz sentido. O último lugar onde as autoridades procurariam pelos Cromwell é no Canadá. Eles podem facilmente usar novas identidades e pagar pessoas certas para se tornarem cidadãos honestos que acabaram de abrir uma instituição financeira.

O ar de confusão desapareceu do rosto de Bell.

— Isso se encaixa — disse devagar. — O Canadá é provavelmente o último lugar onde pensaríamos em procurar. A rota de fuga óbvia usada por criminosos há anos passa pela fronteira sul em direção ao México, servindo como trampolim para ir ainda mais para o sul.

Então, lentamente, os pensamentos a respeito dos Cromwell evaporaram e ele ficou calmo, gentil e amoroso enquanto a tomava nos braços.

— Eu sabia que havia uma razão para ter me apaixonado por você — disse, com a voz tornando-se baixa e rouca. — Você é mais inteligente do que eu.

O corpo todo de Marion tremeu enquanto ela entrelaçava os braços ao redor do pescoço dele.

— Ah, meu Deus, Isaac. Eu amo você também.

Ele colou gentilmente seus lábios nos dela enquanto a carregava da sala de estar até o quarto. Ela afastou-se e olhou para cima, os olhos agora brincalhões.

— E aquela torta de merengue com limão?

Ele olhou para os traços adoráveis dela e riu.

— Ainda podemos comê-la no café da manhã.

Bell não poderia ter previsto, nem muito menos sabido, que dentro de algumas horas aquela torta se tornaria apenas uma memória turva.

37

Chamada de "a marca do Oeste", a São Francisco de 1906 era um labirinto de contradições. Um escritor descreveu a cidade como a Babilônia da grandiloquência, a Paris do romance e a Hong Kong da aventura. Outro foi mais longe, retratando-a como o portal do Paraíso.

Pode ter sido dinâmica e excitante, entretanto, na verdade, São Francisco era uma cidade esparramada, imunda, fuliginosa, fedorenta, ruidosa, corrupta e vulgar, com menos charme do que a Londres do século 18. Mesclava incrível riqueza com sórdida pobreza. Fumaça de carvão dos barcos a vapor, locomotivas, fundições, fornalhas e fornos envolviam as ruas já cobertas pelo estrume de milhares de cavalos. Não havia um sistema de tratamento de esgoto e os céus enegrecidos exalavam odores pútridos.

A maioria das casas era feita de madeira. Das belas residências em Telegraph Hill às elegantes mansões de Nob Hill até as cabanas e choupanas dos distritos mais remotos, São Francisco foi descrita pelo chefe do corpo de bombeiros como um mar de isqueiros esperando ser acendidos.

A imagem e o mito mudariam dramaticamente dentro de dois minutos e meio.

Às 5h12, na manhã do dia 18 de abril, o sol estava começando a clarear o céu ao leste. As lâmpadas a gás nos postes de rua foram apagadas e os bondes começavam a sair tinindo de suas garagens a caminho de seus turnos para cima e para baixo nas muitas colinas da cidade. Trabalhadores já começavam a sair para seus empregos, enquanto outros, que trabalhavam durante as horas noturnas, se dirigiam para casa. Padeiros já estavam trabalhando nos fornos. Policiais do turno da madrugada ainda patrulhavam suas áreas, esperando mais um dia tranquilo, enquanto uma leve brisa, livre da neblina de sempre, soprava do oeste.

No entanto, às 5h12, o pacífico mundo de São Francisco e suas cidades vizinhas foi estilhaçado por um rugido ominoso e retumbante que veio das profundezas da terra, poucos quilômetros abaixo do nível do mar, além da ponte Golden Gate.

O inferno tinha chegado à cidade.

O tremor sacudiu os campos mais próximos e fez-se sentir por toda a área da baía. Vinte e cinco segundos depois, as ondas de choque sinuosas e terríveis de um imenso terremoto percorreram a cidade, como uma mão monstruosa a varrer pilhas de livros de uma mesa.

A rocha da Falha de San Andreas, cujas paredes vinham se triturando uma contra a outra há milhões de anos, separou-se abruptamente enquanto a Placa Norte-Americana sob a terra e a Placa do Pacífico sob o mar desgarravam-se uma da outra e deslocavam-se em direções opostas — uma para o norte, outra para o sul.

A força inimaginável investiu contra a cidade indefesa a mais de 11 mil quilômetros por hora, em um espetáculo desastroso que deixaria em seu rastro morte e destruição de nível monumental.

A onda de choque atacou com uma velocidade selvagem. O pavimento das ruas de leste a oeste começou a se erguer na forma de cristas antes de despencar, criando valas, enquanto o tremor seguia adiante, inexorável, atingindo quarteirão após quarteirão de altos edifícios, que se sacudiam e oscilavam como árvores em um furacão. Madeira, argamassa e tijolo não foram feitos para suportar tal ataque. Um por um, os edifícios começaram a ruir, suas paredes caindo na rua como uma avalanche sob uma nuvem de pó e escombros. Cada janela das lojas ao longo das avenidas explodiu, estilhaçando-se nas calçadas em uma chuva de fragmentos agudos.

Imensos prédios de cinco a dez andares no centro de negócios da cidade tombaram com um estrondo horrendo como o de uma fileira de canhões disparando. Fendas abriam-se e fechavam-se nas ruas, algumas enchendo-se de água dos lençóis subterrâneos e espirrando-a nas sarjetas. Os trilhos dos bondes e teleféricos se retorciam e dobravam como fios de espaguete. Os choques mais violentos duravam pouco mais que um minuto antes de diminuírem, embora tremores secundários ainda fossem continuar por vários dias.

Quando a luz do dia fez-se plena sobre o caos, tudo o que restava da imensa cidade de edifícios altos, com um grande número de lojas, escritórios, bancos, teatros, hotéis, restaurantes, *saloons* e bordéis, casas e apartamentos, eram agora 160 quilômetros quadrados de montes serrilhados de alvenaria despedaçada, madeira estilhaçada e ferro retorcido. Embora parecessem sólidos, a maioria dos prédios não era reforçada e caíra em pedaços antes que o terremoto chegasse a 30 segundos.

A prefeitura — o edifício mais impressionante a oeste de Chicago — jazia esmagada e destruída, as colunas de ferro fundido rachadas, espalhadas pela rua. O Tribunal de Justiça era um esqueleto de vigas de aço destroçadas. A Academia de Ciências fora varrida de tal forma que parecia nunca ter existido ali. O correio ainda estava de pé, entretanto praticamente demolido. O Teatro Majestic nunca mais exibiria um show em seu palco. Somente o formidável Edifício Wells Fargo, com seis andares, recusara-se a tombar, apesar de seu interior estar devastado.

Milhares de chaminés tinham sido as primeiras a cair. Nenhuma fora construída imaginando-se um terremoto. No topo dos telhados, apontando para o céu e incapazes de se dobrar e oscilar, sem apoio, elas estremeceram, quebraram-se e caíram pelas casas e ruas já entupidas de destroços. Depois, saber-se-ia que mais de cem pessoas haviam morrido em suas camas ao serem esmagadas por chaminés em queda.

Casas de madeira com dois e três andares inclinavam-se em todas as direções, retorcidas em suas fundações e pendendo em ângulos loucos e grotescos. Estranhamente, estavam intactas, no entanto, haviam-se deslocado até 6 metros para longe de suas fundações, por cima das calçadas e até as ruas. Embora no exterior parecessem incólumes, seus interiores estavam devastados, com andares derrubados, vigas quebradas, móveis e habitantes esmagados e enterrados no porão. As casas mais baratas na parte pobre da cidade haviam caído em pilhas de vigas e paredes estilhaçadas.

Aqueles que sobreviveram ao terremoto estavam congelados no atordoamento do choque, incapazes de falar ou conversar aos sussurros. Quando as grandes nuvens de poeira começaram a assentar, os gritos daqueles que estavam feridos ou presos sob as estruturas caídas vieram como lamentos abafados. Mesmo depois que a maior parte do terremoto já tinha passado, a terra ainda estremecia com choques secundários que continuavam a sacudir as paredes de tijolos, jogando-as nas ruas, causando seus próprios tremores e estranhos sons ribombantes.

Poucas cidades na história da civilização humana sofreram uma destruição tão devastadora quanto a que se abateu sobre São Francisco. E esse fora apenas o ato de abertura de uma cena de desintegração ainda pior que estava por vir.

**

O CHOQUE LANÇOU A CAMA pelo quarto que Isaac e Marion ocupavam. O prédio de apartamentos ao redor deles retumbou e se sacudiu em uma série de convulsões. O ruído foi ensurdecedor: pratos caíam no chão, prateleiras de livros desabavam e os livros se espalhavam, quadros eram arremessados das paredes e o piano rolava pelo chão inclinado feito um bloco de pedra montanha abaixo e caía na rua, porque toda a parede daquele lado se destacara do resto do edifício e despencara como uma cascata de entulho na rua abaixo.

Bell agarrou Marion pelo braço, carregou-a e arrastou-a através da chuva de reboco até o batente da porta, onde ficaram por 30 segundos enquanto o som horrendo se tornava ainda mais ensurdecedor. O chão se movia como um mar tempestuoso sob seus pés. Mal haviam alcançado o abrigo temporário sob o batente quando a grande chaminé no topo do telhado tombou, atravessando os dois apartamentos acima e abrindo um buraco no chão a meros três metros de distância deles.

Bell reconheceu a confusão como um terremoto. Já passara por um viajando com seus pais à China, quando era um garotinho, e fora quase tão ruim quanto o que agora destruía São Francisco. Olhou para o rosto pálido de Marion, que ergueu o olhar para ele, estupefata e paralisada pelo choque. Ele sorriu gravemente, tentando dar-lhe coragem, enquanto as ondas de choque arrancavam o chão da sala de visitas de suas vigas e fazia-o desabar no apartamento de baixo. Ele pôde apenas imaginar se os ocupantes haviam morrido ou se, de alguma forma, conseguiram sobreviver.

Por quase um minuto completo, eles se mantiveram de pé, agarrados ao batente da porta, enquanto o mundo se tornava um pesadelo infernal que ia muito além da imaginação.

Então, lentamente, os tremores foram morrendo e um silêncio estranho assentou sobre a ruína do apartamento. A nuvem de pó do teto de reboco caído encheu as narinas deles, tornando difícil respirar. Só então Bell percebeu que os dois ainda estavam de pé, agarrados ao batente, Marion usando uma fina camisola e ele, uma camisa. Viu que o cabelo dela, longo e radiante, se tornara branco com o fino pó do reboco que ainda flutuava pelo ar como uma névoa.

Bell olhou para o quarto ao redor. Parecia que o conteúdo de um cesto de lixo fora esparramado no chão. Ele colocou o braço em torno da cintura de Marion e puxou-a em direção ao closet, onde as roupas deles estavam penduradas em cabides, livres do pó.

— Vista-se e seja rápida — ele disse firmemente. — O prédio não está estável e pode cair a qualquer minuto.

— O que aconteceu? — ela perguntou, absolutamente confusa. — Foi uma explosão?

— Não, acho que foi um terremoto.

Ela olhou para os destroços de sua sala de jantar e viu os edifícios arruinados do outro lado da rua.

— Meu Deus! — arfou. — A parede se foi. — Então, descobriu que seu piano se fora também. — Ah, não, o piano de minha mãe. Onde foi parar?

— Acho que o que resta dele está lá embaixo, na rua — respondeu Bell com simpatia. — Chega de conversa. Apresse-se, vista alguma coisa. Temos que sair daqui.

Ela correu para o closet, a compostura recuperada, e Bell pôde ver que ela estava tão dura quanto os tijolos que haviam caído a seu redor. Enquanto ele punha o terno que vestira na noite anterior, ela escorregava para dentro de uma blusa de algodão sob uma rústica jaqueta de lã e saia combinando, para se aquecer contra a brisa fresca que soprava do mar. Ela não era apenas linda, Bell pensou, era também uma mulher prática e racional.

— E quanto a minhas joias, minhas fotos de família, meus objetos de valor? — perguntou. — Eu não deveria levá-los comigo?

— Voltaremos para buscá-los mais tarde, quando soubermos se o prédio ainda estará de pé.

Vestiram-se em menos de dois minutos e ele a conduziu em torno do buraco escancarado no chão, feito pela chaminé caída, e passando pela mobília revirada até a porta do apartamento. Marion sentiu como se estivesse em outro mundo ao olhar para o espaço aberto onde antes estivera a parede e ver seus vizinhos começando a vagar desnorteados para o meio da rua.

A porta estava entalada. O terremoto deslocara o edifício e fizera a porta emperrar contra o batente. Bell sabia que era melhor não tentar arrombá-la batendo nela com o ombro. Isso seria tolice. Ele se equilibrou sobre uma perna e chutou com a outra. A porta não deu o menor sinal de que cederia. Ele olhou à sua volta e surpreendeu Marion com sua força ao pegar o pesado sofá e arremessá-lo contra a porta como um aríete. No terceiro golpe, a porta se estilhaçou e girou loucamente em suas dobradiças, abrindo-se.

Felizmente, a escada ainda estava inteira, abrindo caminho até o andar de baixo. Bell e Marion cruzaram a entrada principal do edifício e encontraram uma montanha de escombros empilhados do lado de fora, formada quando a parede frontal caíra, enterrando a rua. A parte frontal da estrutura parecia ter sido cortada em fatia por um cutelo gigante.

Marion parou, os olhos se enchendo de lágrimas à vista do piano de sua mãe esmagado no topo da pilha de entulho. Bell viu dois homens abrindo caminho pela rua através das ruínas em uma carroça puxada por cavalos. Deixou Marion por alguns instantes, andou até lá e conversou com os dois homens, fazendo um acordo. Eles balançaram a cabeça afirmativamente e ele voltou.

— O que foi isso? — perguntou Marion.

— Ofereci 500 dólares para eles levarem o piano de sua mãe até o depósito de Cromwell na ferrovia. Quando as coisas voltarem ao normal, cuidarei para que ele seja reconstruído.

— Obrigada, Isaac. — Marion ficou na ponta dos pés e beijou Bell na bochecha, impressionada que um homem pudesse ser tão atencioso quanto a algo tão pequeno no meio de tamanho desastre.

O exército de pessoas que se aglomeravam no meio da rua estava estranhamente subjugado. Não havia choro ou grito, não havia histeria. Todos falavam em sussurros, felizes por estarem vivos, entretanto sem saber o que fazer ou aonde ir ou se o terremoto atacaria novamente. Muitos ainda estavam de pijamas. Mães afagavam criancinhas ou agarravam-se a seus bebês enquanto homens conversavam entre si, avaliando os danos de suas casas.

A calmaria assentou sobre a cidade arruinada. O pior, todos pensavam, já tinha passado. No entanto, a maior tragédia ainda estava por vir.

Bell e Marion caminharam até o cruzamento das ruas Hyde e Lombard, vendo os trilhos dos bondes que agora serpenteavam como um riacho sinuoso e prateado pelas ruas abaixo de Russian Hill. A nuvem de poeira permanecia obstinadamente sobre a devastação, dissipando-se lentamente à medida que era carregada para o leste pela brisa costeira. Das docas protuberantes sobre a água em torno do Edifício Ferry até a Rua Fillmore, no oeste, e de norte a sul da baía, a outrora grande cidade era um vasto mar de ruína e desolação.

Dezenas de hotéis e pensões desabaram, matando centenas de pessoas que dormiam profundamente quando o terremoto atacou. Os gritos e lamentos daqueles soterrados no entulho e dos gravemente feridos subiam as montanhas.

Centenas de postes elétricos haviam tombado, seus fios de alta tensão à solta, estalando, chicoteando de um lado para outro como cascavéis do deserto, suas pontas rasgadas disparando faíscas. Ao mesmo tempo, os canos que conduziam gás por toda a cidade partiram-se e agora liberavam seus fumos mortais. Tanques dos porões das fábricas, contendo querosene e óleo combustível, haviam rolado em direção aos arcos de fogo lançados pelos fios elétricos, encontrando-se e estourando em uma explosão de chamas alaranjadas. Nas casas destruídas, carvões das chaminés caídas incendiavam a mobília e as estruturas de madeira.

Logo, o vento ajudou a mesclar as fogueiras grandes e pequenas em um único e imenso holocausto. Em minutos, a cidade estava coberta por fumaça dos fogos que irrompiam por toda São Francisco. Até serem contidas, as chamas consumiriam três dias e centenas de vidas. Muitos dos feridos e soterrados que não puderam ser salvos a tempo permaneceriam sem identificação, seus corpos incinerados e transformados em cinzas pelo intenso calor.

— Ficará pior. Muito pior — disse Bell lentamente. Virou-se para Marion. — Quero que você vá ao Parque Golden Gate. Ficará a salvo lá. Eu a encontrarei depois.

— Aonde você vai? — ela sussurrou, estremecendo com a ideia de ficar sozinha.

— Ao escritório da Van Dorn. A cidade precisará de cada agente da lei disponível para ajudar a controlar o caos.

— Por que não posso ficar aqui, perto de meu apartamento?

Ele olhou novamente para o incêndio crescente.

— É só uma questão de horas até que o fogo alcance Russian Hill. Você não pode ficar aqui. Acha que consegue chegar ao parque a pé?

— Consigo — ela respondeu, balançando a cabeça corajosamente. Então, aproximou-se e enlaçou o pescoço dele com os braços. — Eu amo você, Isaac Bell! Amo tanto que dói.

Ele enlaçou sua fina cintura com os braços e a beijou.

— Também amo você, Marion Morgan! — Hesitou antes de afastar-se dela. — Agora, seja uma boa menina e dê o fora daqui.

— Vou esperar por você na ponte sobre a lagoa.

Ele segurou a mão dela por um momento antes de se virar e começar a cruzar a massa de pessoas que se aglomeravam no meio da rua, tão longe quanto podiam dos prédios, enquanto uma série de tremores secundários reverberavam pela cidade.

Bell subiu uma das longas escadarias que levavam a Russian Hill. Estava partida em vários pontos, entretanto não bloqueou o caminho dele até a Rua Union. Então, ele virou na Stockton, depois na Rua Market. A cena de destruição ia muito além de qualquer coisa que sua mente poderia ter criado.

Não havia bondes circulando, e todos os automóveis, muitos dos quais eram modelos novos retirados de concessionárias, assim como os veículos puxados por cavalos, estavam sendo usados como ambulâncias para carregar os feridos até os hospitais temporários que brotavam pelos quarteirões da cidade. O corpo dos mortos, os que puderam ser recuperados, eram carregados para depósitos transformados em necrotérios temporários.

As paredes em queda não haviam machucado apenas humanos sem sorte que andavam pelas calçadas, mas também cavalos que puxavam a imensa frota de carroças de aluguel da cidade. Foram abatidos às dúzias por toneladas de tijolos. Bell viu um condutor e um cavalo que tinham sido esmagados por um poste elétrico que caíra sobre sua carroça de leite.

Chegando à Rua Market, Bell abaixou-se entre os restos de um portal ainda de pé que antes fora a entrada do Edifício do Jornal Hearst Examiner. Procurou refúgio quando um rebanho bovino que tinha escapado de seu cercado nas docas apareceu. Enlouquecidos de medo, os animais se lançaram pelas ruas e quase imediatamente desapareceram, engolidos, um por um, pelas grandes rachaduras que o violento ataque do terremoto havia aberto no chão.

Bell não pôde acreditar como a grande via pública da cidade, com seus magníficos edifícios, se transformara da noite para o dia. As frotas de veículos e o tropel de pessoas felizes e contentes trabalhando ou fazendo compras no coração comercial da cidade já não existiam. Agora, mal se podia reconhecer o bulevar. Os prédios altos partiram-se em pedaços, grandes pilares com cornijas decorativas e ornamentos haviam sido arrancados das fachadas das estruturas e arremessados às calçadas e ruas em fragmentos confusos. As enormes janelas de escritórios e lojas estavam estilhaçadas. Placas que antes anunciavam os estabelecimentos comerciais que ocupavam esses espaços jaziam esparramadas entre as ruínas.

Enquanto Bell seguia seu caminho através da destruição, pôde ver que os quarteirões ao sul estavam se tornando um oceano de chamas. Sabia que era apenas uma questão de tempo até os grandes hotéis, edifícios do governo, arranha-céus de escritórios, grandes lojas de departamentos e teatros se tornarem esqueletos incinerados. Havia poucos bombeiros e quase todos os canos subterrâneos de água foram rompidos pelo terremoto. Centenas de hidrantes e torneiras de água da cidade escorreram e agora estavam secas. Os bombeiros, desamparados em sua luta contra o fogo crescente, iniciaram um esforço heroico para reparar as linhas de água.

Depois de se desviar de automóveis que transportavam feridos e abrir caminho sobre os deslizamentos de tijolos, Bell conseguiu enxergar o Edifício Call. A princípio, o arranha-céu de 12 andares parecia em boa forma, no entanto, quando o detetive se aproximou, viu que a base de um dos lados do prédio tinha se deslocado quase um metro por cima da calçada, em direção à rua. Dentro, ele descobriu que nenhum dos elevadores estava funcionando, pois o interior estava retorcido e fora de alinhamento. Ele subiu os cinco lances de escada até o escritório da Van Dorn e passou por cima dos montes de reboco que caíram do teto. Pegadas no reboco informavam que outras pessoas já haviam passado por ali.

Os móveis que o tremor espalhara pelo escritório já haviam sido colocados de volta a seus lugares.

Bell caminhou até a sala de reuniões e encontrou quatro agentes da Van Dorn, incluindo Bronson, que se apressou em apertar a mão dele com força esmagadora.

— Como estou feliz por vê-lo vivo! Temi que pudesse estar enterrado debaixo de uma tonelada de entulho.

Bell conseguiu sorrir.

— A casa de Marion só perdeu a parede frontal, mas o apartamento dela está uma bagunça. — Ele parou e olhou para a sala a seu redor. Não vendo Curtis, perguntou: — Tem notícias de Art?

A expressão no rosto de todos disse a Bell o que ele precisava saber.

— Art está desaparecido. Presumimos que tenha sido esmagado sob toneladas de tijolo enquanto vinha do Hotel Palace para o escritório — Bronson respondeu solenemente. — Pelos relatórios que conseguimos juntar, dois de meus agentes estão feridos ou mortos. Ainda não sabemos. Os que você vê aqui são os únicos que sobreviveram sem ferimentos.

Bell sentiu como se um cinto tivesse sido preso em torno de seu peito bem apertado. Ele já vira e conhecera a morte, no entanto, perder alguém próximo era uma dor duradoura.

— Curtis morto — murmurou. — Ele era um bom homem, um ótimo amigo e um dos melhores detetives com quem já trabalhei.

— Perdi homens também — Bronson disse lentamente. — Mas agora precisamos fazer tudo o que pudermos para aliviar o sofrimento das pessoas.

Bell olhou para ele.

— Qual é seu plano?

— Encontrei-me com o chefe de polícia e ofereci os serviços da Van Dorn. Apesar de nossas diferenças no passado, ele ficou bem feliz em ter nossa ajuda. Vamos fazer o que pudermos para impedir a pilhagem, prender os saqueadores que estiverem roubando dos mortos e de suas casas demolidas e levá-los à cadeia da cidade. Felizmente, por ter sido construída como uma fortaleza, ela ainda está de pé.

— Gostaria de poder me juntar a você e aos outros, Horace, mas tenho outro trabalho.

— Sim, eu entendo — Bronson respondeu calmamente. — Jacob Cromwell.

Bell balançou a cabeça, concordando.

— O terremoto e o tumulto decorrente deram a ele a oportunidade ideal para fugir do país. Eu pretendo detê-lo.

— Boa sorte para você, Isaac! — disse Bronson, estendendo a mão. Gesticulou com a outra, mostrando a sala ao redor. — Este prédio não é seguro. E, se não cair sozinho, provavelmente será consumido pelo incêndio que se aproxima. Temos que pegar nossos arquivos e abandoná-lo.

— Onde posso encontrá-los depois?

— Estamos montando um centro de comando na Alfândega; ela foi levemente danificada. As unidades do exército estão chegando para manter a ordem e ajudar a combater o fogo e também estabelecerão seu quartel-general lá.

— Um de nós tem que contar o que aconteceu ao senhor Van Dorn.

— Não será possível. — Bronson balançou a cabeça. — Todas as linhas de telégrafo foram cortadas.

Bell apertou a mão de Bronson.

— Boa sorte para você também, Horace! Entrarei em contato assim que souber do paradeiro de Cromwell.

Bronson sorriu.

— Aposto que nada desse tipo acontece lá onde você mora, em Chicago.

— Não está esquecendo o grande incêndio de Chicago em 1871? — disse Bell, rindo. — Pelo menos, a calamidade aqui veio de um ato de Deus. A de Chicago veio de uma vaca que chutou uma lanterna.

Depois de dizer adeus a todos, Bell refez sua rota pela escadaria retorcida até a devastação na Rua Market. Rapidamente abriu caminho por cima dos escombros e passou pela multidão de pessoas que se reuniram para observar o fogo, que agora queimava por toda Chinatown e seguia implacavelmente em direção ao principal distrito comercial da cidade.

Ele chegou ao Hotel Palace, cujo estado era bem melhor que o do Edifício Call. Parado do lado de fora da entrada estava um homem que Bell imediatamente reconheceu: Enrico Caruso, que fizera o papel de Don José em *Carmen* na noite anterior, na Grand Opera House, estava esperando enquanto seu criado puxava suas malas para fora, até a calçada. Ele vestia um longo e volumoso casaco de pele sobre o pijama e fumava um charuto. Quando Bell passou, ouviu o tenor resmungando:

— Que inferno de lugar, que inferno de lugar! Nunca mais volto.

Os elevadores não estavam funcionando devido à falta de eletricidade, no entanto, as escadas estavam relativamente livres de escombros. Depois de entrar em seu quarto, Bell não se incomodou em empacotar suas roupas. Não via razão para sair carregado de malas. Jogou apenas alguns itens pessoais em uma pequena valise. Como não planejara correr perigo de morte em São Francisco, ele deixara sua Colt .45 e a pistola menor no quarto. A Colt foi para dentro da valise e a pistola menor voltou para seu pequeno compartimento dentro do chapéu.

Enquanto subia a Rua Powell em direção à casa de Cromwell em Nob Hill, viu um pequeno grupo de homens lutando freneticamente para erguer uma viga de cima de uma pilha de entulho que já fora um hotel. Um deles acenou para ele e gritou:

— Venha nos dar uma mão!

Os homens trabalhavam energicamente para libertar uma mulher presa nos escombros. As ruínas ao redor queimavam ferozmente. Ela ainda estava de camisola e tinha um longo cabelo castanho-avermelhado.

Ele segurou a mão dela por um momento e disse suavemente:

— Seja corajosa. Vamos soltar você.

— Meu marido e minha filhinha... eles estão salvos?

Bell olhou para os rostos sombrios dos resgatadores. Um deles balançou lentamente a cabeça.

— Você logo vai vê-los — o detetive disse a ela, sentindo o calor intenso do fogo se aproximando.

Bell emprestou sua força aos outros e tentou, em vão, erguer a viga que cobria as pernas da mulher. Era um exercício em vão. A viga pesava toneladas e não poderia ser removida por seis homens. A mulher, muito corajosa, observou os esforços em silêncio até as chamas começarem a chamuscar sua camisola.

— Por favor! — ela implorou. — Não me deixem queimar!

Um dos homens, um bombeiro, perguntou o nome dela e o anotou em um pequeno pedaço de papel que trazia no bolso. O resto dos homens se afastou do intenso calor e das chamas ameaçadoras, horrorizados por perder a batalha para salvar a mulher.

A camisola pegou fogo e ela começou a gritar. Sem hesitação, Bell empunhou sua pistola e disparou na testa da mulher, entre os olhos. Então, sem olhar para trás, ele e o bombeiro correram para a rua.

— Era preciso fazer isso — disse o bombeiro, sua mão sobre o ombro de Bell. — Morrer queimado é a pior morte que existe. Não podia deixá-la sofrer.

— Não, não podia — Bell disse, os olhos enchendo-se de lágrimas. — Mas será uma lembrança terrível que levarei para o túmulo.

38

Cromwell acordou em sua cama e viu o lustre no meio do recinto sacudindo-se como um pêndulo enlouquecido, seus pingentes de cristal tilintando furiosamente. A mobília dançava a seu redor como possuída por demônios ensandecidos. Uma grande pintura retratando uma caçada à raposa caiu da parede com um baque alto ao atingir o piso de teca polido. A casa toda rangia enquanto os blocos de pedra das paredes rilhavam uns contra os outros.

Margaret entrou cambaleando no quarto dele, lutando para continuar de pé enquanto o tremor prosseguia. Não estava usando nada além de sua camisola, chocada demais para vestir um robe. Seu rosto estava branco como o peito de uma gaivota, seus olhos castanho-dourados arregalados de pavor e seus lábios tremendo.

— O que está havendo? — arfou.

Ele esticou a mão e puxou-a para junto de si.

— Um terremoto, querida irmã. Nada com que se preocupar. Vai passar. O pior já foi.

As palavras eram baixas e calmas, no entanto, ela pôde ver a tensão nervosa nos olhos dele.

— A casa vai cair em cima de nós? — perguntou temerosa.

— Não esta casa — ele respondeu, decidido. — Foi construída como o Rochedo de Gibraltar.

Mal ele disse as palavras e as grandes chaminés lá no alto começaram a tombar e cair. Felizmente, foram construídas no exterior das paredes da casa e caíram do lado de fora, sem atravessar o teto. A maior parte dos danos veio dos pedaços dos muros externos que cercavam a casa e que racharam e ruíram como o estrondo de um trovão. Finalmente, os tremores começaram a diminuir.

A casa resistira à pior parte do terremoto e manteve sua integridade estrutural, com a mesma aparência de antes, exceto pelas paredes externas caídas e as três chaminés derrubadas. E, porque as paredes internas eram de tábuas afixadas sobre rocha, decoradas com pinturas ou papel de parede, e o teto era de mogno, não houve nuvens de poeira formadas por reboco caído.

— Ah, meu Deus! — murmurou Margaret. — O que vamos fazer?

— Você cuida da casa. Reúna os criados e veja se alguém se feriu. Depois, coloque-os para trabalhar limpando essa bagunça. Mantenha a aparência de quem tem como prioridade restaurar a casa. Mas comece a colocar na mala apenas os objetos de valor e roupas que considere essenciais para nosso voo para fora do país.

— Você está esquecendo os agentes da Van Dorn — ela disse, olhando para cima rapidamente.

— O terremoto provará ser uma bênção. A cidade está um caos. Bell e seus colegas detetives da Van Dorn têm nas mãos problemas mais urgentes do que ficar de olho em nós.

— E quanto a você? — perguntou Margaret, puxando a camisola com força em torno do corpo.

— Vou ao banco para terminar de retirar todo o dinheiro do cofre. Coloquei a maior parte em malas ontem. Quando tudo estiver embalado, Abner e eu transportaremos as malas no Rolls até o depósito e as descarregaremos em meu vagão para nossa viagem cruzando a fronteira do Canadá.

— Você fala como se fosse fácil — ela disse secamente.

— Quanto mais simples, melhor. — Ele saiu da cama e dirigiu-se ao banheiro. — Amanhã a esta hora, colocaremos fim a nossos negócios em

São Francisco e, dentro de poucos meses, iniciaremos um novo império bancário em Montreal.

— Quanto você acha que teremos?

— Já transferi 15 milhões via telégrafo para quatro bancos canadenses diferentes, em quatro províncias diferentes — ele explicou. — Levaremos mais 4 milhões em dinheiro conosco.

Agora ela sorria abertamente, o medo do terremoto de súbito foi deixado de lado.

— Isso é mais do que tínhamos quando viemos para São Francisco, 12 anos atrás! — disse.

— Muito mais — Cromwell concordou confortavelmente. — Dezenove milhões a mais, para ser exato.

* *

Bell perdera Cromwell por questão de 20 minutos quando chegou à mansão na Rua Cushman. Estudou a casa e ficou surpreso com o dano superficial, depois de ter testemunhado a inacreditável destruição dos edifícios na parte principal da cidade. Escalou o monte de tijolos caídos que já fora um muro de 2,5 metros de altura e caminhou pela entrada de carros até a porta da frente.

Pressionou o botão da campainha, retrocedeu e esperou. Depois de um longo minuto, a porta se abriu em uma fenda pela qual a governanta espiou Bell.

— O que quer? — ela exigiu saber, toda a cortesia formal perdida diante do temor duradouro após o terremoto.

— Sou da Agência de Detetives Van Dorn e estou aqui para ver o senhor Cromwell.

— O senhor Cromwell não está em casa. Ele saiu logo depois daquele tremor de terra pavoroso.

Através das cortinas que cobriam o vidro da porta, ele pôde ver uma figura aproximando-se.

— A senhora sabe se ele foi ao banco?

A governanta abriu passagem para Margaret, que apareceu na soleira da porta. Ela encarou o homem parado no degrau com o terno coberto de pó, fuligem e outras sujeiras. O rosto estava enegrecido de cinzas e os olhos, cansados de ver tanta miséria. Ela mal o reconheceu.

— Isaac, é você?

— Um tanto mal vestido, receio. Mas, sim, sou eu. — Ele tirou o chapéu. — É bom vê-la, Margaret. Estou feliz que tenha sobrevivido ao terremoto sem ferimentos.

Os olhos escuros dela eram grandes e suaves, como se ela o estivesse vendo pela primeira vez. Ela ficou de lado.

— Por favor, entre.

Ele entrou e viu que ela estivera trabalhando na limpeza da bagunça espalhada pelos andares da mansão, a maioria era louça quebrada, estatuetas de porcelana e abajures Tiffany. Ela vestia uma confortável saia de algodão vermelho e um suéter de lã sob um longo avental. Seu cabelo estava preso em um coque apertado no topo da cabeça, com fios soltos caindo ao lado de suas bochechas. Apesar da aparência simples, ela enchia o ar à sua volta com uma doce fragrância. Quer usasse um vestido caro de seda ou um comum, de trabalhadora, Margaret ainda era uma mulher deslumbrante.

Ela o guiou até a sala de estar e ofereceu-lhe uma poltrona ao lado da lareira, cujas cinzas haviam se espalhado pelo tapete quando a chaminé caíra.

— Aceita uma xícara de chá?

— Venderia minha alma por uma de café.

Ela se voltou para a governanta, que ouvira a conversa e simplesmente assentiu, correndo, então, para a cozinha. Margaret achou difícil olhar diretamente nos olhos hipnóticos de Bell. Viu-se tomada pelo desejo crescente que já experimentara antes na presença dele.

— O que você quer com Jacob? — perguntou sem preâmbulos.

— Creio que você saiba a resposta dessa pergunta — ele replicou em uma voz monótona.

— Não pode prendê-lo de novo. Não em São Francisco. A esta hora, já deve saber disso.

— Você e ele subornaram políticos corruptos demais nesta cidade para serem detidos por seus crimes — Bell disse amargamente. Parou e olhou para os criados limpando a casa e colocando móveis e objetos de decoração de volta a seus lugares. — Parece que vocês pretendem permanecer na cidade.

— Por que não? — ela disse, fingindo indignação. — Esta é nossa cidade. Temos um negócio próspero e amigos íntimos. Nossos corações estão abertos para os pobres que vivem aqui. Por que deveríamos ir embora?

Bell quase ficou tentado a acreditar em Margaret. Ela mentia bem, ele pensou, lembrando-se da noite em que dançaram no Hotel Brown Palace. Muito bem.

— Jacob está no banco?

— Ele saiu para avaliar os danos.

— Eu vi o que resta da Rua Market. A maioria dos prédios está arruinada, poucos ainda estão de pé, e o Banco Cromwell está bem no caminho do crescente incêndio.

Margaret não pareceu preocupar-se.

— Jacob construiu o banco para durar mil anos, assim como esta casa, que, como você pode ver, sobreviveu ao terremoto enquanto as mansões mais pretensiosas de Nob Hill foram amplamente danificadas, se não destruídas. A Casa de Cromwell foi feita para durar.

— Que seja, Margaret — Bell disse com seriedade mortal. — Mas aviso a você e a Jacob que não pensem em sair da cidade.

A raiva dela inflamou-se e ela ficou de pé.

— Não me ameace! E não pense nem por um momento que pode intimidar meu irmão. Você não passa de um blefe, Isaac. Não tem autoridade nem influência nesta cidade. Meu irmão e eu continuaremos aqui ainda por muito tempo depois que você estiver acabado.

Ele ficou de pé.

— Admito minha derrota quanto a isso. Não tenho influência nesta cidade, nem na máquina política dela. Mas, uma vez que cruzem os limites da cidade, vocês dois pertencem a mim. Pode contar com isso.

— Dê o fora! — ela sibilou ferozmente. — Dê o fora daqui agora!

Por um longo momento, eles se encararam com olhares selvagens, repletos de súbita hostilidade. Então, Bell moveu-se lentamente, colocando o chapéu enquanto caminhava para a porta da frente.

Margaret gritou:

— Você nunca colocará suas mãos no meu irmão novamente! Nem em mil anos! Só por cima do meu cadáver!

Ele parou para lançar um último olhar a ela.

— Gostaria que não tivesse dito isso — respondeu.

Então, saiu pela porta.

**

ABNER ZIGUEZAGUEOU HABILMENTE com o Rolls-Royce até o Banco Nacional Cromwell entre as ruas Sutter e Hyde, desviando dos montes de tijolos e enxames de pessoas que ocupavam as ruas. Em uma esquina, um policial parou o carro e ordenou que Abner fosse para o Mechanic's Pavilion, um imenso edifício com arena que abrigava um grande arquivo e fora cenário de muitas feiras, eventos esportivos e concertos musicais. Precisando desesperadamente de uma central de emergências, a cidade convertera o pavilhão em hospital e necrotério. O policial insistiu que Cromwell colocasse o Rolls para operar como ambulância para os feridos.

— Tenho outros usos para meu carro — Cromwell disse arrogantemente. E falou para o motorista: — Continue indo para o banco, Abner.

O policial tirou seu revólver e apontou para Abner.

— Estou requisitando este carro pessoalmente e mandando que vá direto ao pavilhão ou vou estourar a cabeça do seu motorista e entregar o carro a um ser humano decente.

Cromwell não ficou impressionado.

— Um belo discurso, oficial, mas o carro fica comigo.

O rosto do policial enrubesceu de fúria. Ele sacudiu o revólver.

— Eu não vou avisar outra vez...

O policial cambaleou, em choque, olhos arregalados, quando uma bala da Colt .38 de Cromwell atravessou seu peito. Ficou de pé ainda um momento, desnorteado, até seu coração parar e ele tombar no pavimento.

Não houve hesitação, nem preocupação, nem remorso. Abner rapidamente saiu do carro, agarrou o corpo como se fosse um boneco e sentou-o no banco da frente. Então, reassumiu sua posição atrás do volante, colocou a primeira marcha e partiu.

Havia tal confusão nas ruas — pessoas gritando, o ruído ocasional de outro edifício que desabava e o guincho do equipamento dos bombeiros — que ninguém notou o assassinato de um policial. As poucas pessoas que o viram cair no chão pensaram que fora ferido e estava sendo recolhido por um motorista usando seu automóvel como ambulância.

— Você se livra dele? — Cromwell pediu, como que sugerindo que seu empregado jogasse uma barata morta no lixo.

— Cuidarei da questão — Abner respondeu.

— Quando tiver terminado, vá para a entrada de carga e serviços nos fundos do banco. Abra a porta de trás, você tem a chave. Precisarei de você para me ajudar a carregar várias malas para o carro.

— Sim, senhor.

Enquanto o Rolls-Royce seguia para a esquina da Sutter com a Market, Cromwell viu o inferno se aproximar e a magnitude da destruição. Começou a sentir-se apreensivo quanto ao que encontraria quando entrasse no banco. Seu medo crescente rapidamente transformou-se em júbilo quando o edifício surgiu diante deles.

O Banco Nacional Cromwell suportara o terremoto quase incólume. A rija estrutura de pedra fizera jus ao alarde de Cromwell de que duraria mil anos. Nenhuma das paredes e das grandes colunas estriadas caíra. O único dano aparente fora às janelas de vitrais, agora quebradas, cujos cacos haviam transformado a calçada em um caleidoscópio de cores.

Abner fez o Rolls parar e abriu a porta traseira. Vários empregados do banco estavam vagando perto da entrada frontal, tendo vindo trabalhar por hábito, sem saber de que outra forma lidar com a trágica interrupção de suas vidas. Cromwell saiu do carro e subiu apenas metade da escada antes que eles o cercassem, todos falando ao mesmo tempo, bombardeando-o com perguntas. Ele ergueu as mãos, pedindo silêncio, e os tranquilizou:

— Por favor, por favor, vão para casa e fiquem com suas famílias. Não há nada que possam fazer aqui. Prometo que seus salários continuarão sendo pagos até que esta terrível calamidade tenha terminado e os negócios possam ser retomados normalmente.

Era uma promessa vazia. Além de Cromwell não ter intenção de continuar pagando os salários enquanto o banco permanecesse fechado, também podia ver que as chamas que varriam o distrito comercial da cidade levariam poucas horas para chegar ali e consumir o edifício do banco. Embora as paredes fossem de pedra resistente, as vigas de madeira do teto eram bastante suscetíveis ao fogo, o que poderia rapidamente transformar o prédio numa casca vazia.

Assim que os empregados se afastaram do banco, Cromwell pegou um conjunto de grandes chaves de metal do bolso de seu casaco e destrancou a imensa porta de bronze da frente. Não se preocupou em trancá-la após entrar, sabendo que o fogo logo consumiria quaisquer arquivos lá dentro. Foi diretamente para o cofre. A tranca com temporizador estava programada para engatar a combinação às 8 horas em ponto. Agora eram 7h45. Cromwell caminhou calmamente até uma cadeira de couro junto da mesa do encarregado de empréstimos, espanou o pó, sentou e tirou um charuto de um estojo que trazia no bolso.

Sentindo como se estivesse no total comando da situação, ele se inclinou para trás, acendeu o charuto e soprou uma nuvem de fumaça em direção ao teto ornamentado do saguão. O terremoto, pensou, não poderia ter acontecido em momento mais oportuno. Ele poderia perder alguns milhões, no entanto, o seguro cobriria qualquer dano ao edifício do banco em si. Seus concorrentes vinculavam seus ativos a empréstimos, entretanto ele sempre mantivera os dele em dinheiro e investidos em ações. Uma vez que percebessem que ele fugira da cidade, os fiscais bancários cairiam sobre o Banco Nacional Cromwell como abutres. Com sorte, os correntistas conseguiriam recuperar dez centavos de tudo o que haviam investido.

Precisamente às 8 horas, o mecanismo do cofre emitiu um som de carrilhão enquanto as trancas se destravavam uma por uma. Cromwell caminhou até ali e girou a imensa roda, que tinha raios como o leme de um navio, virou-a e retirou as barras de seus suportes. Então, puxou a porta gigante, abrindo-a em suas dobradiças bem engraxadas, também gigantes, tão facilmente como se fosse uma porta de armário de cozinha e entrou.

Levou duas horas para terminar de guardar 4 milhões de dólares em notas de alto valor, do tipo dourada e certificada, em cinco grandes malas de couro. Abner chegou, depois de esconder o corpo do policial sob o teto caído de uma loja de ferragens, e levou as malas para o Rolls. Cromwell sempre ficava impressionado com a força bruta do irlandês. Ele próprio mal conseguia erguer um lado de uma mala cheia, mas Abner içava cada mala para cima de um ombro sem soltar sequer um grunhido.

O Rolls estava estacionado na entrada subterrânea de cargas usada pelos caminhões blindados e carroças que entregavam notas ou moedas da Casa da Moeda de São Francisco. Cromwell ajudou Abner a colocar as malas no espaçoso compartimento traseiro antes de cobri-las com mantas que trouxera da mansão. Sob as mantas, colocou almofadas tiradas das cadeiras do saguão do banco, posicionando-as para que parecessem corpos de pessoas mortas.

Cromwell voltou e deixou a porta do cofre aberta para que seu conteúdo fosse destruído. Então, saiu e subiu para o banco do passageiro na frente do Rolls, sentando-se ao lado de Abner.

— Siga para nosso depósito na ferrovia — instruiu-o.

— Teremos que fazer um desvio para as docas ao norte e seguir por trás dos incêndios se quisermos chegar à ferrovia — disse Abner, colocando o carro em primeira marcha. Enquanto ladeava o imenso incêndio que consumia Chinatown, seguiu em direção a Black Point, no norte. Lá, os edifícios de madeira já estavam se desintegrando na forma de leitos de cinzas fumegantes, enquanto chaminés quebradas mantinham-se de pé feito lápides enegrecidas.

Algumas ruas estavam limpas o suficiente para a passagem do carro. Abner evitou as que estavam bloqueadas, enterradas sob paredes desabadas. O Rolls foi parado duas vezes pela polícia, que exigia que o carro fosse usado como ambulância, no entanto, Cromwell apontava para os corpos de mentira sob os cobertores e dizia que estavam a caminho do necrotério. A polícia retrocedia estupidamente e cedia-lhes passagem.

Abner teve que dar voltas entre as multidões de refugiados das áreas incineradas que carregavam seus magros pertences. Não havia pânico; as pessoas se moviam lentamente, como se estivessem em um passeio de domingo. Havia pouca conversa e poucos olharam para trás para ver o que restava de suas casas.

Cromwell ficou impressionado com a intensidade e rapidez com que o fogo consumia um edifício próximo. As chamas altas produziam uma chuva de fagulhas brilhantes e detritos sobre o telhado, que se tornou uma tocha flamejante dentro de dois ou três minutos. Então, uma tempestade de fogo envolveu todo o prédio e o consumiu em menos tempo do que se leva para ferver água.

Tropas do exército das instalações militares mais próximas começaram a chegar para manter a ordem e ajudar os bombeiros da cidade a combaterem as chamas. Dez companhias de artilharia, infantaria, cavalaria e do Hospital da Marinha — 1.700 homens ao todo — marcharam para a cidade com armas e cintos de balas, preparados para proteger as ruínas, os cofres de bancos, os correios e a Casa da Moeda contra saqueadores. Suas ordens eram para atirar em qualquer um que fosse pego roubando.

Passaram por uma caravana de soldados em quatro automóveis cujos assentos traseiros estavam ocupados por caixas de dinamite da Fábrica de Pólvora da Califórnia. Dentro de minutos, explosões sacudiram a cidade já devastada. Casas e lojas foram detonadas e niveladas para retardar o progresso do fogo. Perdendo a batalha, o exército começou rapidamente a dinamitar quarteirões inteiros em uma última tentativa desesperada de deter o avanço do incêndio.

Uma luz amarela pálida e doentia atravessava a crescente cortina de fumaça. Não havia sol banhando as ruínas, exceto ao redor dos limites da cidade. A esfera indiferente do sol surgiu vermelha, parecendo menor do que seu tamanho real. As tropas do exército, dos bombeiros e da polícia retiraram-se de perto das chamas, conduzindo os desabrigados para o oeste e para longe do holocausto que se aproximava.

Abner torceu o volante do Rolls para fugir do entulho nas ruas e da multidão de pessoas que lutava para chegar ao terminal das balsas, na esperança de cruzar a baía e seguir para Oakland. Por fim, ele chegou aos trilhos ferroviários e seguiu-os até o pátio principal da Southern Pacific, chegando ao depósito de Cromwell. Guiou o carro por uma rampa e estacionou perto do vagão de cargas parado junto da doca de carga. Notou o número de série pintado na lateral do vagão: 16455.

Cromwell não tinha consciência de que Bell já sabia que o vagão não era o que parecia. No entanto, o agente que fora designado para vigiá-lo fora convocado por Bronson para cumprir outras tarefas depois do terremoto. Tudo parecia seguro. Cromwell estudou o cadeado da grande porta corrediça do vagão para certificar-se de que não fora adulterado. Satisfeito, inseriu a chave e removeu o cadeado, que servia para reforçar mais a aparência do que a segurança. Então, rastejou para baixo do carro e entrou nele pelo alçapão no piso. Uma vez lá dentro, virou o trinco que selava a porta pelo lado de dentro e fê-la deslizar, abrindo-a.

Sem precisar de instruções, Abner começou a carregar as pesadas malas cheias de dinheiro, tirando-as do Rolls e içando-as para o chão do vagão, onde Cromwell as arrastava para dentro. Quando a última parte dos 4 milhões de dólares foi removida da limusine, Cromwell baixou o olhar para Abner e disse:

— Volte para casa, pegue minha irmã e a bagagem dela e depois volte para cá.

— Vai ficar, senhor Cromwell? — perguntou Abner.

Cromwell assentiu.

— Tenho assuntos para tratar no escritório do despachante.

Abner sabia que fazer todo o trajeto do depósito até a mansão em Nob Hill era uma tarefa quase impossível agora, entretanto, saudou Cromwell de forma casual e disse:

— Farei o melhor que puder para trazer sua irmã até aqui sã e salva.

— Se alguém pode fazer isso, Abner, é você — respondeu Cromwell. — Tenho total confiança em você.

Então, Cromwell fechou a porta corrediça do vagão e desceu pelo alçapão. Quando Abner conduzia o carro rampa abaixo, ele viu Cromwell passar a pé por cima dos trilhos em direção à cabine do despachante.

39

Bell marchou Nob Hill abaixo e parou para ajudar uma equipe de homens que removiam destroços de um pequeno hotel, agora não mais que uma montanha de vigas de madeira estilhaçadas e tijolos quebrados. Debaixo da ruína, ouvia-se a voz de um garotinho a soluçar. Bell e os homens trabalharam arduamente, atirando entulho para o lado e cavando um buraco em direção ao choro lamentável.

Depois de quase uma hora, eles finalmente chegaram a um pequeno bolsão de ar que tinha protegido o menino de ser esmagado. Mais 20 minutos e eles o haviam libertado e carregado para um carro que o levaria até o centro de primeiros socorros. A não ser pelos tornozelos, que pareciam estar fraturados, ele não sofrera nenhum ferimento além de alguns arranhões.

Para Bell, o garotinho não parecia ter mais do que 5 anos. Quando ele gritou chamando a mãe e o pai, os homens que o salvaram olharam uns para os outros com grande sofrimento, sabendo que os pais dele, e possivelmente irmãos e irmãs, jaziam esmagados dentro do hotel que desabara. Sem uma só palavra, eles seguiram caminhos separados, entristecidos, no entanto, felizes por terem sido capazes pelo menos de salvá-lo.

Dois quarteirões adiante, Bell passou por um soldado que supervisionava um grupo de homens que foram colocados para trabalhar removendo tijolos das ruas e empilhando-os na calçada. Bell considerou que um dos homens, com um belo perfil, parecia familiar. Por curiosidade, parou e perguntou a um homem mais velho, que estava observando a operação, se poderia identificar aquele homem que se "apresentara como voluntário" para limpar a rua.

— É meu sobrinho — o velho respondeu, rindo. — O nome dele é John Barrymore. Ele é ator e está trabalhando numa peça chamada *O Ditador*. — Ele parou. — Ou, devo dizer, estava trabalhando. O teatro foi destruído.

— Pensei mesmo tê-lo reconhecido — disse Bell. — Eu o vi interpretar Macbeth em Chicago.

O estranho balançou a cabeça e sorriu.

— Foi necessário um ato de Deus para tirar Jack da cama e o Exército dos Estados Unidos para fazê-lo trabalhar.

O soldado também tentou colocar Bell para trabalhar pegando tijolos das ruas, entretanto, novamente Bell mostrou a ele seu documento de identificação da Van Dorn e prosseguiu. Agora, as multidões tinham se espalhado e as ruas estavam quase vazias, exceto pelos soldados a cavalo e uns poucos observadores que haviam ficado por ali para ver o fogo.

Durante o tempo que Bell levou para andar mais oito quarteirões até o banco de Cromwell, o coração da cidade, em ambos os lados da Rua Market, queimava ferozmente. A muralha de fogo estava a apenas 12 quarteirões de distância do banco quando ele chegou à escada que levava às grandes portas de bronze. Um jovem soldado, de não mais que 18 anos, parou Bell e ameaçou-o com a baioneta na ponta de seu rifle.

— Se está pensando em saquear o banco, você é um homem morto — disse com voz de quem falava sério.

Bell identificou-se como agente da Van Dorn e mentiu:

— Estou aqui para fazer uma verificação geral, ver se há algum arquivo ou dinheiro que possa ser salvo.

— Tudo bem, senhor. — O soldado baixou o rifle. — Pode passar.

— Por que não me acompanha? Posso precisar de alguns músculos extras para remover qualquer coisa de valor.

— Lamento, senhor — disse o soldado. — Minhas ordens são de patrulhar esta rua perto das chamas para impedir a pilhagem. Sugiro que não fique muito tempo aí dentro. Não levará mais que uma hora para o fogo alcançar esta área.

— Tomarei cuidado — Bell garantiu a ele. Então, subiu os degraus e empurrou uma das portas, que felizmente Cromwell deixara destrancada. No interior, era como se o banco estivesse fechado para o domingo. As janelas dos caixas, as mesas e outros móveis pareciam estar apenas esperando para reassumir os negócios na manhã de segunda-feira. O único dano aparente ocorrera nas janelas de vidros coloridos.

Bell ficou surpreso por encontrar a porta do cofre aberta. Entrou e rapidamente viu que a maior parte do dinheiro desaparecera. Apenas moedas de prata e ouro, assim como algumas notas de valores não maiores do que 5 dólares, ainda estavam nas gavetas dos caixas e em seus compartimentos e contêineres. Jacob Cromwell passara por ali e fora embora. A hora que Bell usara para ajudar a salvar o garotinho o impedira de pegar Cromwell no ato de remover os ativos líquidos do banco.

Agora, na mente de Bell, não restava dúvida de que Cromwell pretendia usar o desastre para fugir da cidade e cruzar a fronteira. Bell praguejou por saber que seu Locomobile estava inutilizado. Fazer o caminho a pé através das ruínas estava lhe custando tempo e drenando suas forças. Deixou o banco e partiu rumo à Alfândega, que também ficava no caminho do fogo.

* *

Marion não aceitou completamente as instruções de Bell. Ao contrário do que ele recomendara, ela subiu as escadas instáveis de volta a seu apartamento. Dentro de uma mala grande, colocou suas fotos de família, arquivos pessoais e joias, colocando no topo suas roupas mais caras. Sorriu ao dobrar suas camisolas e uma capa de seda. Só uma mulher salvaria suas coisas mais requintadas, pensou. Um homem não se importaria tanto em salvar seus melhores ternos.

Marion arrastou a mala escada abaixo e juntou-se aos outros desabrigados nas ruas, carregando ou arrastando malas cheias com suas magras posses, roupas de cama e tesouros domésticos. Enquanto marchavam penosamente para as colinas da cidade, ninguém olhou para trás para ver suas casas e apartamentos, sem vontade de pensar nos restos estilhaçados e esmagados onde haviam vivido com paz e conforto até aquele dia.

Por toda a noite, dezenas de milhares fugiram do fogo inexorável. Estranhamente, não havia pânico, nem desordem. Nenhuma das mulheres chorava, nenhum dos homens demonstrava raiva por sua má sorte. Atrás deles, linhas de soldados batiam em retirada diante das chamas, instando a horda a continuar seguindo em frente, ocasionalmente estimulando aqueles exaustos e que teriam parado para descansar.

Arrastar malas pesadas para cima e para baixo das colinas íngremes, quarteirão após quarteirão, quilômetro após quilômetro, acabou por tornar-se um fardo grande demais. Aos milhares, malas e seus conteúdos eram abandonados, os proprietários completamente exauridos. Algumas pessoas encontravam pás e enterravam suas malas em terrenos baldios, esperando recuperá-las depois que os incêndios tivessem se extinguido.

A coragem e a resistência de Marion cresceram dentro dela a um nível que ela nem imaginara existir antes. Carregou ou arrastou a mala como se estivesse perdida num estupor. Avançou lentamente, hora após hora, sozinha, nenhum homem oferecendo-lhe assistência. Os homens, assim como suas famílias, estavam todos ocupados na heroica tentativa de salvar seus próprios pertences. Finalmente, quando Marion não conseguia mais carregar sua mala, um adolescente perguntou se poderia ajudá-la. Marion chorou enquanto agradecia a ele por vir em seu socorro.

E foi apenas às 5 horas da manhã que ela e o garoto alcançaram o Parque Golden Gate e encontraram um soldado, que os direcionou para as tendas que estavam sendo erguidas para os refugiados. Ela entrou em uma, agradecendo ao menino, que recusou sua oferta de dinheiro, e afundou em um catre, caindo em sono profundo em menos de dez segundos.

* *

QUANDO BELL CHEGOU À ALFÂNDEGA, foi como passar por uma muralha de fogo. Embora fosse tarde da noite, a cidade estava iluminada por uma luz laranja, sinistra e oscilante. Multidões fugiam das chamas, mas não antes de colocar bens tirados de casas e lojas às pressas em carroças e levá-los até locais seguros no último minuto. O fogo estava se aproximando da Customs

House por três lados e ameaçando todo o quarteirão. Soldados no topo de edifícios da região travavam uma batalha sem fim para extinguir as chamas e salvar a Alfândega, cujo nível superior fora seriamente danificado durante o terremoto. Os andares de baixo, no entanto, estavam intactos e sendo usados como centro de operações pelo exército e pelo destacamento de fuzileiros e oficiais da marinha que haviam recebido a tarefa de providenciar e manter as mangueiras contra incêndios.

Bell passou pelos guardas do exército postados ao redor do prédio e entrou. Em uma sala contígua ao saguão principal, ele encontrou Bronson em conferência com dois policiais e um oficial do exército por sobre um mapa em larga escala espalhado sobre uma mesa de reuniões.

Bronson viu um homem coberto de cinzas, o rosto enegrecido de fuligem, parado na porta — e não o reconheceu por alguns segundos. Então, um sorriso se espalhou por seu rosto e ele veio abraçar Bell.

— Isaac, como estou feliz em vê-lo!

— Você se importa se eu me sentar, Horace? — perguntou Bell, exausto. — Andei um bocado até aqui.

— É claro que não! — Bronson o conduziu até uma cadeira diante de uma escrivaninha. — Deixe-me trazer uma xícara de café para você. Apesar do inferno ao nosso redor, não temos como aquecer o café... Mas ninguém se importa.

— Eu adoraria, obrigado.

Bronson serviu uma xícara de um bule esmaltado e colocou-a sobre a mesa diante de Bell. Um homem alto, com olhos castanhos, cabelo castanho-escuro desalinhado e usando uma camisa imaculadamente branca com gravata, surgiu e ficou ao lado de Bronson.

— Parece que você já teve dias melhores — ele disse.

— Muitos deles — respondeu Bell.

Bronson voltou-se para o estranho.

— Isaac, este é o escritor Jack London. Ele está escrevendo um ensaio sobre o terremoto.

Bell assentiu e apertou a mão dele sem ficar de pé.

— Para mim parece que você tem material suficiente para uns dez livros.

— Talvez um — disse London, sorrindo. — Pode me dizer o que viu?

Bell deu a London um breve relato do que vira na cidade, deixando de fora o horror de atirar na mulher presa nas ruínas em chamas. Quando terminou, London agradeceu a ele e caminhou até uma mesa, diante da qual sentou-se e começou a organizar suas notas.

— Como você se saiu com Cromwell? Ele e a irmã sobreviveram?

— Estão vivos e bem. Pretendem cruzar a fronteira do país.

— Tem certeza? — perguntou Bronson.

— Cheguei tarde demais ao banco de Cromwell. O cofre foi esvaziado. Todas as notas acima de 5 dólares foram levadas. Ele deve ter escapado com 3, talvez 4 milhões.

— Ele não será capaz de sair da cidade. Não com essa bagunça. Os cais estão lotados, com centenas de refugiados tentando ir para Oakland. Não há jeito de ele levar essa quantidade de dinheiro escondida em um simples par de malas.

— Ele dará um jeito — disse Bell, apreciando o café frio e sentindo-se quase humano novamente.

— E quanto a Margaret? Ela foi com ele?

— Não sei — respondeu Bell, balançando a cabeça. — Fui até a casa deles hoje cedo e Margaret agiu como se ela e Jacob fossem ficar na cidade e nos enfrentar no tribunal. Depois que descobri que ele fugiu com o dinheiro do banco, não pude voltar a Nob Hill por causa da muralha de fogo crescente. Mal consegui chegar aqui.

— E Marion? — Bronson perguntou cuidadosamente.

— Eu a enviei para o Parque Golden Gate. Ela deve estar segura lá.

Bell abriu a boca para responder, no entanto, um menino de no máximo 12 anos correu para dentro da sala. Usava uma capa marrom, um pesado suéter e calça curta com barras na altura dos joelhos. Era óbvio que ele estivera correndo por uma longa distância, pois estava tão sem fôlego que mal podia falar.

— Estou... estou procurando por... pelo senhor Bronson — ele arfou, as palavras entrecortadas.

Bronson ergueu o olhar, interessado.

— Sou eu — respondeu. — O que quer comigo?

— O senhor Lasch...

— Lasch é um de meus agentes — disse Bronson, olhando para Bell. — Ele estava em nossa reunião logo após o terremoto. Está guardando um depósito do governo no pátio de manobras da ferrovia. Prossiga, filho.

— O senhor Lasch disse que o senhor me daria 5 dólares por vir aqui e contar o que ele disse.

— Cinco dólares? — Bronson olhou para o garoto, desconfiado. — É muito dinheiro para alguém da sua idade.

Bell sorriu, tirou uma nota de 10 dólares de sua carteira e estendeu-a para o garoto.

— Qual é seu nome, filho?

— Stuart Leuthner.

— Você andou um bocado desde o pátio de manobras, passando através do fogo e da devastação — disse Bell. — Pegue 10 dólares e conte o que Lasch disse a você.

— O senhor Lasch mandou dizer ao senhor Bronson que o vagão estacionado na frente do depósito do senhor Cromwell se foi.

Bell inclinou-se na direção do garoto, seu rosto subitamente anuviado.

— Diga outra vez — instruiu-o.

O garoto olhou para Bell com apreensão nos olhos.

— Ele disse que o vagão do senhor Cromwell se foi.

— Maldição! — resmungou Bell, olhando para Bronson. — Ele já fugiu da cidade. — Então, deu ao garoto outra nota de 10 dólares. — Onde estão seus pais?

— Estão ajudando a distribuir comida na Praça Jefferson.

— É melhor você ir encontrá-los. Devem estar preocupados com você. E trate de ficar longe do fogo.

Os olhos de Stuart se arregalaram quando ele olhou para as duas notas de 10 dólares.

— Deus Todo-Poderoso, 20 dólares! Puxa, obrigado, senhor! — Então, ele se virou e saiu correndo do prédio.

Bell afundou novamente na cadeira diante da escrivaninha.

— Um trem? — murmurou. — Onde é que ele encontrou uma locomotiva?

— Tudo o que sei é que todas as balsas estão lotadas de refugiados querendo cruzar a baía e chegar a Oakland. Lá, a Southern Pacific está juntando todos os trens de passageiros num raio de 160 quilômetros para transportar as pessoas para longe desta área. Não há forma de ele ter fretado uma locomotiva com equipe e vagão-reboque.

— O vagão de carga dele não foi embora sozinho.

— Confie em mim — disse Bronson —, nenhum vagão de carga será levado de balsa até Oakland. Só pessoas. Os únicos trens em movimento são aqueles que vêm do leste com suprimentos de emergência.

Bell ficou de pé novamente, seus olhos frios e fixos em Bronson.

— Horace, preciso de um automóvel. Não posso desperdiçar horas cruzando a parte da cidade que não está em chamas.

— Aonde vai?

— Primeiro, tenho que encontrar Marion e garantir que ela esteja segura — Bell respondeu. — Depois, vou para o pátio de manobras e até o despachante. Se Cromwell fretou ou roubou um trem para levá-lo para fora da cidade, tem que haver um registro no escritório do despachante.

Bronson sorriu feito uma raposa.

— Será que o Ford Modelo K serve?

Bell olhou para ele surpreso.

— O novo Modelo K tem um motor de seis cilindros capaz de produzir até 40 cavalos de potência. Você tem um?

— Peguei um emprestado de um rico proprietário de mercearia. É seu, se prometer devolvê-lo até o meio-dia de amanhã.

— Fico lhe devendo, Horace.

Bronson colocou as mãos nos ombros de Bell.

— Você pode me pagar capturando Cromwell e a irmã perversa dele.

40

Marion dormiu por seis horas. Quando acordou, encontrou a tenda ocupada por outras cinco mulheres solteiras. Uma estava sentada em seu catre, chorando. Duas pareciam pasmadas e perdidas, enquanto as outras mostravam sua força voluntariando-se para ajudar a alimentar os feridos nas instalações de cozinha que estavam sendo armadas no parque. Marion ergueu-se do catre, endireitou as roupas e marchou com suas novas amigas em direção a várias tendas grandes que tinham sido erguidas pelo exército para servirem como hospitais de emergência.

Foi imediatamente instruída por um médico a tratar e enfaixar feridas que não necessitavam dos serviços dos médicos, que estavam ocupados em cirurgias, ajudando a salvar a vida dos gravemente feridos. Marion perdeu a noção do tempo. Livrou-se do sono e da exaustão trabalhando em um abrigo para crianças. Muitas eram tão corajosas que o coração dela chegava a partir-se. Depois de cuidar dos cortes e arranhões de uma garotinha de 3 anos que perdera a família, ela virou-se em lágrimas quando a garota lhe agradeceu numa voz sumida.

Moveu-se em direção ao leito seguinte e ajoelhou-se ao lado de um menino trazido da cirurgia, na qual haviam operado sua perna quebrada. Enquanto o envolvia num cobertor, sentiu alguém atrás de si. Então ouviu uma voz familiar:

— Perdoe-me, enfermeira, mas meu braço caiu. Consegue emendá-lo?

Marion girou de uma só vez e atirou-se nos braços de Isaac Bell.

— Ah, Isaac, graças a Deus você está bem! Estava preocupada com você.

Bell sorriu largamente em meio à fuligem de seu rosto.

— Um pouco menos bem-vestido do que antes, mas ainda de pé.

— Como é que você me encontrou?

— Sou detetive, lembra? O hospital de emergência foi o primeiro lugar onde procurei. Sabia que você estaria seguindo os passos de Florence Nightingale. Seu coração é grande demais para não ajudar os necessitados, especialmente crianças. — Ele a apertou e sussurrou em seu ouvido: — Estou orgulhoso de você, senhora Bell.

Ela se afastou e olhou dentro dos olhos dele, confusa.

— Senhora Bell?

O sorriso de Bell permaneceu fixo.

— Não é uma hora nem um lugar romântico para este pedido, mas aceita se casar comigo?

— Isaac Bell! — ela gritou. — Como se atreve a fazer isso comigo? — Então, sua expressão ficou suave, ela puxou a cabeça dele para junto de si e o beijou. Ao soltá-lo, disse astutamente: — É claro que quero me casar com você! É a melhor oferta que recebi hoje!

O sorriso dele murchou, os lábios se apertaram e a voz soou áspera:

— Só posso ficar um minuto. Cromwell e Margaret estão fugindo de São Francisco. Enquanto houver fôlego em meu corpo, não posso deixar um assassino desgraçado como Cromwell escapar livre.

O fervor dele a assustou, mas ela o abraçou ferozmente.

— Não é todo dia que uma garota é pedida em casamento por seu namorado que, depois, sai correndo. — Ela o beijou novamente. — Trate de voltar, ouviu?

— Assim que eu puder.

— Estarei esperando aqui. Não acredito que nenhum de nós possa sair desta vila de barracas tão cedo.

Bell segurou as mãos dela e beijou-as. Então, virou-se e desapareceu da tenda hospitalar.

**

Bell não considerou voltar à mansão Cromwell em Nob Hill para ver se Margaret fugira. Tinha certeza de que ela partira com o irmão.

As casas palacianas dos ricos e poderosos eram grandes fogueiras brilhantes. De cada parte da cidade vinha o ruído das chamas e das paredes em queda e das explosões de dinamite.

O Ford Modelo K era leve e rápido. E era resistente. Subiu por sobre o entulho das ruas como um cabrito montês. Sem saber, Bell fez quase a mesma rota que Cromwell e Abner haviam feito, desviando-se do fogo pela área costeira ao norte. Mal passara meia hora desde que ele deixara Marion quando parou o carro na rampa do depósito de Cromwell, ficando satisfeito ao ver que o vagão realmente se fora.

Locomotivas de manobra estavam acoplando vagões a trens de passageiros para evacuar os refugiados até a parte sul do estado, que ainda tinha trilhos abertos, enquanto carros de carga eram despachados para trazer suprimentos alimentícios e medicamentos de Los Angeles. Ele dirigiu o Ford em direção ao pátio de manobras ao longo dos trilhos até chegar a um edifício de madeira com uma placa acima do telhado que dizia Escritório do Despachante. Bell parou o carro, saltou para o chão e entrou.

Vários escreventes trabalhavam, ocupados em documentos para despachar trens, e nenhum ergueu o olhar quando Bell entrou.

— Onde posso encontrar o despachante chefe? — perguntou a um escrivão afobado.

— Ali. — O homem indicou uma porta com a cabeça.

Bell encontrou o despachante anotando números em um grande quadro negro que mostrava os trilhos entrando e saindo do pátio de manobras. A placa na mesa dizia Morton Gould. Era um homem baixo, de queixo enterrado e um nariz como o bico de um falcão. O quadro mostrava mais de 30 diferentes trens despachados por linhas que partiam do pátio de manobras como uma teia de aranha. Bell não pôde deixar de imaginar qual delas incluía o vagão de carga de Cromwell.

— Senhor Gould?

Gould virou-se e viu um homem que parecia ter ido de um lado a outro do inferno.

— Não vê que estou ocupado? Se quer pegar um trem para fora da cidade, tem que ir à estação da Southern Pacific ou o que restou dela.

— Meu nome é Bell. Trabalho para a Agência de Detetives Van Dorn. Estou procurando por um vagão de carga com o número de série 16455.

Gould gesticulou em direção ao quadro negro.

— A Southern Pacific está movendo céus e terras para transportar milhares de desabrigados para fora da cidade em nossa frota de balsas e rebocadores e levá-los até Oakland, onde reunimos trens de passageiros que esperam para desocupar a área. Mais de 1.400 vagões extras estão chegando de todas as partes do país. Os vagões — de passageiros e de carga — deste lado da baía, todos os 300 que existem, estão sendo conduzidos pela parte mais baixa do estado. Como você espera que eu rastreie um único vagão?

Bell estudou os olhos de Gould:

— Esse vagão particular pertencia a Jacob Cromwell.

Estava lá: uma indicação quase imperceptível de reconhecimento.

— Não conheço nenhum Jacob Cromwell. — Gould parou para olhar apreensivamente para Bell. — Do que se trata, afinal?

— O senhor despachou uma locomotiva para puxar o vagão de carga particular dele.

— Você é doido. Eu não despacharia vagões particulares durante uma emergência como esta.

— Quanto ele lhe pagou?

O despachante ergueu as mãos.

— Eu não poderia ter sido pago por um homem que não conheço. Isso é ridículo!

Bell ignorou a mentira de Gould.

— Qual era o destino do trem de Cromwell?

— Agora, olhe aqui — Gould disse isso com o medo crescendo em seus olhos. — Quero você fora daqui, policial da Van Dorn ou não!

Bell tirou o chapéu e fez o movimento de quem o limpa por dentro. Antes que percebesse a verdade, o despachante estava olhando de frente para uma pequena pistola. Bell pressionou os dois canos contra o lado da cavidade ocular esquerda de Gould.

— A não ser que me diga a verdade, vou disparar e a bala vai desfigurar horrivelmente seu rosto, além de explodir seus dois olhos. Quer passar o resto da vida como um homem cego e mutilado?

O poder hipnótico do terror cruzou o rosto de Gould.

— Você é doido!

— E você tem 50 segundos antes de nunca mais ver nada.

— Você não pode fazer isso!

— Posso e vou, a não ser que me diga o que quero saber.

A expressão fria e a voz gelada foram suficientes para Gould acreditar que o detetive da Van Dorn não estava blefando. Ele olhou, selvagem, à sua volta, como se houvesse uma forma de escapar, mas Bell continuou, sem remorso.

— Trinta segundos — disse, puxando o cão da pistola.

Os ombros de Gould caíram, os olhos cheios de terror.

— Não, por favor! — murmurou.

— Diga!

— Tudo bem — Gould respondeu em tom baixo. — Cromwell esteve aqui. Pagou 10 mil dólares em dinheiro para acoplar o vagão dele a uma locomotiva rápida e colocar o trem em uma linha em direção ao sul.

Os olhos de Bell fecharam-se parcialmente, compreendendo.

— Sul?

— É o único caminho para fora da cidade — replicou Gould. — Todas as balsas de trem estão sendo usadas para transportar pessoas até Oakland e trazer os trens com suprimento de volta. Não havia outro caminho para ele seguir.

— Qual era a rota?

— Primeiro por San Jose, depois contornaria a baía ao norte até o trem virar para o leste na linha principal que passa sobre as montanhas e cruza Nevada até Salt Lake City.

— Há quanto tempo ele deixou o pátio de manobras? — Bell exigiu saber.

— Cerca de quatro horas.

Bell continuou a pressionar:

— Em que horário ele deve chegar a Salt Lake City?

— Não sei. — Gould balançou a cabeça em rápidos espasmos. — O maquinista dele gastará muito tempo nas linhas secundárias para que os trens de suprimentos possam passar rapidamente por elas. Se tiver sorte, o trem dele chegará a Salt Lake no final da tarde de amanhã.

— Que tipo de locomotiva você colocou para puxar o vagão de Cromwell?

Gould debruçou-se sobre uma mesa e examinou as anotações em um grande livro de registros.

— Dei a ele a locomotiva número 3025, uma 4-6-2 da Pacific, construída por Baldwin.

— É rápida?

Gould assentiu.

— Temos poucas que sejam mais rápidas.

— Quando haverá uma disponível?

— Por que pergunta?

— Quero a locomotiva mais rápida que você tiver — respondeu Bell, ameaçando-o com a pistola. — É uma emergência vital. Tenho que pegar o trem de Cromwell.

`Gould consultou seu grande quadro.

— Tenho a número 3455, uma 4-4-2 da Baldwin Atlantic. É mais rápida do que uma Pacific. Mas está no pátio de Oakland para reparos.

— Quanto tempo até ela estar pronta para correr?

— A oficina de reparos deve terminar de aprontá-la dentro de três horas.

— Fico com ela — Bell disse sem hesitar. — Cuide para que a conta do período de uso dela seja enviada a Van Dorn.

Gould parecia prestes a protestar e discutir com Bell, mas, olhando para a pistola, pensou melhor.

— Se você me delatar, eu perco meu emprego e vou para a cadeia.

— Só me dê a locomotiva e me coloque na rota que passa por San Jose e vai a Salt Lake City e eu não direi nada.

Gould suspirou agradecido e começou a preencher o documento para fretar e despachar uma locomotiva em nome da Agência de Detetives Van Dorn. Quando terminou, Bell pegou os papéis e estudou-os por um momento. Satisfeito, deixou o escritório sem mais palavras, subiu no Ford e seguiu em direção ao Edifício Ferry.

41

APROXIMANDO-SE DO EDIFÍCIO FERRY, Bell jogou um cobertor sobre a cabeça enquanto dirigia através de uma chuva de cinzas. Pôde ver que Chinatown estava acabada, restando dela pouco mais que algumas centenas de montanhas de ruínas chamuscadas, em lenta combustão. O Edifício Ferry sobrevivera apenas com danos menores a sua torre do relógio. Bell notou que o relógio parara às 5h12, a hora em que o terremoto acontecera.

As ruas e calçadas em torno do Edifício Ferry estavam absolutamente lotadas. Milhares de pessoas estavam em fuga, acreditando que toda a cidade seria destruída. Havia pandemônio e tumulto na massa confusa de pessoas, algumas enroladas em cobertores e carregadas com as posses que haviam sido capazes de trazer para a balsa. Algumas empurravam carrinhos de bebê ou carroças de brinquedo. E ainda assim, no meio do pesadelo, todas eram educadas, corteses e atenciosas umas com as outras.

Bell parou ao lado de um jovem que parecia estar meramente parado ali, observando, do cais, o fogo da rua. Mostrou uma nota dourada de 20 dólares.

— Se souber como dirigir um carro, leve este à Alfândega, entregue-o a Horace Bronson da Agência de Detetives Van Dorn e isto aqui será seu.

Os olhos do jovem se arregalaram em antecipação, não tanto pelo dinheiro, mas pela chance de dirigir um automóvel.

— Sim, senhor! — disse, radiante. — Sei dirigir o Maxwell do meu tio.

Bell observou satisfeito enquanto o menino engatava a marcha e dirigia pela rua cheia de gente. Então, virou-se e juntou-se à massa de pessoas que escapava da destruição da cidade.

Dentro de três dias, mais de 225 mil pessoas deixariam a península onde ficava São Francisco, todas carregadas sem taxas pela Ferrovia Southern Pacific para onde quer que desejassem ir. Vinte e quatro horas após o terremoto, balsas sobrecarregadas partiam de São Francisco para Oakland a cada hora.

Bell mostrou duas credenciais da Van Dorn e subiu a bordo de uma balsa chamada *Buena Vista*. Encontrou um espaço para sentar acima das rodas de pás e virou-se para observar as chamas que subiam muito alto, com a fumaça erguendo-se a mais de 300 metros. Era como se a cidade inteira fosse uma vasta fogueira.

Tendo desembarcado no Dique de Oakland, um oficial ferroviário o conduziu até a oficina de reparos onde sua locomotiva aguardava. O monstruoso mamute de aço, de perto, era uma bela visão. Era pintada de preto do limpa--trilhos até a traseira de seu vagão-reboque de carvão. Bell considerou que o teto da cabine deveria ficar no mínimo a 4,5 metros de altura dos trilhos. As grandes rodas motrizes tinham 205 centímetros de diâmetro. Para sua época, a locomotiva do tipo Atlantic era uma obra-prima do poder mecânico.

Para Bell, parecia má e ameaçadora. O número 3455 estava pintado em pequenos algarismos brancos de um lado da cabine; as palavras Southern Pacific, em tamanho maior, corriam pelo lado do vagão-reboque, que alimentava a caldeira com carvão e água. Bell caminhou até um homem que vestia o macacão listrado tradicional dos maquinistas e quepe de brim listrado. O homem segurava uma grande lata de óleo de cano longo e parecia estar lubrificando os suportes das barras de conexão que iam do pistão cilíndrico às rodas motrizes.

— Uma boa e poderosa locomotiva — disse Bell, admirado.

O maquinista ergueu o olhar. Era mais baixo que Bell, com mechas de cabelo grisalho saindo de debaixo do quepe. Tinha o rosto marcado pelos anos debruçando-se na janela, expondo-se a toda corrente de vento de uma máquina acelerada. As sobrancelhas sobre um par de olhos azul-celeste eram curvadas e densas. Bell julgou que ele era mais jovem do que parecia.

— Não há nenhuma melhor que *Adeline* — o maquinista respondeu.

— *Adeline*?

— É mais fácil lembrar o nome do que o seu número de quatro dígitos. A maioria das locomotivas ganha um nome de mulher.

— *Adeline* parece muito poderosa — Bell disse em tom admirado.

— Foi construída para transporte pesado de passageiros. Saiu da Fábrica Baldwin há menos de cinco meses.

— Que velocidade ela alcança? — perguntou Bell.

— Depende de quantos vagões ela esteja levando.

— Digamos nove.

O maquinista pensou por um momento.

— Em uma linha reta, com trilhos desimpedidos, ela poderia passar de 160 quilômetros por hora.

— Meu nome é Bell. — Ele entregou os documentos ao maquinista. — Fretei sua locomotiva para um trabalho especial.

O maquinista estudou os documentos.

— Coisa de detetive da Van Dorn, hein? O que é tão especial?

— Já ouviu falar do Assaltante Açougueiro?

— Quem não ouviu? Li nos jornais que ele é tão mortífero quanto um homem pode ser.

Bell não desperdiçou tempo com explicações detalhadas:

— Estamos atrás dele. Ele fretou uma locomotiva do tipo Pacific para puxar o vagão especial particular dele. Está indo para Salt Lake City antes de virar para o norte para cruzar a fronteira com o Canadá. Acredito que esteja com uma vantagem de 5 horas.

— Provavelmente seis, com o tempo que levamos para começar a produzir vapor.

— Soube que foram feitos alguns reparos. Estão completos?

O maquinista assentiu.

— A oficina substituiu um suporte defeituoso em uma das rodas motrizes.

— Quanto mais cedo sairmos, melhor, então. — Bell parou para estender a mão. — A propósito, meu nome é Isaac Bell.

— Nils Lofgren. — O aperto de mão do maquinista era vigoroso. — Meu bombeiro é Marvin Long.

Bell tirou o relógio do bolso e verificou as horas.

— Vejo-os daqui a 45 minutos.

— Estaremos na doca de carregamento de carvão, logo ali, nos trilhos.

Bell seguiu apressado para o terminal de Oakland até chegar a um edifício de madeira que abrigava o escritório da Western Union. O encarregado do telégrafo disse-lhe que somente uma linha estava aberta até Salt Lake City e que o envio de mensagens por ela estava várias horas atrasado. Bell explicou sua missão e o encarregado foi muito cooperativo.

— Qual é sua mensagem? — perguntou. — Cuidarei para que seja enviada diretamente para nosso escritório em Salt Lake.

O telegrama de Bell dizia:

> Ao diretor do escritório da Van Dorn, Salt Lake City. Indispensável que você pare locomotiva puxando vagão de carga número 16455. Está levando o Assaltante Açougueiro. Tome todo cuidado. Ele é extremamente perigoso. Capture e mantenha até eu chegar.
>
> Isaac Bell, agente especial

Esperou até que o telegrafista registrasse toda a mensagem antes de deixar o escritório e caminhar até onde Lofgren e Long estavam abastecendo a locomotiva com carvão e água. Subiu para a cabine e foi apresentado a Long, um homem pesado, de ombros largos, com grandes músculos esticando as mangas de sua camisa de sarja. Não usava chapéu e seu cabelo vermelho tinha quase o mesmo tom das chamas visíveis pela porta da fornalha. Tirou uma luva de couro e apertou a mão de Bell com uma mão dura e calejada das longas horas manejando uma pá de carvão.

— Estamos prontos quando você quiser — anunciou Lofgren.

— Vamos lá — respondeu Bell.

Enquanto Long atiçava o fogo, Lofgren assumiu seu assento do lado direito da cabine, travou a barra inversora Johnson no lugar, abriu as válvulas do cilindro e puxou para baixo, duas vezes, a corda acima de sua cabeça, fazendo com que o vapor apitasse, berrando um aviso de que a locomotiva começava a se movimentar. Então, agarrou a longa alavanca do acelerador e puxou-a. *Adeline* começou a mover-se e a ganhar velocidade devagar.

Dez minutos depois, Lofgren recebeu sinal para trocar o curso para a linha principal em direção ao leste. Baixou de novo a alavanca e a grande Atlantic começou a se mover para frente. Lentamente, o trem cruzou o pátio. Long começou a alimentar o fogo, luz, nível e brilho. Em seus 5 anos cuidando do fogo de locomotivas, desenvolvera uma técnica que impedia que as chamas queimassem demasiado diluídas ou demasiado densas. Lofgren deu um puxão na alavanca, as rodas motrizes moveram-se entre um estouro estrondoso de vapor e a fumaça negra jorrou do topo da chaminé.

Bell tomou o assento do lado esquerdo da cabine, sentindo-se imensamente aliviado por estar no que acreditava ser com certeza a última caçada a Cromwell para entregá-lo às autoridades de Chicago — vivo ou morto.

Considerou a vibração da locomotiva sobre a ferrovia tão calmante quanto flutuar em um bote em um lago nas montanhas, o ruído do vapor propelindo as rodas motrizes e o calor da fornalha positivamente tranquilizante para um homem numa missão. Antes de chegarem a Sacramento e virarem para o leste para seguir pelas montanhas de Sierra Nevada, Bell escorregou no assento, bocejou e fechou os olhos. Em um minuto, estava dormindo pesadamente, sob o som da locomotiva acelerada, enquanto *Adeline* direcionava seu grande limpa-trilhos para Sierra Nevada e ao Passo Donner.

42

O peito em forma de barril e os ombros carnudos de Abner Weed estavam suando enquanto ele enchia a pá de carvão para a fornalha. Criar um fogo eficiente era uma arte, no entanto, ele não a dominava. Simplesmente enfiava carvão no fogo pela porta aberta, ignorando as reclamações do maquinista, que gritava que carvão demais baixaria a temperatura do fogo.

Abner tomara a tarefa para si apenas para substituir o bombeiro, Ralph Wilbanks, um homem grande e corpulento que logo ficara exausto depois de poucas horas mantendo o vapor na temperatura necessária para manter a grande locomotiva Pacific subindo os graus íngremes das montanhas de Sierra Nevada. Revezavam-se com uma hora de trabalho e uma hora de descanso.

Abner ficava alerta durante o esforço, seu revólver Smith & Wesson enfiado no cinto. Ficava de olho no maquinista, que estava constantemente ocupado mantendo uma velocidade rápida, mas segura, nas muitas curvas das montanhas, enquanto observava os trilhos adiante para detectar qualquer obstáculo imprevisto, como um trem não agendado vindo na direção oposta. Por fim, chegaram ao cume e depois disso houve apenas descidas até que chegassem às planícies do deserto.

— Estamos entrando em Reno — gritou Wes Hall, o maquinista, por sobre o rugido das chamas na fornalha. Um homem intenso, com as feições de um velho caubói, ele quisera parar o trem em protesto quando descobrira que seus passageiros exigiam que mantivesse velocidade recorde pelas montanhas, entretanto, cedera depois que Abner apontara o Smith & Wesson para sua cabeça, ameaçando matar a ele e a seu bombeiro se não obedecessem. Mil dólares em dinheiro, acrescentados por Cromwell, ajudaram a persuadi-los, e Hall e Wilbanks agora levavam a locomotiva Pacific pelas montanhas tão rapidamente quanto podiam.

— O sinal lá na frente está vermelho — disse Wilbanks.

Hall acenou, confirmando que também vira.

— Vamos ter que parar e esperar em um ramal.

Abner apontou a arma para a cabeça do maquinista.

— Acione o apito. Nós vamos continuar.

— Não podemos — disse Hall, olhando Abner nos olhos. — Deve haver um expresso carregado de suprimentos de emergência para São Francisco vindo em nossa direção nos mesmos trilhos. Prefiro que você atire em mim do que causar uma colisão com outro trem que mataria todos nós e interromperia o tráfego em ambas as direções por, quem sabe, uma semana.

— Tudo bem. — Abner lentamente recolocou o revólver no cinto. — Mas coloque-nos de volta aos trilhos principais assim que o expresso de emergência passar.

— Podemos usar o atraso para reabastecer o carvão e a água. — Hall começou a descer a alavanca do acelerador.

— Tudo bem. Mas cuidado com os modos ou eu abro buracos em vocês dois.

— Ralph e eu não podemos continuar por muito mais tempo. Estamos acabados.

— Vocês vão ganhar o dinheiro, e continuar vivos, se prosseguirem — disse Abner em tom ameaçador.

Inclinando-se do lado esquerdo da cabine, Abner pôde ver a estação de trem e a pequena cidade de Reno, Nevada, surgindo gradualmente a distância. Enquanto se aproximavam, avistou uma figura agitando uma pequena bandeira vermelha perto de um posto de manobras. Hall fez soar o apito para anunciar a chegada deles e avisar ao bandeirista que entendera o sinal para desacelerar e que o trem estava preparado para ser manobrado para fora da linha principal.

Hall parou o vagão-reboque da Pacific precisamente debaixo de um tanque de água elevado, de um lado dos trilhos, e uma caixa de carvão, do outro. Wilbanks saltou para o vagão-reboque, agarrou uma corda e puxou o cano preso ao tanque até que a água começasse a fluir para baixo devido à gravidade. Descendo da cabine com uma lata de óleo, Hall começou a verificar todos os suportes e encaixes da locomotiva e, já que Cromwell se recusara a esperar pela chegada de um brequista, teve que examinar os suportes nas rodas do vagão-reboque e do vagão de carga também.

Ficando de olho vivo em Hall e Wilbanks, Abner passou pelo vagão--reboque até a porta do vagão de carga. Bateu duas vezes com a corona de seu Smith & Wesson, esperou um momento e bateu novamente. A porta foi destrancada por dentro e deslizou, abrindo-se. Jacob e Margaret Cromwell estavam ali, olhando para Abner lá embaixo.

— Por que o atraso? — perguntou Cromwell.

Abner indicou a locomotiva com um gesto de cabeça.

— Mudamos para um ramal para deixar um trem expresso de emergência passar. Enquanto esperamos, a equipe está reabastecendo o carvão e a água.

— Onde estamos? — perguntou Margaret. Estava vestida atipicamente com calça de homem, as pernas metidas em um par de botas. Um suéter azul cobria a parte de cima de seu corpo e ela usava uma bandana no cabelo.

— Na cidade de Reno — respondeu Abner. — Já saímos das Sierras. Deste ponto em diante a paisagem é só o deserto.

— E quanto ao caminho adiante? — inquiriu Cromwell. — Há mais trens de suprimentos para atrasar nossa viagem?

— Vou verificar com o guarda-chaves se há trens indo para o oeste. Mas vamos ter que ficar de lado se eles vierem.

Cromwell saltou para o chão e nele abriu um mapa. As linhas desenhadas sobre ele mostravam as ferrovias nos estados a oeste do Mississippi. Ele apontou para um sinal que indicava Reno.

— Certo, estamos aqui. A próxima conexão com trilhos seguindo para o norte é em Ogden, Utah.

— Não é Salt Lake City? — perguntou Margaret.

Cromwell balançou a cabeça.

— A linha principal da Southern Pacific junta-se aos trilhos da Union Pacific ao norte de Salt Lake. Vamos seguir para o norte a partir da conexão em Ogden e nos dirigir a Missoula, Montana. De lá, pegamos os trilhos da Northern Pacific até o Canadá.

Abner mantinha os olhos atentos na equipe. Viu o bombeiro ocupado com o carvão que fluía da calha para o vagão-reboque e o maquinista indo de um lado a outro como se em transe.

— A equipe está morrendo em pé. Teremos sorte se eles conseguirem operar a locomotiva por mais quatro horas.

Cromwell consultou o mapa.

— Há um pátio de manobras em Winnemucca, Nevada, a uma distância de cerca de 250 quilômetros. Pegaremos outra equipe lá.

— E quanto a esses dois? — inquiriu Abner. — Não podemos deixá-los correr para o posto de telégrafo mais próximo e avisar aos oficiais da lei adiante que estamos chegando.

Cromwell pensou por um momento.

— Vamos mantê-los conosco, depois faremos os dois saltarem do trem em uma parte desolada do deserto. Não correremos nenhum risco de os agentes da Van Dorn descobrirem que deixamos São Francisco e telegrafem aos policiais pelo caminho para que parem nosso trem. Então, cortaremos as linhas de telégrafo à medida que avançarmos.

Margaret lançou um longo olhar para a Sierra e os trilhos pelos quais haviam passado.

— Você acha que Isaac está nos seguindo?

— É só uma questão de tempo, querida irmã — respondeu ele com seu elevado grau de autoconfiança de sempre. — Mas, na hora em que ele perceber que saímos de São Francisco e encontrar uma locomotiva para fazer o percurso, estaremos na metade do caminho para o Canadá e ele não terá a menor chance de nos deter.

43

ADELINE ERA O ORGULHO E A ALEGRIA DE LOFGREN, que falava com a locomotiva como se ela fosse uma bela mulher em lugar de um monstro de aço com hálito de fogo que investia contra as curvas da Sierra e cruzava o Passo Donner. Sem precisar puxar duas toneladas de vagões carregados de passageiros e bagagens, ela seguia sem esforço.

O ar da primavera era fresco e viçoso, e a neve ainda cobria o chão. O Passo Donner era a notória parte das montanhas onde o mais pungente evento da história do Oeste tivera lugar. Uma caravana de carroças formada por 12 famílias que se tornariam lenda quando o grupo Donner ficara preso pelas nevascas do inverno de 1846 e sofrera terrivelmente até ser resgatado. Muitos sobreviveram devorando os mortos. Dos 87 homens, mulheres e crianças, somente 45 viveram para chegar à Califórnia.

Bell estivera bem acordado desde que passara por Sacramento e estava achando o cenário espetacular — os picos rochosos, altos como torres; as florestas de pinheiros, alguns com ramos ainda carregados de neve; os túneis no alto, abertos à base de explosões por trabalhadores chineses em 1867. *Adeline* mergulhou na boca negra de um longo túnel, o rugido do escapamento do trem reverberando como uma centena de bumbos. Logo um pequeno círculo de luz materializou-se à frente na escuridão e rapidamente ficou maior. Então, *Adeline* surgiu na brilhante luz solar com o som de um trovão. Alguns quilômetros à frente apareceu a vista panorâmica do Lago Donner, enquanto o trem começava sua longa e sinuosa descida para o deserto.

Bell olhou com alguma apreensão para a queda livre de 300 metros que jazia a um ou dois passos da borda dos trilhos, enquanto a locomotiva contornava uma curva aguda. Ele não precisava instar Lofgren a ir mais rápido. O maquinista estava conduzindo a locomotiva a mais de 55 quilômetros por hora nas curvas das montanhas, uns bons 16 quilômetros a mais do que se considerava seguro.

— Já passamos o cume e temos uma descida pelos próximos 120 quilômetros — anunciou Lofgren.

Bell ficou de pé e cedeu a Long o assento do bombeiro ao lado esquerdo da cabine. Ele sentou-se agradecido e fez uma pausa enquanto Lofgren interrompia o fluxo do vapor e permitia que *Adeline* costeasse para baixo pelo desfiladeiro nas montanhas. Long estivera jogando pás de carvão quase sem parar desde que eles mudaram para a linha principal em Sacramento e subido os graus íngremes da Sierra.

— Posso lhe dar uma mão? — perguntou Bell.

— Fique à vontade — respondeu Long, acendendo um cachimbo. — Eu lhe digo como colocar o carvão na fornalha. Mesmo que só tenhamos descida pela próxima hora, não podemos deixar o fogo se apagar.

— Você não joga simplesmente o carvão lá dentro usando uma pá?

— É mais do que isso. — Long sorriu. — E o nome não é só pá. É pá de bombeiro, tamanho 4.

Pelas duas horas seguintes, Bell trabalhou diante do labirinto de canos e válvulas enquanto aprendia as complexidades da alimentação de uma locomotiva. O vagão-reboque balançava de um lado para outro nas curvas, tornando difícil jogar carvão dentro da fornalha. No entanto, era um trabalho fácil com *Adeline* descendo a ladeira. Ele colocou apenas carvão suficiente para manter o vapor. Logo aprendeu a escancarar a porta da fornalha, depois de tê-la acertado com a pá e espalhado carvão pelo chão. E, em vez de fazer com que o carvão formasse uma pilha incandescente, desenvolveu a habilidade de fazer um fogo nivelado que queimava brilhante e laranja.

As curvas agudas foram deixadas para trás enquanto o arco dos trilhos crescia e eles desciam ao sopé das montanhas. Uma hora depois de Bell ter devolvido a pá a Long, o bombeiro anunciou para Lofgren:

— Só temos água e carvão suficientes para mais 80 quilômetros.

Lofgren balançou a cabeça, concordando, sem tirar os olhos dos trilhos à frente.

— É o bastante para chegarmos a Reno. Podemos nos reabastecer de carvão e água lá e pegar uma equipe de apoio.

Bell percebeu que a corrida pelas montanhas cobrara seu preço de Lofgren e Long. Pôde ver que o esforço físico e mental esgotara o firme maquinista e o trabalho de manter o vapor constante nas subidas íngremes havia minado as forças do infatigável bombeiro. Era evidente para Bell que a equipe do trem de Cromwell devia estar exausta também. Ele olhou o relógio de bolso e pôde apenas imaginar se tinham conseguido encurtar a distância até o bandido.

— Quanto tempo levará para reunir uma nova equipe? — perguntou.

— O tempo que levarmos para colocar água e carvão no vagão-reboque — replicou Lofgren. Então, sorriu cansado, revelando um conjunto de dentes tortos, e acrescentou: — Desde que tenhamos a sorte de encontrar uma equipe livre.

— Estou grato a vocês dois — Bell disse sinceramente. — Fizeram um trabalho heroico ao passar pela Sierra. Devem ter batido um recorde.

Lofgren tirou seu grande cronômetro ferroviário Waltham, com a figura de uma locomotiva gravada na parte de trás do estojo.

— De fato. — Ele riu. — Tiramos oito minutos do recorde anterior alcançado por Marvin, eu e *Adeline*, seis meses atrás.

— Você ama esta máquina, não? — disse Bell.

Lofgren riu.

— Pegue todas as locomotivas Atlantic já colocadas nas ferrovias: são as melhores do mundo, todas construídas para serem exatamente iguais, com dimensões e construção idênticas. Mas cada uma delas é diferente: assim como pessoas, elas têm personalidades diversas. Algumas podem correr mais do que as outras com a mesma pressão de vapor. Algumas são caprichosas enquanto outras são azaradas, sempre tendo má sorte com problemas de reparo. Mas *Adeline* é maravilhosa. Não tem caprichos; nunca é irritadiça, extravagante ou mal-humorada. Trate-a como uma dama e ela será como uma égua puro-sangue que vence corridas.

— Você fala como se ela fosse quase humana.

— *Adeline* pode ser feita de toneladas de ferro e aço, mas ela tem coração.

Estavam chegando a Reno e Lofgren puxou a corda do apito para anunciar sua intenção de deslocar-se para o ramal para apanhar carvão e água. Manobrou a alavanca com suavidade para desacelerar a locomotiva. O guarda-chaves moveu a alavanca de manobra para vincular os trilhos afilados da mesma forma que fizera para o trem de Cromwell antes. Então, agitou uma bandeira verde para alertar Lofgren de que o ramal estava aberto.

Antes mesmo de *Adeline* parar, Bell já saltara da cabine e saíra correndo pelo pátio de manobras até a estação de trem, que era igual a milhares de estações de cidades pequenas por todo o país. Tinha paredes de ripas de madeira, janelas em arco e telhado pontudo. A plataforma de carga estava vazia, dando a Bell a impressão de que nenhum trem de passageiros estava agendado para parar ali nas próximas horas.

Ele entrou, passou pelo escritório de fretes e passagens e parou na pequena sala do telégrafo. Dois homens estavam no meio de uma conversa profunda quando ele entrou. Pareceu-lhe que o rosto deles estava sério e austero.

— Perdão, senhores — disse Bell. — Estou procurando o chefe da estação.

O mais alto dos dois homens olhou para Bell por um momento antes de balançar a cabeça.

— Sou o mestre da estação, Burke Pulver. O que posso fazer pelo senhor?

— Passou por aqui algum trem com apenas um vagão de carga nas últimas 10 horas, indo para o leste?

Pulver confirmou:

— Esse trem ficou parado por duas horas enquanto dois trens expressos carregando suprimentos de emergência para as vítimas do terremoto de São Francisco passavam pelos trilhos.

— Eles se atrasaram por duas horas? — disse Bell, subitamente sentindo-se otimista. — Há quanto tempo partiram?

Pulver olhou para o relógio Seth Thomas na parede.

— Cerca de 4h30 atrás. Por que pergunta?

Bell identificou-se e explicou brevemente sua caçada a Cromwell. Pulver olhou-o nos olhos.

— Você disse que aquele vagão de carga estava transportando o famoso Assaltante Açougueiro?

— Ele estava nele, sim.

— Se ao menos eu soubesse, teria dito ao xerife.

Aquele intervalo de tempo era melhor do que Bell ousara esperar.

— Você tem uma equipe de apoio disponível? A minha está exausta depois da corrida recorde sobre a Sierra.

— Quem está na sua equipe?

— Lofgren e Long.

— Eu deveria saber que aqueles dois tentariam bater o próprio recorde! — Pulver riu. Estudou o quadro negro na parede. — Tenho uma equipe à mão. — Ele parou. — Bem que eu achei que havia algo estranho naquele trem. Reno é o posto de abastecimento para quase todos os trens que vão para o leste ou o oeste. É muito incomum não levar uma equipe de apoio daqui. O bandido não vai longe com um maquinista e um bombeiro cansados.

Bell baixou o olhar para o telegrafista, um homem careca com uma pala verde empoleirada na testa e ligas nas mangas da camisa.

— Gostaria de alertar os representantes da lei nas cidades adiante que parem o trem e capturem o bandido, cujo nome é Jacob Cromwell.

— Impossível. — O telegrafista balançou a cabeça. — As linhas caíram. Não consigo passar nenhuma mensagem para o leste.

— Aposto que Cromwell está cortando as linhas — disse Bell.

Pulver estudou um grande quadro negro, em outra parede, que mostrava os trens agendados para passar por Reno.

— Terei uma equipe para você em 20 minutos. Deve ter uma corrida sem obstáculos até chegar a Elko. Depois disso, espero que encontre o telégrafo operante ou correrá o risco de colidir com um trem seguindo para o oeste.

— Nesse caso — Bell disse cinicamente —, terei a satisfação de saber que Cromwell colidiu primeiro.

44

Adeline EMPENHAVA TODA A SUA competência naquele trecho plano e aberto dos trilhos. Estava chegando aos 145 quilômetros por hora, rugindo ao passar por armações sobre ravinas secas, voando através de pequenas cidades e arremessando-se quando os sinais indicavam um caminho aberto à frente. Os postes de telégrafo passavam rápido ao longo dos trilhos em um borrão confuso. A chaminé cuspia uma fumaça tingida por faíscas e cinzas, que corria de volta em forma de nuvem horizontal na frente da cabine e era achatada imediatamente pela força do vento.

Um lúgubre descendente de vikings de cabelo cor de palha chamado Russ Jongewaard ocupava o assento do maquinista, uma mão na alavanca, enquanto Bill Shea, um irlandês alto e bem-humorado, jogava carvão na fornalha. Depois de ouvir Bell contar que estava em uma tentativa de vida ou morte para capturar o famoso Assaltante Açougueiro, eles subiram a bordo entusiasmados para se juntarem à caçada.

Lofgren e Long estavam a bordo também.

— Estamos nos voluntariando até o fim — disse Lofgren. — Se nós quatro nos revezarmos, não teremos que parar para arranjar outra equipe de apoio.

Bell trabalhava intensamente na tarefa de alimentar a fornalha com carvão. A ferida em sua perna, deixada pela bala de Cromwell em Telluride, não havia sarado completamente, entretanto, desde que ele não pusesse peso demais sobre ela, a dor era pouca. Sua pá erguia só a metade do carvão que Long e Shea atiravam na fornalha, mas ele compensava jogando duas pás a cada uma deles.

Os dois bombeiros da Southern Pacific revezavam-se, vigiando o manômetro da água e o do vapor, certificando-se de que mostrassem que o fogo estava queimando bem e a máquina operando exatamente abaixo de 200 libras de pressão do vapor, a apenas um fio de cabelo da marca vermelha. Analisavam a fumaça que saía da chaminé. Quando começava a sair do cinza para um tom mais claro, eles adicionavam mais carvão. Quando ficava preta, significava que o fogo estava denso demais e precisavam abrandá-lo.

Uma competição, nunca anunciada nem sugerida, desenvolveu-se entre Lofgren e Jongewaard, no entanto, não passou despercebida. *Adeline* podia ter mostrado o imenso poder de seu maquinário e a alta velocidade de suas rodas motrizes, mas foram a força e a resistência dos homens que a levavam até seus limites que estabeleceram recordes em Nevada naquele dia. Os maquinistas, infatigáveis, trabalhavam duro para alcançar o trem do assassino que matara tantas pessoas inocentes.

Vendo o semáforo que sinalizava que o caminho estava livre após Elko, Lofgren manteve a alavanca travada enquanto passava pela estação a mais de 150 quilômetros por hora. Pessoas que estavam na plataforma esperando por um trem de passageiros olharam chocadas quando *Adeline* passou voando feito uma imensa bala de canhão.

Felizmente, as conexões eram poucas e distantes entre si — poucas linhas secundárias saindo da principal —, por isso, mantiveram sua alta velocidade sem desacelerar. Então, atrasos agonizantes começaram a ocorrer na cidade de Wells, e novamente, mais adiante, em Promontory, para permitir a passagem de trens com suprimentos para o oeste. As demoras foram utilizadas no reabastecimento de carvão e água, no entanto, perdeu-se um total de 80 minutos.

A cada parada, Bell questionava os chefes de estação a respeito do trem de Cromwell. Em Wells, um chefe disse a ele que o maquinista e o bombeiro que haviam conduzido o trem de Cromwell desde Oakland foram encontrados por um encarregado de manutenção que checava os trilhos. Ele os trouxera para a cidade. Os dois mal eram capazes de ficar de pé por estarem tão fatigados e desidratados. Tinham confirmado o que Bell temia: Cromwell mandava que parassem o trem frequentemente para que seu capanga subisse nos postes e cortasse os fios do telégrafo.

— Como estamos? — perguntou Lofgren quando Bell subiu de volta à cabine.

— O mestre da estação disse que eles passaram por aqui três horas atrás.

— Então, ganhamos uma hora e meia desde Reno — Long disse com um amplo sorriso, sabendo que os esforços incansáveis de sua equipe estavam compensando.

— Daqui até Ogden, vocês terão que ficar de olhos bem abertos. Cromwell está cortando as linhas de telégrafo. Estaremos correndo às cegas, caso deparemos com um trem indo para o oeste.

— Não é uma grande ameaça — disse Jongewaard. — A empresa não arriscará mandar trens pela linha principal se não puder contatar os chefes de estação para agendar as chegadas e partidas. Ainda assim, devemos ficar alertas, especialmente perto das curvas onde não pudermos enxergar mais de um quilômetro à frente.

— Quanto falta até Ogden? — perguntou Bell.

— Cerca de 80 quilômetros — respondeu Jongewaard. — Devemos chegar à estação em aproximadamente uma hora.

* *

Com Lofgren encarregado do acelerador, *Adeline* entrou na Estação da Union em Ogden 42 minutos mais tarde. Foi manobrada até o ramal para reabastecimento de carvão e água, onde a locomotiva parou. A rotina da equipe estava agora bem estabelecida. Enquanto Long e Shea carregavam o vagão-reboque com carvão e água, Lofgren e Jongewaard verificavam o motor e lubrificavam os conectores e suportes das rodas. Bell entrou apressado na grande estação e achou o escritório do despachante.

Um homem rechonchudo estava sentado a uma mesa, observando pela janela enquanto um trem de passageiros chegava. Sua atenção era especialmente dirigida às mulheres jovens e bonitas que mostravam os tornozelos quando desciam os degraus do vagão Pullman. Bell leu o nome numa pequena placa na frente da mesa:

— Senhor Johnston?

Johnston olhou na direção de Bell e sorriu amigavelmente.

— Sim, sou eu. Em que posso lhe ajudar?

Bell desfiou toda a sua história da caçada a Cromwell, talvez pela sexta vez desde que deixara São Francisco.

— Sabe me dizer quando o trem esteve aqui?

— Nunca esteve — respondeu Johnston.

— Nunca esteve na sua estação? — As grossas sobrancelhas de Bell se ergueram em direção a seu denso cabelo loiro.

— Isso mesmo — Johnston disse, reclinando-se em sua cadeira giratória e apoiando um pé calçado numa bota sobre uma gaveta aberta. — Esse trem foi manobrado para a linha que segue para o norte.

— Como? — disparou Bell. — Não era um trem agendado!

— Uma mulher rica mostrou uns documentos ao despachante da junção no caminho e disse que tinha fretado um trem com direito de precedência e caminho livre até Missoula, em Montana.

— A irmã do bandido — disse Bell. — Eles vão alcançar a fronteira e cruzá-la até o Canadá.

Johnston balançou a cabeça, compreendendo.

— O despachante verificou comigo se havia trens indo para o sul. Nenhum estava agendado até amanhã de manhã, então eu disse a ele que podia ir em frente e permitir que o trem da moça seguisse para o norte.

— Quando isso aconteceu?

— Pouco mais de duas horas atrás.

— Tenho que pegar esse trem — Bell disse firmemente. — Eu apreciaria um caminho livre até Missoula.

— Por que não manda um telegrama ao xerife de Butte pedindo que pare o trem e coloque o bandido e a irmã dele sob custódia?

— Estou tentando fazer isso desde que saí de Reno, mas Cromwell cortou todas as linhas de telégrafo entre aqui e lá. Não há razão para ele parar agora.

Johnston pareceu impressionado.

— Meu Deus, ele poderia ter causado uma colisão entre trens!

— Até que ele e a irmã cheguem à fronteira do Canadá, os dois não têm nada a perder, mesmo que isso signifique matar qualquer um que fique no caminho deles.

Johnston ficou chocado ao compreender tudo.

— Pegue esse covarde imundo — disse isso com o desespero aparente em sua voz. — Ficarei feliz em lhe dar caminho livre até Missoula.

— Fico grato por qualquer ajuda que possa nos dar — disse Bell com sinceridade.

— Qual é o número do seu trem?

— Não é um trem. Apenas um vagão-reboque e a locomotiva 3455.

— Que tipo de máquina?

— Uma Baldwin Atlantic 4-4-2 — respondeu Bell.

— Ela é rápida. E que tal uma equipe de apoio?

— Tenho duas equipes que insistem em permanecer na caçada até agarrarmos o bandido.

— Nesse caso, tudo o que posso fazer é desejar-lhe sorte. — Johnston ergueu-se e apertou a mão de Bell.

— Obrigado.

— Duas horas são uma baita dianteira — Johnston disse em voz baixa.

— Já ganhamos duas e meia desde que deixamos Oakland.

Johnston pensou por um momento.

— Você tem uma verdadeira caçada nas mãos. Será difícil.

— Eu vou detê-lo — Bell declarou corajosamente. — Tenho que detê-lo ou ele matará outra vez.

45

Havia esperança no coração dos homens que suavam e labutavam para conduzir *Adeline* pelos trilhos. Todos tinham ultrapassado os próprios limites e faziam o impossível. Homens e mulheres que trabalhavam nas fazendas e ranchos ao longo da linha paravam o que estavam fazendo para olhar, surpresos, a locomotiva solitária e acelerada que soava seu apito a distância e passava trovejando diante de suas vistas em menos de um minuto, deixando somente um rastro de fumaça.

Lofgren, no assento do maquinista, fazia com que *Adeline* trabalhasse mais e mais até que passassem pela fronteira de Utah com Idaho numa velocidade de quase 160 quilômetros por hora. Pocatello, Blackfoot e Idaho Falls chegaram e se foram. Mestres de estação ficavam parados em choque e confusão, incapazes de compreender uma locomotiva com um vagão-reboque que aparecia do nada, sem aviso, precipitando-se para longe de suas estações a uma velocidade inaudita.

Antes de saírem de Ogden, Bell obtivera uma pilha de cobertores para que as equipes pudessem tirar cochilos entre os turnos comandando a locomotiva e alimentando sua caldeira. No começo, eles consideraram impossível dormir por curtos períodos por causa do ruído do chassi, do sibilar do vapor e do estrépito das rodas de aço sobre os trilhos. No entanto, à medida que a exaustão se instalava, eles achavam cada vez mais fácil pegar no sono até o turno seguinte.

Exceto pelas rápidas paradas para reabastecimento do carvão e da água, *Adeline* nunca desacelerava. Numa parada em Spencer, Idaho, Bell descobriu que estavam apenas 50 minutos atrás do trem de Cromwell. Saber que estavam encurtando rapidamente a distância inspirou-os a renovar seus esforços e trabalhar ainda mais duro.

O mistério na mente de Bell era o relato que o mestre de estação de Spencer lhe dera. Parecia que a linha principal da Southern Pacific terminava em Missoula, com apenas uma linha secundária que seguia por mais 128 quilômetros até o pequeno porto de Woods Bay, Montana, no Lago Flathead.

— O que acha disso? — Lofgren perguntou a Bell depois que seu trabalho no acelerador foi assumido por Jongewaard.

— Cromwell deve ter encontrado outra equipe depois de quase matar o maquinista e o bombeiro em Winnemucca — Bell respondeu.

Lofgren concordou.

— Sem mensagens via telégrafo para nos informar o contrário, tenho que acreditar que ele os jogou também no meio do nada e forçou uma equipe de apoio a subir a bordo para o último trecho até a fronteira.

— Então ele terá que fazer isso seguindo pela estrada, em um automóvel.

— Por que diz isso? — perguntou Lofgren, olhando para ele.

Bell encolheu os ombros.

— O mestre da estação em Spencer me disse que os trilhos da Southern Pacific terminam em Woods Bay, na margem leste do Lago Flathead. Presumo que o único jeito de Cromwell continuar seguindo para o norte até o Canadá seja pela estrada.

— Discordo. Meu palpite é de que ele vai levar o trem até a balsa para vagões que cruza o lago.

Bell lançou a Lofgren um olhar questionador.

— Balsa para vagões?

Lofgren confirmou:

— Troncos das operações madeireiras no Canadá são transportados por vagões-plataforma cruzando a fronteira até um pequeno porto do lado oeste de um lago chamado Rollins. De lá, são levados para uma balsa que os carrega até o outro lado do lago. Quando chegam a Woods Bay, são acoplados a trens que os transportam até depósitos de madeira no Sudoeste.

— Por que a Southern Pacific simplesmente não leva seus trilhos mais ao norte, até o Canadá?

— A Ferrovia Great Northern recebeu do governo o direito de cruzar a parte superior dos Estados Unidos. Eles colocaram trilhos que vão de um porto na margem oeste do Lago Flathead até o norte da fronteira, onde suas locomotivas são acopladas a vagões-plataforma que carregam troncos puxados pela Ferrovia Canadian Pacific até os depósitos. Tanto os oficiais da Great Northern quanto da Southern Pacific se recusaram a trabalhar juntos e nunca instalaram trilhos que conectassem os dois lados do lago, contornando-o.

— Como sabe de tudo isso?

— Meu tio vive em Kalispell, junto do lago. Ele está aposentado agora, mas foi maquinista da Ferrovia Great Northern. Dirigia uma locomotiva entre Spokane e Helena.

O interesse na voz de Bell deu lugar à agitação:

— Então, o que está me dizendo é que Cromwell pode cruzar o lago com o trem dele usando a balsa até os trilhos da Northern Pacific e seguir para o norte até o Canadá sem nem mesmo descer do vagão de carga.

— É bem por aí.

— Se ele embarcar na balsa antes de podermos detê-lo... — A voz do detetive sumiu.

— Não se preocupe, Isaac — Lofgren disse confiante, vendo a apreensão nos olhos dele. — Cromwell não pode estar mais de 16 quilômetros à nossa frente. Nós vamos pegá-lo.

Por um longo momento, Bell não disse nada. Então, lentamente enfiou a mão no bolso do peito e tirou de lá um pedaço de papel. Desdobrou-o devagar e entregou-o a Lofgren.

O maquinista estudou o papel e então disse, sem erguer o olhar:

— Parece uma lista de nomes.

— E é.

— Nomes de quem?

Bell baixou a voz até que mal fosse audível sobre o som da locomotiva em movimento.

— Dos homens, mulheres e crianças que Cromwell matou. Tenho carregado isso comigo desde que recebi a tarefa de caçá-lo.

Os olhos de Lofgren se ergueram e olharam através da janela frontal para os trilhos adiante.

— Os outros deveriam ver isto.

Bell concordou:

— Creio que agora seja um momento apropriado.

* *

TRÊS HORAS MAIS TARDE, com Lofgren de volta ao acelerador, *Adeline* começou a desacelerar para entrar em Missoula. Ele parou a locomotiva cerca de 15 metros à frente de um posto de manobra. Shea saltou da cabine, correu pelos trilhos e manobrou-os, mudando a rota para a linha secundária que levava ao Lago Flathead. Ignorou o guarda-chaves, que saíra correndo de uma cabine.

— Ei, o que está fazendo? — exigiu saber o guarda-chaves, que estava agasalhado protegendo-se do vento frio.

— Não há tempo para explicar — disse Shea enquanto acenava para Lofgren, sinalizando que já era seguro sair da linha principal e seguir para a extensão. Olhou para o guarda-chaves enquanto *Adeline* passava e perguntou: — Algum outro trem passou para essa linha na última hora?

O funcionário assentiu:

— Sim, e também passou para a linha secundária sem permissão.

— Há quanto tempo? — Shea exigiu saber.

— Cerca de 20 minutos atrás.

Sem responder, Shea correu atrás de *Adeline* e saltou para dentro da cabine.

— De acordo com o guarda-chaves — ele contou —, o trem de Cromwell passou para a linha secundária 20 minutos atrás.

— Cento e vinte e oito quilômetros para cobrir em 20 minutos — disse Jongewaard, pensativo. — Vai ser bem apertado. — Ele puxou a alavanca do acelerador até a última marca e, cinco minutos após deixar a junção, já pusera *Adeline* para correr sobre os trilhos a 136 quilômetros por hora.

O Lago Flathead tornou-se visível enquanto eles seguiam para a margem leste. O maior lago de água doce do oeste dos Estados Unidos, ele tinha 45 quilômetros de comprimento e 25 de largura, com uma profundidade média de 50 metros.

Estavam agora na reta final de uma caçada longa e extenuante. Lofgren sentou-se no banco do bombeiro e ajudou Jongewaard a inspecionar o caminho à frente. Bell, Shea e Long formaram uma brigada de pás para alimentar a fornalha. Sem as luvas de couro usadas pelos bombeiros, Bell enrolou as mãos com trapos que os maquinistas usavam para limpar óleo. A proteção ajudou, no entanto, bolhas estavam começando a se erguer nas palmas de suas mãos devido às longas horas manejando a pá de carvão.

Logo chegaram a uma velocidade muito maior do que os trilhos da linha secundária foram construídos para suportar de um trem acelerado. Não houve desaceleração sobre as pontes e armações. Uma curva de mão dupla pela qual passaram em um arco violento sacudiu os ferrolhos do vagão-reboque. Por sorte, depois disso os trilhos tornaram-se tão retos quanto o voo de um corvo. Jongewaard manteve o ritmo de 136 quilômetros por hora pelos 63 quilômetros seguintes.

— Eureca! — Lofgren gritou subitamente, apontando com vigor para a frente.

Todos se debruçaram nas janelas da cabine, o vento gelado trazendo lágrimas aos olhos. Mas lá estava, sete, talvez oito quilômetros adiante, um débil fio de fumaça.

46

MARGARET REPOUSAVA EM UM SOFÁ, vestida em um robe de seda bordada, e olhava para as bolhas de champanhe que se erguiam de sua taça larga e rasa.

— Fico pensando se é verdade — ela disse suavemente.

— Se o que é verdade? — Cromwell perguntou, olhando para ela.

— Que esta taça foi modelada no seio de Maria Antonieta.

Cromwell riu.

— Há um elemento de verdade na lenda, sim.

Então, Margaret olhou para fora da janela que Cromwell abrira nos fundos do carro — ficava oculta na parede traseira e era imperceptível quando fechada. Os trilhos que brilhavam sob as rodas pareciam se estender até o infinito. Ela pôde ver que estava viajando por um vale cercado de montanhas cobertas por florestas.

— Onde estamos?

— No Vale Flathead, no coração das Montanhas Rochosas.

— Quanto falta até a fronteira?

— Mais 30 minutos até o porto da balsa no Lago Flathead — disse Cromwell, abrindo a segunda garrafa de champanhe do dia. — Metade de uma hora para chegarmos até os trilhos da Great Northern e estaremos no Canadá ao pôr do sol.

Ela ergueu a taça.

— A você, irmão, e a uma fuga brilhante de São Francisco. Que nosso novo empreendimento seja tão bem-sucedido quanto o último!

Cromwell sorriu presunçosamente.

— Beberei a isso.

* *

À FRENTE, NA CABINE DA LOCOMOTIVA, Abner pressionava a equipe que havia capturado à mão armada em um pequeno restaurante ao lado do pátio de manobras em Brigham City, Utah: Leigh Hunt, um maquinista de cabelos ruivos encaracolados, e seu bombeiro, Bob Carr, um sujeito forte que trabalhara como brequista antes de se tornar bombeiro, um passo que ele esperava eventualmente levá-lo ao posto de maquinista. Tinham acabado de chegar de uma viagem e estavam bebendo uma xícara de café antes de irem para casa quando Abner apontou a arma na cabeça deles e forçou-os a entrar na cabine da locomotiva que puxava o extravagante vagão de carga de Cromwell.

Quanto à equipe anterior, Wilbanks e Hall foram jogados para fora da locomotiva no meio do nada ao mesmo tempo em que Abner cortava as linhas de telégrafo.

Abner sentou-se no teto do vagão-reboque, acima da cabine, de onde poderia incitar Hunt e Carr a manter a locomotiva Pacific lançando-se contra os trilhos até o Lago Flathead. As nuvens negras e rodopiantes sobre as Montanhas Rochosas, ao leste, chamaram sua atenção.

— Parece que tem uma tempestade se formando — ele gritou para Carr.

— Pelo jeito é um *chinook* — Carr gritou por cima do ombro, enquanto enterrava a pá no carvão e depois na fornalha.

— O que é um *chinook*? — perguntou Abner.

— É uma tempestade de vento que desce das Rochosas. As temperaturas podem cair até 40 graus em uma hora e os ventos podem soprar a mais de 160 quilômetros por hora, o suficiente para arrancar vagões dos trilhos.

— Quanto tempo levará para chegar aqui?

— Talvez uma hora — respondeu Carr. — É mais ou menos o tempo que levaremos para chegar ao cais da balsa de vagões em Woods Bay. Quando chegarmos, vocês terão que esperar a tempestade passar. A balsa não navega durante um *chinook.*

— Por que não?

— Com ventos de 160 quilômetros por hora, o lago entra em frenesi. O vento agita a água e forma ondas de até 6 metros. A balsa de vagões não foi feita para água turbulenta. Não há chance de a equipe levar vocês para o lago durante um *chinook*.

— Mandamos um telegrama com antecedência para que a balsa ficasse esperando nossa chegada — disse Abner. — Nós vamos passar, com ou sem vento.

* *

No palácio ambulante de Cromwell, Margaret tinha caído num sono leve depois do champanhe enquanto seu irmão relaxava, sentado com um jornal que pegara quando Abner rendera a equipe do trem em Brigham City. A maioria das notícias era sobre o terremoto de São Francisco. Ele leu que os incêndios finalmente tinham se extinguido e imaginou se sua mansão em Nob Hill e o edifício do banco haviam sobrevivido.

Olhou para cima, ouvindo um som estranho, diferente do estalo das rodas de aço sobre trilhos. Parecia vago e distante. Ele enrijeceu quando reconheceu que era um apito de trem. Cromwell ficou aturdido, sabendo agora, com toda certeza, que estava sendo perseguido.

— Bell! — explodiu de raiva.

Assustada com a voz alta, Margaret endireitou o corpo, acordando.

— Por que está gritando?

— Bell! — disparou Cromwell. — Ele tem nos seguido desde São Francisco.

— O que está dizendo?

— Ouça — ele mandou. — Ouça!

Então, ela ouviu: o som inconfundível do apito a vapor de um trem, pouco perceptível, entretanto estava lá.

Margaret correu para a janela traseira e espiou os trilhos. Foi como se tivesse levado um soco no estômago. Pôde ver um fio de fumaça negra erguendo-se além de uma curva sobre quebra-ventos de pequenas árvores.

— Você tem que avisar Abner!

Cromwell a antecipou e subiu uma escada até a abertura no teto do vagão. Empurrou a tampa para o lado, subiu no teto e disparou o revólver para chamar a atenção de Abner sobre o clamor da locomotiva. O comparsa o ouviu e correu rapidamente pelo topo do vagão-reboque, até estar a menos de 4 metros de Cromwell.

— Há um trem vindo atrás de nós! — Cromwell gritou.

Abner separou os pés, apoiando-os firmemente sobre a superfície inclinada do vagão-reboque, e olhou por cima do vagão de carga. O trem acelerado acabara de passar a curva agora e estava visível a distância. Parecia ser uma locomotiva com um vagão-reboque, sem vagões. Estava vindo, e estava vindo rápido, como era evidente pela fumaça que explodia de sua chaminé e se esparramava em linha reta pelo vento.

Agora, os dois trens estavam à vista um do outro, com a doca da balsa em Woods Bay, no Lago Flathead, a apenas 32 quilômetros dali.

47

ERA COMO SE *ADELINE* FOSSE UM CORCEL puro-sangue de corrida avançando na competição, fazendo a curva rapidamente, cortando os competidores e disputando a liderança. Suas hastes de conexão eram borrões que chicoteavam as imensas rodas motrizes sobre os trilhos. Nenhuma locomotiva jamais trabalhara tão duro. Do pátio de manobras em Oakland até a região agreste de Montana, ela cobrira a distância mais rapidamente do que qualquer locomotiva na história. Ninguém cronometrara sua velocidade, no entanto, ninguém a bordo de sua cabine ou entre aqueles que a viram passar jamais duvidou de que ela ultrapassara os 145 quilômetros por hora nos trechos retos e nivelados do caminho.

Jongewaard travara a alavanca do acelerador até o fim, atirando *Adeline* por sobre trilhos que não foram fabricados para suportar tamanha velocidade. Ambos os maquinistas estavam nos assentos da cabine, os olhos fixos na linha à frente. Bell e Long manobravam as pás enquanto Shea abafava o fogo para mantê-lo queimando regularmente, com o máximo calor, para obter a combustão apropriada.

O ruído explosivo do escapamento de vapor tornara-se um sibilar contínuo e a fumaça se derramava pela chaminé em uma nuvem crescente. Bell parava de alimentar a fornalha de tempo em tempo para olhar para o trem à frente, ficando maior a cada minuto. Agora, não havia um esforço para espionar Cromwell; ele puxou a corda e acionou o apito, soltando um longo guincho e cortando a brisa que começava a soprar do lago. Os lábios de Bell estavam abertos em um largo sorriso. Esperava que Cromwell sentisse que era ele quem estava fechando os dedos em torno de sua garganta.

Bell virou-se, olhou para o céu e viu que mudara de um azul cerúleo para a mortalha cinza do *chinook*, que vinha uivando das Montanhas Rochosas a leste. Grandes rodamoinhos de poeira, folhas e pequenos fragmentos eram atirados como palha de trigo saindo de uma máquina trituradora. A água do Lago Flathead tinha passado de uma calmaria mortal para uma massa turbulenta em menos de 20 minutos.

Então, subitamente, tanto Jongewaard quanto Lofgren gritaram em uníssono:

— Carroça nos trilhos!

Todos os olhos se voltaram e miraram os trilhos adiante.

Um fazendeiro com uma carroça de feno puxada por um time de cavalos estava na estrada que cruzava os trilhos. Ele deveria ter ouvido o apito da locomotiva, Bell pensou, entretanto o fazendeiro tinha julgado mal a velocidade do trem, acreditando que teria tempo suficiente para cruzar a linha. Jongewaard levantou a barra reversiva, desacelerando as rodas motrizes até que parassem e girassem na direção inversa, freando a locomotiva.

Quando o fazendeiro percebeu que o monstro de ferro estava a apenas 90 metros, chicoteou os cavalos em uma tentativa frenética de tirá-los do caminho da morte iminente. No entanto, era tarde demais.

Adeline acertou a carroça em uma explosão de feno, tábuas de madeira, lascas e rodas estilhaçadas. Os homens na cabine instintivamente se encolheram atrás da caldeira para se proteger enquanto fragmentos caíam com estrépito pelos lados da locomotiva e voavam por cima do teto até o vagão-reboque.

Miraculosamente, os cavalos haviam saltado para adiante e escapado sem ferimentos. Bell e os outros não testemunharam o destino do fazendeiro. Assim que Jongewaard fez *Adeline* parar, uns 90 metros à frente, Bell e a equipe saltaram da cabine e correram até o ponto da colisão.

Ficaram imensamente aliviados por encontrar o fazendeiro a menos de 1,50 metro dos trilhos, com mãos e pés intactos. Ele se colocara numa posição sentada e olhava à sua volta, confuso ao ver a ruína demolida de sua carroça.

— Está ferido? — Bell perguntou ansiosamente.

O fazendeiro examinou os próprios braços e pernas enquanto sentia um galo se levantar em sua cabeça.

— Uns arranhões e hematomas — resmungou. — Mas, maravilha das maravilhas, ainda estou inteiro, Deus seja louvado.

— Seus cavalos também sobreviveram sem ferimentos.

Shea e Long ajudaram o fazendeiro a ficar de pé e o conduziram até os cavalos, que aparentemente haviam esquecido quão próximos da morte estiveram e comiam a grama ao lado da estrada. Ele ficou feliz em ver seus animais em boa forma, mas enfurecido por ter sua carroça esparramada pelo campo em centenas de pedaços.

Bell leu a mente dele e lhe deu um cartão da Van Dorn.

— Contate minha agência de detetives — ele o instruiu. — Eles compensarão o senhor pela perda de sua carroça.

— Não é a ferrovia quem vai fazer isso? — perguntou o fazendeiro, confuso.

— Não foi culpa da ferrovia. É uma longa história, que o senhor poderá ler nos jornais. — Bell voltou-se e olhou frustrado para os trilhos e a fumaça da locomotiva de Cromwell dissipando-se na distância. Recusou-se a acreditar que tinha falhado estando tão perto de seu objetivo. No entanto, nem tudo estava perdido. Jongewaard já tinha dado a ré em *Adeline* para apanhar Bell e a equipe.

Vendo que o fazendeiro seria capaz de se virar sozinho, Jongewaard gritou para os outros:

— Subam! Temos tempo para recuperar!

Bell, Lofgren e o bombeiro já tinham subido de volta à cabine quando Jongewaard fez *Adeline* disparar novamente pelos trilhos em perseguição ao trem do bandido. O *chinook* estava sobre eles agora. O vento soprava poeira e folhas secas como espuma voando das ondas que arrebentam na praia. A visibilidade fora reduzida para menos de 180 metros.

Jongewaard não podia mais olhar para o lado de fora da cabine ou seus olhos apertados se encheriam de pó. Em vez disso, olhou pela janela frontal da cabine, não tendo outra escolha senão cortar a velocidade de *Adeline* de 120 para 70 quilômetros por hora.

Ele viu um semáforo ao lado dos trilhos com sua bandeira na posição horizontal, sinalizando que a locomotiva deveria parar, mas ignorou-o. Em seguida, viu um sinal indicando os limites da cidade de Woods Bay. Sem saber a distância exata até o porto da balsa, ele desacelerou ainda mais até que *Adeline* estivesse rastejando a 40 quilômetros por hora.

Jongewaard voltou-se para Bell:

— Lamento pela baixa velocidade, mas não consigo ver se as docas da cidade estão a 5 metros ou a 5 quilômetros daqui. Tenho que desacelerar para o caso de chegarmos ao vagão de carga do bandido ou vagões-plataforma com troncos parados na pista principal.

— Quanto tempo acha que perdemos? — perguntou Bell.

— Vinte minutos, pelo meu relógio.

— Vamos pegá-los — disse o detetive com confiança calculada. — É improvável que a equipe da balsa arrisque fazer a travessia do lago com este clima.

Bell estava certo quanto à balsa não atravessar o lago normalmente em tempo ruim, entretanto, errado em subestimar Cromwell. O Assaltante Açougueiro e sua irmã não haviam chegado tão longe para se renderem mansamente.

Cromwell e Margaret não seriam detidos. O trem deles já estava passando do cais para a balsa.

48

A BALSA DE VAGÕES-PLATAFORMA estava esperando no cais quando o trem de Cromwell chegou. A locomotiva foi manobrada para os trilhos que cruzavam o deque de madeira até a balsa. Mas só poderia ir até ali. A equipe de três homens havia decidido que não era seguro tentar a travessia até que o *chinook* passasse e a superfície do lago se aquietasse. Estavam sentados na pequena cozinha da balsa bebendo café e lendo jornais e não se incomodaram em levantar quando o trem de Cromwell rodou para bordo.

Cromwell desceu de seu vagão de carga e andou até a locomotiva, dobrando-se diante do vento forte. Parou e estudou as ondas que subiam e talhavam o lago. Lembravam um mar furioso. Então, estudou a balsa com pás laterais, movida a vapor.

Em uma placa de madeira gasta pregada na casa do leme estava escrito KALISPELL. A embarcação era velha. A pintura estava lascada e descascando, o deque de madeira gasto e apodrecido. A balsa já enfrentara muitos anos de serviço — anos demais. No entanto, para Cromwell, parecia vigorosa o suficiente para suportar o vento severo e os vales que se formavam entre as ondas crescentes. Sentia-se seguro de que ela conseguiria chegar até o lado oeste do lago. Ficou irritado em não ver nenhum sinal da tripulação.

Olhou para os trilhos e sentiu-se satisfeito por não avistar o trem perseguidor. Podia apenas imaginar o que o atrasara. Qualquer que fosse a razão, não havia tempo a perder. Ele acenou para Abner na cabine da locomotiva.

— Cuide para que o bombeiro alimente a fornalha e tenhamos vapor quando chegarmos aos trilhos da Great Northern.

— Considere feito — respondeu o comparsa, apontando o cano de sua arma para o bombeiro Carr, que escutara a conversa. — Você ouviu o homem. Continue trabalhando.

— Você viu a tribulação da balsa?

— Não vi ninguém — disse Abner, encolhendo os ombros.

— É melhor chamá-los. Temos que ir em frente. Aquela locomotiva atrás de nós pode chegar a qualquer minuto.

— E quanto à equipe do trem? — perguntou Abner a Cromwell. — Se eu os deixar sozinhos, podem tentar fugir.

— Solte os nós das cordas que prendem a balsa — Cromwell ordenou. — Eles não poderão ir a lugar nenhum se estivermos longe do cais. Eu mesmo vou procurar a equipe da balsa.

Abner saltou para o deque e correu para a doca. Encontrou as cordas amarradas com nós de marinheiro contendo a balsa. As ondas subiam e desciam no meio do lago e sacudiam a embarcação para a frente e para trás contra os para-choques pendurados na caixa de pás a estibordo. Abner esperou enquanto a embarcação flutuava para longe da doca até as cordas ficarem tensas. Quando a água empurrou a balsa novamente, as cordas ficaram frouxas e Abner as soltou de seus postes, jogando-as por cima do parapeito da Kalispell. Ágil como um gato, saltou de volta ao deque e retornou à cabine da locomotiva.

Cromwell subiu uma escada até a casa do leme e ficou feliz ao entrar, escapando dos ventos uivantes. Achou o local vazio e desceu outra escada que levava à cozinha, onde encontrou a tripulação sentada por ali, lendo impassivelmente. Ergueram os olhos para ele quando desceu os degraus, no entanto, não mostraram o menor sinal de reação ou interesse.

— É o senhor Cromwell? — perguntou um homem grande, de cara vermelha e pesadamente barbada, usando um casaco xadrez vermelho de lenhador.

— Sim, sou Cromwell.

— Soubemos que seu trem viria a bordo. Sou o Capitão Jack Boss, a seu serviço.

A atitude relaxada de Boss, que continuava sentado, e de sua tripulação de dois homens, que demonstravam absoluta indiferença, enfureceu Cromwell.

— É da maior importância que façamos a travessia imediatamente.

— Impossível. — Boss balançou a cabeça. — O lago está dando coices. É melhor esperarmos até a tempestade passar.

Tão calmamente quanto se estivesse acendendo um charuto, Cromwell tirou sua Colt .38 de um bolso do casaco e acertou um dos tripulantes na testa. A surpresa foi tão completa que o homem caiu para trás de olhos vazios, como se ainda estivesse lendo o jornal.

— Meu Deus! — foi tudo o que Boss pôde dizer, com o rosto em choque.

Cromwell apontou a arma para o rosto do outro tripulante, que começou a tremer incontrolavelmente.

— Você vai colocar esta balsa para funcionar imediatamente ou ele morre também.

— Você é louco — arfou Boss.

— Meu criado já soltou as cordas. Sugiro que você não perca seu tempo protestando.

Boss olhou para seu tripulante morto e, estupefato, ficou de pé lentamente. Olhou para Cromwell com uma expressão de nojo e fúria.

— Você poderia muito bem atirar no resto de nós — disse lentamente. — Vamos todos morrer antes de chegar à outra margem.

— Um risco que teremos que correr — Cromwell disse, com a voz dura e venenosa.

Boss virou-se para o outro tripulante, Mark Ragan.

— Você terá que operar o motor sozinho — disse.

Ragan, um jovem que ainda não tinha 17 anos, concordou, de rosto pálido:

— Eu consigo.

— Então, atice a caldeira e faça vapor suficiente para seguirmos adiante.

O tripulante deixou a cozinha rapidamente e desceu uma escada até a sala do motor. Boss, seguido de perto por Cromwell, subiu para a casa do leme. Lá, Cromwell olhou para Boss e disse:

— Nem mesmo pense em ir contra minhas instruções, Capitão, ou o tripulante na sala do motor morrerá. Também não terei reservas contra matar você, caso não me leve até os trilhos na outra margem do rio.

— Você é um demônio! — disse Boss, com o rosto retorcido de fúria.

Cromwell riu e lançou a Boss um olhar frio como a morte. Então, virou-se e saiu da casa do leme.

Voltando para seu vagão palaciano, ouviu o som agudo de um apito a vapor. Soava como se não estivesse a mais de 90 metros dali. Então, seus ouvidos captaram o sibilar do vapor e o estrépito das rodas motrizes de uma locomotiva. Em meio aos detritos arremessados pelas rajadas de vento do *chinook*, ele viu uma grande máquina materializar-se na escuridão.

Tarde demais, pensou, complacente. A Kalispell já se afastara 1,50 metro da borda do cais. Ninguém nem nada poderia detê-lo agora. Sorrindo consigo mesmo, ele fez o caminho de volta ao vagão de carga e subiu nele.

* *

JONGEWAARD FEZ *ADELINE* parar de uma vez a apenas 9 metros da borda dos trilhos do cais. Antes mesmo de as grandes rodas motrizes pararem de girar, Bell saltou da cabine e correu até o fim da doca. A balsa para vagões-plataforma estava flutuando para longe, passando pelas estacas e seguindo para o meio do lago, e as rodas de pás começaram a girar. O espaço entre ela e o cais havia se expandido até 2,50 metros quando Bell chegou à borda da doca.

Ele não hesitou, não ponderou nem analisou suas ações, não retrocedeu alguns passos para tomar impulso. Parecia longe demais, entretanto, sem vacilar um instante, ele saltou do cais. Sabendo que a distância era grande demais para aterrissar de pé, esticou o braço e agarrou uma das cordas da balsa com ambas as mãos, o corpo caindo e balançando-se como um pêndulo contra o casco da balsa. Esteve a um passo de perder as forças e cair na água quando o impacto tirou todo o ar de seu corpo. Segurou a corda num aperto mortal até que seu fôlego voltasse, mas a dor crescente em seu peito não sumiu. Lentamente, quase de forma agonizante, ele subiu pela corda até o deque da balsa, bem ao lado do vagão de Cromwell.

Bell passou os dedos levemente sobre o peito e percebeu que rachara uma, talvez duas costelas. Rilhando os dentes por causa da dor, esforçou-se para ficar de pé e agarrou um dos degraus da escada de mão que levava ao teto do vagão de carga para proteger-se contra o sobe e desce da balsa, que se arrastava para os dentes do *chinook*. Enquanto a Kalispell seguia para o meio do lago, as ondas provocadas pelo vento subiam por cima da proa e caíam sobre o deque baixo dos trilhos, rodopiando em torno das rodas da locomotiva. Os terríveis ventos trouxeram um estranho aumento na temperatura de mais de 20 graus.

Bell deixou de lado qualquer pensamento sobre cautela. Abriu a porta do vagão com um empurrão e rolou para o chão, arfando com a agonia em seu peito, a Colt .45 firme em sua mão. A surpresa estava a seu favor. Cromwell não ficou alarmado, acreditando que era Abner quem entrava no vagão. Percebeu tarde demais que era seu pior inimigo.

— Olá, Jacob — Bell disse com um sorriso cordial. — Sentiu minha falta?

Houve um longo momento de paralisia e pasmo.

Bell ficou de joelhos e depois de pé, mantendo a arma apontada para o coração de Cromwell, e fechou a porta do vagão para selá-lo contra as rajadas de vento que bombardeavam a velha balsa. Fez uma rápida análise do interior do carro.

— Ora, ora, ora — disse com interesse. — Meus parabéns! — Ele usou a mão livre para gesticular em direção ao recinto exoticamente mobiliado. — Então, foi assim que você escapou de seus crimes com estilo.

— Fico feliz com sua aprovação — Cromwell disse em tom casual.

Bell sorriu com cautela estampada em seus olhos estreitados, sem baixar sua Colt. Olhou para as malas de couro alinhadas contra a parede.

— O dinheiro do seu banco. Deve ser uma quantia impressionante.

— O suficiente para iniciar um novo empreendimento — Cromwell respondeu cordialmente.

— Você nos seguiu?! — Margaret perguntou, perplexa e incrédula. Era mais uma pergunta do que uma afirmação.

— Não exatamente segui — Bell respondeu brevemente. — Na verdade, cacei.

Previsivelmente, Cromwell recuperou a compostura.

— Como chegou tão rápido? — perguntou.

— Felizmente, tive uma locomotiva mais rápida e uma equipe dedicada.

— Você sabia que Margaret e eu tínhamos deixado São Francisco?

— Rastreei este vagão de carga e descobri que você havia mandado repintá-lo com um novo número de série. Meus agentes o colocaram sob vigilância, esperando pelo momento em que você o usaria novamente. Infelizmente, o terremoto veio e meus agentes tiveram tarefas mais importantes a cumprir.

— E você descobriu que ele não estava mais no pátio de manobras — Cromwell presumiu.

Bell assentiu:

— Só depois que fui até o banco e vi que você havia tirado do cofre todas as notas de alto valor.

— Mas como conseguiu saber que estávamos indo para o Canadá?

— Pelo despachante no escritório da Southern Pacific — o detetive respondeu, mentindo para não envolver Marion. — Coloquei uma arma na cabeça dele e o persuadi a me contar que trajeto seu trem fretado faria. Depois, foi apenas uma questão de preencher as lacunas.

— Muito engenhoso, senhor Bell. — Cromwell, com champanhe na mão, olhou para o adversário, avaliando-o. — Parece que tenho a propensão de subestimá-lo.

— Eu já o avaliei errado também, uma ou duas vezes.

Margaret falou em um tom pouco acima do de um sussurro:

— O que pretende fazer? — Seu choque se tornara desespero.

— Vou deter seu irmão e entregá-lo ao xerife local depois que chegarmos à margem. Então, juntarei os documentos necessários para escoltar vocês dois de volta a Chicago, onde ele terá um rápido julgamento sem um júri formado por seus velhos amigos e será enforcado por seus crimes. — O sorriso de Bell tornou-se gelado e sua voz, agourenta. — E você, querida Margaret, provavelmente passará os melhores anos de sua vida em uma prisão federal.

Bell notou a troca intencional de olhares entre Cromwell e Margaret. Podia apenas imaginar o que estavam pensando, entretanto, tinha certeza de que não era nada bom. Ele observou Cromwell afundar-se na extremidade de um sofá ornamentado.

— Nossa viagem vai levar algum tempo neste clima. — Como se para reforçar a afirmação, a garrafa de champanhe escorregou da mesa para o chão. — Que pena. Eu ia oferecer-lhe um drinque.

Bell podia apenas adivinhar onde Cromwell mantinha sua Colt .38

— Nunca bebo em serviço — retrucou zombeteiro.

O vagão balançou brusca e subitamente outra vez quando a balsa tombou para um lado, o casco inteiro vibrando quando uma das rodas de pás saiu da água. Margaret arfou de medo e olhou para a água que se infiltrava pela porta do vagão, formando poças cada vez maiores.

* *

Do lado de fora, o vento gritava e a Kalispell rangia e gemia contra o ataque violento das ondas em ascensão que tomavam toda a superfície do Lago Flathead. A velha e cansada embarcação escondia a proa nas cristas formadas pelo temporal antes de cair doentiamente entre as vagas. Uma onda alta como uma torre quebrou-se nas janelas frontais, espalhando lençóis de água na casa do leme.

O Capitão Boss puxou a gola do casaco e agarrou o leme desesperadamente quando a tempestade o acertou com respingos que feriam a pele de sua face e mãos.

Um assobio soou pelo tubo acústico, vindo da sala do motor. Boss apanhou-o e disse:

— Casa do leme.

A voz de Ragan veio pelo tubo num tom abafado:

— Está entrando água aqui embaixo, Capitão.

— Dá para resolver com as bombas?

— Até aqui, sim. Mas o casco está rangendo de um jeito terrível. Acho que as anteparas podem acabar cedendo.

— Fique pronto para sair caso a situação piore. Faça o caminho até o teto passando pela cozinha e desamarre o bote.

— Sim, senhor — respondeu Ragan. — E quanto ao senhor, Capitão?

— Chame-me quando deixar a sala do motor. Eu vou quando puder.

— E quanto às pessoas no trem? Não podemos simplesmente abandoná-las.

Boss era um homem com profundidade moral, o homem temente a Deus, com a grande força interior da velha escola, cuja palavra dada era um compromisso. Era muito respeitado por todos aqueles que viviam em torno do lago. Olhou pela janela quebrada da sala do leme, vendo a margem distante e a água enlouquecida atirando-se sobre a proa. Teve, então, certeza de que a Kalispell não resistiria.

— Aquelas pessoas são minha responsabilidade — respondeu lentamente. — Salve a si mesmo.

— Que Deus o abençoe, Capitão!

Então, o tubo ficou silencioso.

49

Os ventos daquele *chinook* foram os mais destrutivos já registrados. Celeiros foram arrasados, telhados carregados para longe, árvores arrancadas pelas raízes e linhas de telégrafo e telefone arruinadas. A força total da brisa quente rugiu pelo Lago Flathead e fustigava a água, transformando-a em um rodamoinho turbulento que martelava a velha e cansada Kalispell impiedosamente, enquanto ela chafurdava nos vales formados entre as ondas. O bote salva-vidas com o qual o Capitão Boss esperara poder salvar vidas já tinha sido arrancado de seu suporte e despedaçado. Sua ruína agora se espalhava pela água indócil.

Boss lutava com o leme em uma tentativa desesperada de manter a Kalispell em linha reta em direção à costa, que agora estava a pouco mais de três quilômetros. Ele nutri a frágil esperança de conseguir chegar em segurança ao pequeno porto de Rollins, entretanto, por dentro, sabia que as chances estavam contra ele e sua balsa. Havia o perigo constante de que ela virasse. A locomotiva, o vagão-reboque e o vagão de carga eram as gotas d'água que poderiam fazer o copo transbordar.

Sem o peso deles, a Kalispell poderia estar mais acima da superfície da água e não teria sofrido tanto com as imensas ondas que varriam seu deque de trilhos, rebaixado. Boss baixou o olhar para a proa e viu que estava muito danificada. As tábuas de madeira, expostas, estavam sendo esmagadas e arrancadas das vigas.

Com as roupas e o casaco de lenhador ensopados, grudados à sua pele, Boss tirou uma das mãos rígidas do leme, segurou o tubo acústico junto da boca e assobiou. Houve uma demora de quase 30 segundos até que Ragan respondesse:

— Sim, Capitão?

— Como estão as coisas aí embaixo?

— O vapor está bom, mas a água ainda está subindo. — A voz de Ragan estava alterada pelo medo. — Está na altura dos meus tornozelos.

— Quando chegar aos seus joelhos, dê o fora daí — Boss ordenou.

— O senhor ainda quer que eu solte o bote? — Ragan perguntou ansiosamente.

— Não precisa se preocupar — Boss respondeu amargamente. — O bote já era.

O temor ficou notavelmente mais pesado na voz de Ragan agora:

— O que vamos fazer se tivermos que abandonar o barco?

Boss respondeu monotonamente:

— Reze para que haja destroços suficientes boiando e possamos nos agarrar a eles até a tempestade acabar.

O Capitão dependurou o tubo acústico e girou o leme poderosamente para manter a balsa investindo contra a água quando uma imensa onda caiu contra o lado esquerdo da proa da Kalispell e atirou seu costado contra a corrente. Era isso que Boss temia. Pega por uma onda enorme do lado do casco e incapaz de se recuperar, a balsa naufragaria e depois afundaria como uma rocha sob o peso do trem.

Forçando a balsa a virar e seguir em direção aos dentes das rajadas, ele olhou de soslaio para o trem e ficou impressionado ao vê-lo balançar violentamente, para a frente e para trás, enquanto a embarcação caía entre as ondas, antes de ser acertada pelas cristas que agora giravam em torno das rodas motrizes da locomotiva.

Bell obteve alguma satisfação com a noção de que, se a Kalispell afundasse nas profundezas do lago, os criminosos no trem morreriam com ele.

**

Na locomotiva, Hunt e Carr se agarravam a qualquer válvula, medidor ou alavanca a seu alcance para evitar que fossem atirados contra a caldeira e os lados da cabine. Abner estava no assento do maquinista, os pés apoiados contra o painel frontal abaixo da janela. Não sentia necessidade de manter a arma apontada para o maquinista e o bombeiro. Não com todos lutando para não serem arremessados e feridos. Ele não era mais a ameaça. O perigo era a tempestade em torno deles.

A última coisa que ocorreu a Abner foi que Hunt e Carr poderiam conspirar contra ele. Não ouvira as palavras abafadas que eles trocaram, nem vira seus discretos sinais de mão um para o outro. Para ele, não havia nada a fazer senão olhar, com grande trepidação, para a água selvagem que atacava a balsa. O maquinista caiu do assento e lançou-se pela cabine, colidindo contra Abner. O impacto momentaneamente o deixou sem ação, no entanto, ele empurrou Hunt bruscamente de volta a seu lado da cabine.

Abner não prestou atenção a Carr enquanto o bombeiro trabalhava com a pá, jogando carvão dentro da fornalha, ao mesmo tempo em que lutava para manter o equilíbrio contra as guinadas e solavancos da Kalispell. Hunt cambaleou contra ele novamente. Irritado, Abner tentou erguer o maquinista e colocá-lo de volta em seu lado da cabine. Entretanto, dessa vez, Hunt se atirara contra Abner, prendendo os braços do homem grande contra os lados do corpo. Então, Hunt retrocedeu, puxando o estupefato e enfurecido Abner para baixo, em direção ao chão da cabine e sobre si mesmo.

Estimulado à ação, Carr girou sua pá de carvão sobre a cabeça e desceu-a pesadamente entre as escápulas de Abner. A balsa mergulhou numa depressão entre as ondas assim que Carr se virou, rápido como um chicote, mas a pá errou a cabeça de Abner e certamente teria rachado o crânio dele se tivesse acertado. Para Carr, foi como acertar um tronco caído.

Foi um golpe perverso, capaz de quebrar ossos, e teria paralisado a maioria dos homens, deixando-os inconscientes. Mas não Abner. Ele arfou, o rosto contorcido de dor, e rolou, separando-se de Hunt e ficando de joelhos. Apanhou sua Smith & Wesson e ergueu-a na direção de Carr. Seu rosto era inexpressivo e seus olhos encararam sem piscar quando ele puxou o gatilho. A pá de Carr estava pronta para outro golpe, no entanto, o bombeiro congelou quando a bala perfurou seu peito. O choque o atirou contra o labirinto de válvulas antes que ele caísse lentamente de joelhos e desabasse de frente no chão da cabine.

Sem a menor hesitação, Abner virou o cano do revólver na direção de Hunt e acertou o maquinista no estômago. Hunt dobrou-se, seus olhos fixos em Abner com o frio ódio mesclado à dor e ao choque. Ele cambaleou para a frente, uma mão agarrando o estômago, a outra esticada. Tarde demais, Abner percebeu o que Hunt tinha em mente. Antes que pudesse reagir, o maquinista alcançou a alavanca do freio da locomotiva, movendo-a da direita para a esquerda. Em seu último ato, o moribundo passou o braço em torno da alavanca do acelerador, puxando-a para junto de si enquanto caía morto.

As rodas motrizes giraram e a locomotiva lançou-se para a frente. Abner, enfraquecido pelo forte golpe nas costas, foi lento demais para reagir. Havia uma névoa diante de seus olhos e ele levou longos três segundos para perceber que a locomotiva estava avançando pelo deque da balsa. Qualquer tentativa de parar o inevitável veio tarde demais. Na hora em que Abner conseguiu puxar o acelerador, a locomotiva de 134 toneladas já tinha saltado da proa da balsa para as frias profundezas do Lago Flathead.

50

No início, ninguém no vagão de carga de Cromwell percebeu que o trem estava rodando para fora da balsa por causa da violenta movimentação causada por ondas e ventos. Bell rapidamente identificou o movimento diferente e sentiu que as rodas sob o vagão estavam começando a girar. Escancarou a porta do vagão e foi recebido por uma rajada de vento que o fez cambalear por um instante. Então, baixou a cabeça e se inclinou para fora. Teve duas visões macabras de uma só vez. Uma, a do deque que parecia se mover em direção à popa por causa do movimento do trem para a frente. E outra, o conjunto de quatro rodas frontais da locomotiva estava rodando para fora da proa e mergulhando na turbulência das ondas abaixo.

Bell girou nos calcanhares.

— O trem está caindo da balsa! — gritou por sobre a ventania. — Rápido, pulem enquanto ainda podem!

Cromwell considerou aquilo uma oportunidade e não um desastre em formação. Sem uma palavra, ele se arrancou do sofá e empunhou sua automática enquanto saltava. Um erro tolo. Em vez de instantaneamente apertar o gatilho e matar Bell, ele parou para dizer:

— Adeus, Isaac.

De repente, a mão que segurava a arma foi jogada de lado e a bala acertou o batente da porta, ao lado da cabeça de Bell.

Margaret estava diante de Cromwell, os olhos escuros em chamas e os lábios apertados um contra o outro até ela falar. Não havia medo, nem alarme; ela ficou ali, com as pernas firmemente plantadas no chão do vagão.

— Chega, Jacob! — ela disse.

Não teve tempo para dizer mais nada. Bell agarrou-a pelo braço.

— Pule! — instou-a. — Rápido!

Só Bell percebeu o inevitável. Ele olhou pela porta novamente e viu que a locomotiva quase desaparecera sob as ondas e o vagão-reboque e o vagão de carga estavam se movendo mais rápido enquanto eram arrastados para a água pelo imenso peso da máquina. O deque estava virado em um ângulo agudo e a Kalispell corria o risco de afundar com o trem. Restavam apenas alguns segundos antes que o vagão de carga fosse puxado para fora da proa.

Com o rosto contorcido de ódio, Cromwell virou o cano da arma em direção a Bell novamente, no entanto, Margaret colocou-se entre eles. Cromwell finalmente compreendera o perigo naquele instante, seus olhos enfurecidos pela noção de que a derrota e a morte estavam apenas um momento adiante. Ele tentou empurrar Margaret para o lado para poder saltar pela porta, mas ela envolveu a cintura do irmão com os braços, puxando-o de volta para dentro do vagão. Ele girou o cano da arma e acertou-a na bochecha. Sangue escorreu, no entanto, ela o agarrou num aperto mortal do qual ele não pôde escapar.

As rodas dianteiras do vagão estavam inevitavelmente seguindo o vagão-reboque em direção à frente da balsa. Bell tentou tirar Margaret pela porta, mas ela se segurava ao irmão com força demais. A malha do suéter azul rasgou-se e o braço dela lhe escapou.

Ela olhou para Bell e seus olhos ficaram suaves.

— Sinto muito, Isaac.

Ele ainda esticou a mão para ela, no entanto, era tarde demais. Bell estava caindo pela porta.

Ele se torceu violentamente no ar e colidiu contra o deque de madeira, acertando-o com o ombro oposto às suas costelas quebradas. O impacto ainda foi suficiente para fazê-lo arfar de agonia. Ficou deitado ali, observando, horrorizado, enquanto o vagão de carga de Cromwell era arrastado para baixo. Ainda lampejou em sua mente a esperança de que Margaret saltasse pela porta e depois para a água, salvando-se. Entretanto, isso não aconteceria. Uma parede branca de água e espuma abateu-se sobre o vagão e penetrou pela porta aberta com um ímpeto que tornava impossível a qualquer um no interior escapar. Ainda esperando o impossível, Bell ficou no deque, a água rodopiando a seu redor, olhando para as bolhas que se erguiam das profundezas enquanto a balsa passava por cima delas. Ele ainda estava olhando para o lugar onde o trem afundara ao cair, mas nem Margaret nem o irmão dela vieram à superfície.

A proa da balsa virou-se para cima e o casco se ergueu quase meio metro para fora d'água, livre das centenas de toneladas de peso do trem. Quase imediatamente, para imenso alívio do Capitão Boss na casa do leme, a estabilidade da Kalispell aumentou dramaticamente e ela começou a navegar pelas ondas, suas rodas de pás levando-a adiante em direção à margem oeste do lago.

Bell levou quase dez minutos para cruzar o deque até a porta que levava à escada para a casa do leme. Quando chegou à sala, parecendo um rato afogado, Boss olhou para ele, surpreso.

— Ora, de onde você saiu?

— Pulei no deque enquanto vocês se afastavam da doca em Woods Bay. Meu nome é Bell. Sou agente da Van Dorn.

— Você teve sorte de não afundar com os outros.

— Sim — ele disse suavemente. — Tive sorte.

— Quem era aquela gente?

— Dois eram membros inocentes da equipe ferroviária que foram trazidos como reféns. Os outros três eram procurados por assassinato e roubo. Eu pretendia prendê-los quando chegássemos ao porto.

— Pobres coitados! O afogamento não é uma boa morte.

Bell sentia-se profundamente marcado pela culpa e pela tristeza. Seu rosto não tinha expressão quando ele voltou o olhar para as águas do lago. As ondas não pareciam mais letais e estavam ficando brandas. O *chinook* estava indo para o leste e os terríveis ventos se transformaram em uma brisa densa.

— Não — murmurou. — Não é uma boa morte mesmo.

VINDO DAS PROFUNDEZAS

16 de abril de 1950
Lago Flathead, Montana

DEPOIS DE O VAGÃO-REBOQUE DE CARVÃO ser trazido à superfície e colocado na barca atrás da grande locomotiva Pacific, os mergulhadores se concentraram em passar os cabos de aço por baixo do vagão de carga e prendê-los a um gancho para poder erguê-lo. Apesar da sujeira e do lodo, o nome SOUTHERN PACIFIC ainda estava legível nas laterais do vagão-reboque.

No final da tarde, o diretor da operação de salvamento, Bob Kaufman, andava pelo deque impacientemente enquanto os mergulhadores subiam do fundo do lago em uma plataforma que balançou até pousar sobre a barca. Ele ergueu o olhar para as nuvens, que estavam escuras, mas não ameaçadoras, e acendeu um charuto enquanto esperava que o capacete de metal fosse erguido da cabeça do mergulhador-chefe.

Assim que isso foi feito, Kaufman perguntou:

— Como estão as coisas?

O mergulhador, um homem calvo de 40 e poucos anos, balançou a cabeça afirmativamente.

— Os cabos estão seguros. Pode mandar o operador do guindaste começar a levantar a carga.

Kaufman acenou para o homem que operava o grande guindaste que se erguia do deque da barca de salvamento em direção ao céu.

— Todos os cabos seguros! — gritou. — Pode erguer! — Então, Kaufman virou-se e falou com o homem alto, mais velho e de cabelos prateados que estava de pé a seu lado no deque. — Estamos prontos para erguer o vagão de carga, senhor Bell.

Isaac Bell assentiu. Seu rosto estava calmo, no entanto, havia um ar de expectativa.

— Certo, senhor Kaufman. Vamos ver como é que ele está depois de tantos anos no fundo do lago.

O operador do guindaste manobrou as alavancas, tensionando os cabos à medida que o motor a diesel de sua máquina saía de um rpm nulo até um alto antes de se estabilizar, trabalhando para içar o vagão de carga. A operação não estava nem perto de ser tão complexa quanto a de trazer para cima a locomotiva de 134 toneladas. Uma vez que o vagão se soltou do fundo, a operação de suspensão ocorreu suavemente.

Bell observou com fascínio quase mórbido enquanto o vagão quebrava a superfície da água e era levado até certa altura antes de o guindaste lentamente baixá-lo sobre a barca. Coordenando habilmente os controles, o operador do guindaste baixou o vagão com cuidado até que ele assentasse no deque atrás da locomotiva e do vagão-reboque.

Olhando para o trem, Bell achou difícil lembrar como ele fora tantos anos atrás. Caminhou até o vagão e limpou a sujeira do lago de cima do número serial que mal se podia notar sob o limo pegajoso. O número 16455 tornou-se visível.

Bell ergueu o olhar para a porta do vagão. Ainda estava aberta como quando ele caiu tanto tempo atrás. O interior estava escuro porque a luz do sol fora diminuída pelas nuvens. Memórias voltaram em um turbilhão enquanto ele recordava o dia fatídico em que o trem rodara para fora da balsa e mergulhara no fundo do lago. Ele temia o que encontraria lá dentro.

Kaufman veio com a escada que eles haviam usado para entrar na cabine da locomotiva, apoiou-a contra a porta aberta do vagão e disse:

— Depois do senhor, senhor Bell.

Bell concordou silenciosamente e subiu devagar na escada até ficar de pé no limiar da porta. Olhou para a escuridão e ouviu a água pingando por todo o vagão. Reprimiu um tremor. A umidade e o cheiro de sujeira e lodo pareciam feder a morte, antiguidade e maldade e a algo infinitamente medonho.

A mobília e a decoração do carro palaciano, antes ornamentadas, pareciam agora algo saído de um pesadelo. O chão com carpete de pelúcia estava coberto de sedimentos decorados com algas longas e esguias. O bar intricadamente esculpido, as poltronas e o sofá de couro, as luminárias Tiffany no teto e até as pinturas nas paredes pareciam grotescos sob a capa de limo e musgo. Pequenos peixes que não haviam escapado quando o carro fora retirado da água jaziam no chão.

Como se adiasse o inevitável, Bell patinou em meio à lama e encontrou as cinco malas de couro ao longo da parede, exatamente onde lembrava tê-las visto em 1906. Puxou um canivete dobrável do bolso e o usou para abrir os fechos enferrujados e quase travados da primeira mala. Levantando a tampa, viu que o interior estava relativamente livre de lodo. Pegou cuidadosamente um dos feixes de dinheiro. As notas de papel estavam encharcadas, mas mantinham sua forma e consistência. A impressão nas notas douradas e certificadas ainda aparecia distinta e bem definida.

Kaufman juntara-se a Bell e olhava fascinado para as pilhas de cédulas que preenchiam a mala.

— Quanto o senhor acha que tem aí? — perguntou.

Bell fechou a tampa e gesticulou para as quatro outras malas.

— Num palpite maluco? Talvez 4 ou 5 milhões.

— O que acontecerá com todo esse dinheiro? — perguntou Kaufman com um lampejo nos olhos.

— Será devolvido ao banco cujos correntistas tiveram suas economias roubadas.

— É melhor não deixarmos minha tripulação saber disso — Kaufman disse seriamente. — Podem acabar enfiando na cabeça que isso não tem dono.

Bell sorriu.

— Tenho certeza de que os encarregados das operações bancárias em São Francisco serão muito generosos em oferecer uma recompensa a você e à sua tripulação.

Kaufman ficou satisfeito, seu olhar varrendo o interior do vagão.

— Este deve ter sido um palácio luxuoso sobre quatro rodas antes de afundar. Nunca vi um vagão de carga adaptado como um carro particular Pullman.

— Nenhuma despesa foi poupada — disse Bell, observando diversas garrafas de champanhe envelhecido e conhaque caro espalhadas entre os sedimentos do chão.

A expressão de Kaufman tornou-se sombria quando ele olhou para dois corpos disformes projetando-se do chão.

— Estes são os dois por quem o senhor estava procurando?

Bell balançou a cabeça solenemente.

— Jacob Cromwell, o infame Assaltante Açougueiro, e a irmã dele, Margaret.

— O Assaltante Açougueiro — Kaufman sussurrou, admirado. — Sempre pensei que ele tivesse desaparecido.

— É uma lenda que se espalhou ao longo dos anos, já que o dinheiro nunca foi recuperado.

O tecido adiposo que outrora comportara a gordura corporal de Cromwell tinha se rompido e o corpo, assim como os cadáveres na cabine da locomotiva, tinha adquirido um aspecto de cera com a saponificação. O notório assassino mal parecia algo que já fora um ser humano vivo. Era como se houvesse derretido em uma massa disforme de gelatina marrom. Seu corpo estava retorcido, como se ele tivesse morrido convulsionando de terror enquanto toneladas de água esguichavam para dentro do vagão quando ele seguiu com a locomotiva até o fundo do lago. Bell sabia que não. Cromwell poderia ter lutado para sobreviver, no entanto nunca teria sido dominado pelo terror. Não era mais uma figura ameaçadora. Seu reinado de assaltos e mortes havia se acabado 44 anos atrás sob as águas frias do Lago Flathead.

Ele andou com dificuldade pela sujeira até onde jazia o corpo de Margaret. Seu lustroso cabelo estava espalhado pelo lodo e entremeado de fios e uma alga semelhante ao junco. O rosto, outrora adorável, parecia uma escultura que o artista deixara por finalizar. Bell não pôde evitar lembrar-se da beleza e vivacidade dela na noite em que se conheceram no elevador do Hotel Brown Palace.

Kaufman interrompeu os pensamentos de Bell:

— A irmã dele?

Bell balançou a cabeça. Experimentou uma sensação esmagadora de sofrimento e remorso. As palavras finais dela antes de ele cair do vagão voltaram para assombrá-lo. Nunca pudera explicar seus sentimentos em relação a ela. Não havia amor de sua parte — era mais como um afeto coberto de ódio. Não havia como perdoar os atos criminosos dela em parceria com o irmão. Ela merecera morrer tão certamente quanto ele.

— Não dá para saber qual era a aparência dela — disse Kaufman. — Pode ter sido uma mulher linda.

— Sim, ela era — Bell respondeu suavemente. — Uma mulher linda e cheia de vida, mas coberta de maldade.

Ele se virou, triste, entretanto seus olhos estavam secos.

* *

POUCO ANTES DA MEIA-NOITE, a barca de salvamento atracou-se à velha doca ferroviária de Rollins. Bell e Kaufman cuidaram para que os corpos fossem levados para o necrotério mais próximo e que familiares de Hunt e Carr fossem notificados. Então, o detetive reconheceu Joseph Van Dorn no cais, cercado por quatro de seus agentes, e não ficou surpreso ao vê-lo.

Van Dorn estava na casa dos 80 anos, porém continuava ereto, com a cabeça cheia de cabelos grisalhos e olhos que nunca haviam perdido o brilho. Embora seus dois filhos agora dirigissem a agência de detetives dos escritórios em Washington, D. C., ele ainda trabalhava em seu velho escritório de Chicago e servia como consultor em casos nunca resolvidos.

Bell caminhou até Van Dorn e apertou sua mão.

— É bom vê-lo, Joseph. Faz muito tempo.

Van Dorn sorriu amplamente.

— Meu trabalho não foi mais tão interessante depois que você se aposentou — disse.

— Nada poderia me impedir de voltar a este caso.

Van Dorn olhou para o vagão de carga. Sob as luzes turvas da doca, parecia um monstro odioso vindo das profundezas.

— Estava lá? — perguntou.

— O dinheiro? — Bell simplesmente assentiu.

— E Cromwell?

— Tanto ele como a irmã, Margaret.

— Então, finalmente acabou — Van Dorn suspirou pesadamente. — Podemos escrever um fim para a lenda do Assaltante Açougueiro.

— Não serão muitos os correntistas do Banco Cromwell que estarão vivos para receber o dinheiro de volta — Bell disse lentamente.

— Não, mas os descendentes deles serão notificados dessa sorte inesperada.

— Eu prometi a Kaufman e sua equipe uma bela comissão pelo trabalho.

— Cuidarei para que a recebam — Van Dorn prometeu. Colocou uma mão no ombro de Bell. — Bom trabalho, Isaac. É uma pena não termos podido encontrar o trem 50 anos atrás.

— O lago tem 82 metros no ponto onde o trem afundou — explicou Bell. — A companhia de salvamento que foi contratada pelos encarregados dos bancos em São Francisco dragou o lago, mas não conseguiu encontrar o trem em 1907.

— Como podem não tê-lo achado?

— Ele havia caído numa depressão no leito do lago e a draga passou por cima dela.

Van Dorn virou-se e indicou com a cabeça um carro estacionado perto da doca.

— Imagino que esteja indo para casa.

Bell confirmou:

— Minha esposa está esperando. Vamos voltar para a Califórnia.

— São Francisco?

— Eu me apaixonei pela cidade durante a investigação e decidi continuar lá depois do terremoto, montando minha casa na cidade. Vivemos na velha mansão de Cromwell, em Nob Hill.

Bell deixou Van Dorn e caminhou pela doca até o carro estacionado. A tinta azul metálica do conversível Packard Custom Super 8, Modelo 1950, cintilava sob as luzes do cais. Embora o ar da noite estivesse gelado, a capota estava abaixada.

Uma mulher estava sentada no banco do motorista, usando um chapéu elegante sobre os cabelos tingidos do tom loiro original da juventude. Ela o viu aproximar-se com olhos que eram tão verdes quanto no dia em que Bell a conhecera. As linhas da idade em torno desses olhos eram as de alguém que ria facilmente e os traços de seu rosto mostravam os sinais de uma beleza duradoura.

Bell abriu a porta e deslizou para o banco ao lado do dela. A mulher se inclinou para ele e o beijou firmemente nos lábios, afastou-se e lançou-lhe um sorriso esperto.

— Já estava na hora de você voltar.

— Foi um dia difícil — ele respondeu com um longo suspiro.

Marion virou a chave da ignição e ligou o carro.

— Encontrou o que estava procurando?

— Jacob e Margaret e o dinheiro. Está tudo lá.

Marion olhou para a água negra do lago adiante.

— Gostaria de poder dizer que lamento, mas não consigo me obrigar a sentir tristeza, sabendo dos crimes horríveis deles.

Bell não queria mais pensar nos Cromwell e mudou o assunto:

— Falou com as crianças?

Marion pisou no pedal do acelerador e tirou o carro do cais, levando-o para a estrada principal.

— Com todas as quatro, esta tarde. Assim que chegarmos em casa, elas vão nos dar uma festa de aniversário de casamento.

Ele deu um tapinha amigável no joelho dela.

— Está a fim de dirigir a noite toda?

Ela sorriu e beijou a mão dele.

— Quanto mais cedo chegarmos em casa, melhor.

Ficaram em silêncio por algum tempo, perdidos em seus pensamentos sobre eventos há muito ocorridos. Uma cortina descera sobre o passado. Nenhum deles se virou para trás para olhar para o trem uma última vez.